D0513863
afgeschreven

Billy's charme

ALICE McDERMOTT

Billy's charme

Uit het Engels vertaald door Irma van Dam

UITGEVERIJ DE GEUS

Oorspronkelijke titel *Charming Billy*, verschenen bij Farrar, Straus and Giroux

Omslagontwerp Robert Nix

Lithografie TwinType, Breda
Drukkerij Haasbeek bv, Alphen a/d Rijn

ISBN 90 5226 716 2
NUGI 301

Uitgeverij De Geus op Internet: http://www.degeus.nl

Verspreiding in België uitgeverij EPO, Lange Pastoorstraat 25-27, 2600 Berchem.

Dankwoord

Ik ben het Virginia Center for the Creative Arts dankbaar voor het beschikbaar stellen van een rustige plek, Kevin McDermott voor zijn hulp bij de research en Harriet Wasserman en Jonathan Galassi voor hun vriendschap, wijsheid en oneindige geduld.

A.M.

Voor Will, Eames en Patrick

Ergens in de Bronx, niet meer dan een minuut of twintig van het kerkhof, vond Maeve in een ver van de weg gelegen, bosachtig hoekje, een klein café-restaurant dat bereid was de zevenenveertig begrafenisgangers half doorbakken rosbief, gekookte aardappelen en sperziebonen *amandine* te serveren, met fruitsalade als voorafje en vanille-ijs bij de koffie. Van tijd tot tijd zouden er kannen bier en ijsthee op tafel worden gezet en de bar zou openblijven – het was immers een gewone werkdag – voor wie een borrel wilde.

Het etablissement lag aan het eind van een glooiende oprijlaan die met macadam begon maar al snel in zand en grind overging. Voor het gebouw was een strook zand en grind, met kuilen en op de dag van de begrafenis vol plassen, en hier parkeerden de eerste tien auto's, waaronder de zwarte limousine waarin Maeve had gezeten. De andere parkeerden langs de oprijlaan, eerst langs de ene kant en toen langs de andere, waarna de groep begrafenisgangers in hun vierde processie van die dag (de eerste toen ze kerk uitgingen, de tweede en derde het kerkhof op en af) over het natte, hobbelige pad naar het restaurantje liep dat, op Guinness uit de tap en een turfvuur na, een kroeg op het Ierse platteland had kunnen zijn. Of het decor van een toneelstuk op het Ierse platteland zonder de dialogen van John Millington Synge.

Hoe ze deze gelegenheid in 's hemelsnaam gevonden had was een raadsel, hoewel de vraag steeds opnieuw gesteld werd terwijl vrienden en familie van Billy achter elkaar binnenkwamen – de vrouwen die, op hoge hakken, op hun tenen het glooiende pad afliepen, de mannen die de arm van hun vrouw vasthielden en hun paraplu die bij het graf al kletsnat was geworden. Met hun kerkkleren aan gaven ze allemaal een plechtige sfeer aan de sombere dag en de ruige rand van stadsbomen en nat onkruid. Allemaal gisten ze ernaar: misschien had de begrafenisondernemer het etablissement voorgesteld, of iemand van het kerkhof. Misschien een vriend of verwant van haar kant (al waren er maar weinig) die iets van de Bronx af wist, of misschien Mickey Quinn, die hier zijn werkterrein had. Maar Mickey Quinn ontkende het en schudde zijn hoofd, maar dan moet je wel willen geloven dat er in een van de vijf wijken ook maar één café is waar hij niet is geweest.

Binnen rook het enigszins muf, begrijpelijk, met dit weer en met deze dichte (zelfs in april) koepel van bomen, maar de rood met groene tegelvloer was smetteloos en de houten toog glom onder het tl-licht. Een lange tafel gedekt met witte tafelkleden en couverts voor negenenveertig personen doorsneed de ruimte diagonaal over de hele lengte. Door een van de grote ramen was het parkeerterrein vol auto's zichtbaar, door het andere raam een klein bos dat ongetwijfeld op een smalle zijstraat of een rij containers achter een rij winkels uitkwam, maar dat van hierbinnen gezien donker en oneindig diep leek.

Maeve zat voor dit raam, aan het hoofd van de tafel. Ze droeg een marineblauwe japon met lange, nauwsluitende mouwen en een ronde hals, en iedereen in het vertrek die het niet eerder had gedacht, dacht nu – geïnspireerd misschien door de volmaakte eenvoud van wat ze droeg – dat er in haar onopvallende uiterlijk, haar alledaagsheid, een zekere schoonheid aanwezig was. Of als ze het geen schoonheid wilden noemen, zeiden ze moed, wat voor de gelegenheid en deze dag passender was, en dan bedoelden ze niet per se haar moed als nieuwe weduwe (met de clichés die daarmee gepaard gingen: dat ze flink was, volhield, het er goed afbracht), maar de moed die het vereiste om het leven te bezien vanuit een gezicht zo kleurloos als boter: een bleke, donzige huid en uitdrukkingsloze blauwe ogen, flets bruin haar, kortgeknipt als dat van een non en verbleekt door grijs. Alleen een vleugje poeder en lippenstift, alleen een trouwring en een kleine parelring als sieraden.

Natuurlijk hadden ze haar altijd al moedig gevonden (de meesten van hen tenminste, of allemaal waarschijnlijk, behalve mijn vader), zoals ze met Billy leefde; maar nu ze haar aan het hoofd van de tafel zagen zitten, Billy gestorven (er zou de rest van die middag genoeg tijd zijn om te zeggen dat ze het nog steeds niet konden geloven), werd haar moed, of haar schoonheid, hoe ze het ook wilden noemen, iets nieuws – en daardoor werd wat ze over Billy's leven zouden kunnen zeggen ook iets nieuws. Want als zij mooi was, zou zijn levensverhaal, of het verhaal dat ze op deze middag voor hem zouden gaan herscheppen, een andere wending moeten nemen.

Mijn vader zat rechts van haar. Hoewel Maeve alles zelf had geregeld, het etablissement had gevonden, het menu had gekozen en had verzocht dat de fruitsalade geserveerd zou worden zodra alle gasten gearriveerd waren, zodat er geen lange tussentijd zou zijn voor toespraken of toasts, alleen een snelle zegening door een van de priesters, was hij degene tot wie de serveersters het woord richtten en aan wie de eigenaar van het café zo nu en dan vroeg of men nog iets nodig had. Hij was degene die aan het eind van de middag de rekening zou betalen en de serveersters en het meisje dat de jassen en paraplu's aannam een fooi zou geven. Hij was degene die aan Maeve vroeg, nadat hij al een glas ijsthee voor haar had ingeschonken, of ze iets sterkers wilde drinken en toen opstond om het drankje voor haar te halen, de begrafenisondernemer en de chauffeur toeknikkend die hun middagmaal aan de toog gebruikten.

Ze zei: 'Dank je, Dennis', toen hij de martini voor haar neerzette en ze wachtte even, waarbij haar bleke hand de steel van het glas maar net aanraakte voor ze het optilde. 'Het ga je goed', zei hij, terwijl hij zijn eigen glas bier hief. Ze knikte.

Het heeft weinig zin om op het ironische van de situatie te wijzen – of zelfs om te proberen vast te stellen of het volkomen aan iedereen voorbijging óf dat men er zich zo scherp van bewust was dat er niet over gesproken hoefde te worden. Billy was als alcoholist gestorven. Gisteravond, in zijn doodskist, was zijn hoofd opgezwollen tot tweemaal de normale omvang en zijn huid was donkerbruin. (Dennis zelf, mijn vader, had, toen hij het lichaam twee dagen geleden in het Veteranenhospitaal identificeerde, aanvankelijk gezegd, een ogenblik verlost van het feit dat Billy dood was: 'Maar dit is een kleurling.')

Billy had zich dood gedronken. Hij had op zeker ogenblik het grote, diepe, hecht geweven web van genegenheid dat deel uitmaakte van het gevoelsleven, het leven van liefde, van iedereen in het vertrek, stuk gereten, aan flarden gescheurd, zoals alcoholisten plegen te doen.

Iedereen hield van hem. Dat zei Mickey Quinn, aan mijn kant van de tafel. Mickey Quinn, die ook voor Consolidated Edison werkte en hier in de Bronx zijn werkterrein had, hoewel hij nog nooit van dit etablissement had gehoord. Mickey, met een glas bier in zijn hand, het ironische van de situatie niet tot hem doordringend of zo voor de hand liggend dat er niet eens over gesproken hoefde te worden. 'Als je Billy maar een beetje kende,' zei hij, 'dan hield je van hem. Zo'n soort man was het gewoon.'

En als je van hem hield, wisten we allemaal, dan probeerde je hem op zeker ogenblik te bepraten. Of je reed hem naar de AA, wachtte voor de kerk tot de bijeenkomst voorbij was en reed hem weer naar huis. Of je leende hem wat je kon missen zodat hij naar Ierland kon reizen om ridder van de blauwe knoop te worden. Als je van hem hield, pakte je zijn autosleuteltjes af, luisterde je naar zijn onsamenhangende telefoontjes na middernacht. Ontzegde je hem de toegang tot je huis tot hij nuchter voor je deur kon verschijnen. Zag je de bloederige vezeltjes die hij in zijn glas ophoestte. Als je van hem hield, dan zei je op zeker ogenblik tegen hem dat hij zichzelf kapotmaakte en voelde je hoe zijn onverschilligheid je genegenheid verwoestte. Ging je vroeger van je werk om zijn lichaam in het Veteranenhospitaal te identificeren en voelde je, in plaats van dankbaar te zijn dat de beproeving eindelijk voorbij was, een korte opwelling van vreugde terwijl je je afwendde: dit was Billy niet, het was een of andere kleurling.

'Hij was heel zachtaardig', zei een andere nicht, weer een Rosemary, aan mijn kant van de tafel. 'Hij zag in iedereen wel iets goeds, echt waar. Hij wist altijd wel iets vriendelijks of iets grappigs te zeggen. Hij kon je altijd aan het lachen maken.'

'Hij was inderdaad grappig.' Daar was men het over eens. 'God, was hij niet grappig?'

'Iedereen hield van hem.'

Het ironische van de drankjes in hun hand en de drank die zijn dood was geworden ontging hen niet, maar misschien hervonden ze het genot van enkele borrels op een droevige, regenachtige middag, in het gezelschap van oude vrienden, nadat de drank in zijn leven zoiets akeligs was geworden. Hervonden ze de genegenheid die ze voor hem hadden gevoeld, ooit vernietigd door zijn koppigheid, zijn onverschilligheid, en maakten ze er iets waardevols van, iets kostbaars dat uiteindelijk toch goed besteed was.

De fruitsalade kwam uit blik maar werd met een bolletje limoenijs geserveerd, wat verfrissend was, vond iedereen. Het verdreef vieze smaakjes. De broodjes waren lekker. Er lag wat sodabrood in een van de mandjes, iemand moest het hebben meegebracht. 'Niet zo lekker als dat van mij, maar ja, ik heb het liever met karwijzaad zoals mijn moeder het altijd maakte...'

Je kon Billy's leven niet rechtvaardigen, je eigen niet-aflatende genegenheid voor hem niet rechtvaardigen zonder op zeker ogenblik te zeggen: 'Ooit was er dat meisje.'

'Dat Ierse meisje.'

'Eva.' Natuurlijk herinnerde Kate, zijn zus, zich haar naam nog.

'Dat was droevig, hè? Dat was een klap voor hem.'

'Een meisje dat hij vlak na de oorlog ontmoette. Vlak nadat hij thuis was gekomen. Op Long Island.'

'Een Iers meisje', zei Kate, 'dat op bezoek was bij haar zus, die kindermeisje was bij een of andere rijke familie op Park Avenue. Hij wilde met haar trouwen, gaf haar zelfs een ring. Eerst moest ze naar huis, haar ouders waren op leeftijd, geloof ik. Maar ze schreven elkaar. Billy was een verwoed brievenschrijver, hè? Hij was eeuwig bezig briefjes te krabbelen en te versturen.'

'Hij schreef op van alles, hè? Een papieren servet, een dienstregeling van de trein, en die stuurde hij je dan.'

'Ik heb er een', zei Bridie uit de oude buurt. Ze grabbelde in haar lakleren handtas en vond een envelop ter grootte van een wenskaart met twee postzegels erop met de afbeelding van een harp en een viool. Ze keek naar het poststempel – juni 1975 – en haalde er toen een slap vierkant servetje uit waarop Billy's zwierige handschrift stond. 'Hij heeft het uit Ierland gestuurd', zei ze. 'Van Shannon Airport.' En daar stond het logo van Aer Lingus in de hoek. Met een blauwe balpen had Billy geschreven: 'Bridie, zag net je gezicht voorbijgaan op een meisje van twaalf met een marineblauw schooluniform aan. Zei dat ze Fiona heette. Ze wachtte op het vliegtuig van haar vader uit New York. Jouw glimlach, jouw ogen, precies jouw gezicht op die leeftijd – een tweede versie. Liefs, Billy.'

Het servetje werd doorgegeven, net zo voorzichtig vastgehouden als een jong vogeltje, sommigen tastten zelfs in hun tas of borstzak naar hun leesbril opdat ze er geen woord van zouden missen. Helemaal de tafel rond naar Maeve, die het met een glimlach en een knikje las, en weer helemaal terug. Bridie nam het weer in ontvangst en las het nog eenmaal voordat ze het in de envelop deed en in een zijvakje, met rits, van haar zondagse handtas terugstopte.

Er werd over andere brieven van Billy gesproken: een paar woorden op een pagina uit een theaterprogramma, op een visitekaartje gekrabbeld. De lange epistels die hij tijdens de oorlog naar huis stuurde, hele zinnen zwart gemaakt door de censor, maar het heimwee was er evengoed in te lezen. Hij had zo'n heimwee. De ansichtkaarten van zijn Ierse reis, de placemats en servetten uit verschillende restaurants en eethuisjes op Long Island, die zomer dat Dennis en hij daar waren en het huisje van meneer Holtzman opknapten. Je herinnert je meneer Holtzman toch wel? De tweede echtgenoot van Dennis' moeder. De man van de schoenenwinkel.

Dat was ook de zomer dat hij het Ierse meisje ontmoette, Eva. Het meisje met wie hij gehoopt had te trouwen.

'Ze ging in het begin van de herfst naar Ierland terug.' Kate zou het zich wel herinneren. 'En niet lang daarna begon Billy bij meneer Holtzman te werken, 's zaterdags de hele dag en misschien op donderdagavond, geloof ik. Dennis had het voor hem geregeld. Billy probeerde genoeg geld bij elkaar te krijgen om zijn meisje te laten overkomen, om haar weer hierheen te halen, en Dennis sprak met meneer Holtzman af dat Billy in de schoenenwinkel zou werken wanneer hij niet bij Con Ed was.'

'Hij was een heel goede verkoper', zei haar jongere zus, ook Rosemary geheten.

'Nou,' legde Kate uit, 'meneer Holtzman was tijdens de oorlog een deel van zijn klanten kwijtgeraakt – ik weet niet of het door de rantsoenering kwam of door het feit dat hij van Duitse afkomst was of zoiets. Maar hoe dan ook, hij was blij met Billy, een oud-soldaat, met dat knappe gezicht van hem. Die blauwe ogen.'

'Hij was een aantrekkelijke jonge vent', zei Bridie uit de oude buurt. 'Misschien een beetje verlegen.'

'En daar heeft hij Maeve ontmoet, hè? In de schoenenwinkel?'

'Later', zei Kate. 'Ze kwam altijd met haar vader in de winkel en ik herinner me dat Billy me vertelde hoe geduldig ze met hem was, want haar vader dronk ook, weet je.'

'W.C. Fields met rood haar', zei zus Rosemary. 'Ik herinner me hem op hun trouwdag.' Ze rolde met haar ogen.

'Die arme Maeve heeft haar portie wel gehad.'

Een korte stilte toen een ober zijn hand tussen hen door uitstak om de schaaltjes van de fruitsalade weg te halen, de een na de ander 'dank u, dank u' fluisterend en toen weer 'dank u' terwijl een tweede ober zich vooroverboog om het middagmaal neer te zetten.

'Ziet dat er niet heerlijk uit?'

'En de borden zijn lekker warm.'

'Het is goed verzorgd, vind je niet? Ik vraag me af hoe ze dit restaurant heeft gevonden.'

'Vast en zeker de begrafenisondernemer. Hij krijgt waarschijnlijk provisie.'

'Hij heeft haar het geld gestuurd', vervolgde Kate. 'Eva, bedoel ik. Het Ierse meisje. Hij heeft haar ongeveer vijfhonderd dollar gestuurd, geloof ik.'

'Wat in die tijd een hoop geld was.' Iemand moest het zeggen.

'Jazeker.' En het bevestigen.

'Hij heeft haar het geld in de lente gestuurd, dat moet in '46 zijn geweest. En zij schreef terug dat ze plannen aan het maken was, je weet wel, zich voorbereidde om terug te komen. God, hij was in die tijd als een man die op een bus wachtte. De zon kon niet snel genoeg op- en ondergaan. Hij hoopte dat ze over zou komen voor de zomer voorbij was, zodat ze hun wittebroodsweken samen op Long Island konden doorbrengen, in het kleine huisje, het huisje van Holtzman, op de plek waar ze elkaar voor het eerst hadden ontmoet. Ik weet niet waar hij na hun wittebroodsweken met haar dacht te gaan wonen – weet je nog hoe het toen was, als je een woning probeerde te vinden?'

Men wist het nog. Men merkte ook op dat de rosbief heel mals, heel sappig was. Beter dit scheutje vleesnat dan een dikke jus.

'Rose en ik woonden al thuis met onze mannen, en ik had ook nog de baby', zei Kate. 'Ik weet niet waar Billy haar dacht onder te brengen.'

'Ik geloof niet', zei zus Rosemary, 'dat hij verder keek dan haar terugkeer naar de vs en trouwen en teruggaan naar Long Island.'

'Misschien maar goed ook', zei nicht Rosemary.

Dan Lynch zei: 'Des te beter misschien.'

'Want hij hoorde de hele zomer niets meer van haar,' ging Kate verder, 'hoewel hij haar denk ik twee, drie keer per week moet hebben geschreven, vaker misschien.

In september kreeg Dennis een telefoontje van haar zus, degene die nog steeds op de kinderen paste op Park Avenue. Hij ging de stad in om haar te ontmoeten en kwam toen rond negen uur op een zondagavond bij ons aankloppen. Hij vroeg of Billy een ritje naar Long Island wilde maken om te kijken hoe het huisje erbij stond. Ik geloof dat hij zei dat het er gestormd had. Hoe dan ook, Billy was altijd voor een uitje te vinden. Ik herinner me dat hij met zijn pak op een hangertje de deur uitging omdat ze de volgende morgen vroeg zouden terugrijden en rechtstreeks naar Irving Place zouden gaan. Ik herinner me dat mijn moeder hen achterna rende met een zak met beboterde broodjes en wat plakjes ham voor het ontbijt. Helemaal de trap af.

Dus Billy kwam pas de volgende dag op etenstijd thuis en toen vertelde hij ons dat Eva gestorven was – longontsteking. Ze was zesentwintig jaar. Ik heb liever thee...' en de ober met de roestvrijstalen koffiepot trok zich terug. 'Met citroen, alstublieft.'

'Voor mij ook thee, alstublieft', zei Bridie. 'Dit was ik bijna vergeten.'

Mickey Quinn zei: 'Niet voor mij, dank u, later misschien', en voegde er toen aan toe dat volgens hem alleen mensen uit het Midwesten koffie *bij* hun eten dronken. Hij zei dat hij nog wist hoe het in dienst was, die lui uit het Midwesten die bij iedere maaltijd koffie slobberden, het was een wonder dat ze nog iets proefden. Hij zweeg even om te zien wie zou toehappen, de draad van het praatje zou opnemen, het gesprek op de Tweede Wereldoorlog zou brengen in plaats van op Billy's verloren meisje.

Maar Dan Lynch zei weer: 'Het was een klap.'

'Ik dacht echt dat hij het nooit te boven zou komen.'

'Maar hij bleef in de winkel van Holtzman werken, hè?' zei Dan Lynch. 'Naderhand, bedoel ik. Zelfs toen hij die extra centen niet meer nodig had. Hij bleef er werken. Dat was typisch Billy, hè? Zo loyaal.'

'Nou, weet je,' zei Kate, 'het geld dat hij haar gestuurd had, was nog niet allemaal verdiend. Meneer Holtzman had hem een groot deel ervan voorgeschoten en toen Billy de ouders van het meisje schreef, om zijn deelneming te betuigen... Kun je je die brief voorstellen?' (Bridie rilde hoorbaar) '...zei hij natuurlijk dat ze het geld konden houden om de begrafeniskosten te betalen en steeds een verse krans op haar graf te leggen.'

'Net als Joe DiMaggio', fluisterde Bridie.

Kates wenkbrauwen keurden deze vergelijking af. 'Een poosje', ging ze verder, 'had hij het erover er zelf heen te gaan, maar dat hebben we hem afgeraden. Zelfs Dennis zei dat het pijnlijk, melodramatisch zou zijn. Ik was bang dat zijn hart ervan zou breken. Dank u. Maar het werk in de winkel was uiteindelijk goed voor hem. Het vulde een á twee avonden per week. En de zaterdag. En, zoals ik al zei, Holtzman was blij met hem.'

'Billy vertelde prachtige verhalen over die winkel', zei Mickey Quinn. 'Je weet wel, schreeuwende kinderen en vrouwen die hun tenen in maatje vijfendertig probeerden te wurmen of pal in zijn gezicht vooroverbogen als hij ze liet passen en hem bijna smoorden met hun bontjassen en parfum. Ik weet nog dat hij me over een van hen vertelde, een of andere vrouw met grote voeten, die tegen hem zei, toen hij haar maat nam: "Jongeman, ze hebben me altijd gezegd dat ik zesendertig half heb", en hij zegt, poeslief: "U hebt zesendertig als hij gehalveerd wordt, mevrouw."'

'Een vrouw heeft hem eens in zijn oor gebeten', zei Dan Lynch. Die informatie lag misschien al twintig jaar op zijn tong.

'Nee toch.'

'Je meent het.'

'Goeie God.'

'Het is waar!' Opgetogen dat hij het eindelijk kwijt kon. 'Billy moet in alle kleuren van de regenboog hebben gebloosd toen hij het me bij Quinlan vertelde. Het scheen dat hij zich bukte om een paar schoenen op te rapen die de vrouw had aangepast en toen boog zij zich ook voorover, alsof ze hem ging helpen, en hapte in zijn oor. Kun je je dat voorstellen?'

'Hij kon goed met de kinderen overweg', zei Bridie uit de oude buurt vlug, onze gedachten in gezondere banen leidend. 'Hij heeft die van mij allemaal geholpen, vanaf hun eerste schoentjes. Hij wist met kinderen om te gaan.'

'En daar heeft hij Maeve ontmoet', zei nicht Rosemary.

Zus Rosemary bevestigde het. 'Daar heeft hij Maeve ontmoet. Ze kwam altijd met haar vader in de winkel. Hem aan schoenen helpen, zei Billy, was alsof je een ezel schoeide, en nauwelijks was ze met hem in de winkel om een paar voor hem te kopen of ze waren alweer terug omdat hij er een kwijt was. Het duurde niet lang voor Billy besefte dat hij er ergens een onder een barkruk was kwijtgeraakt.'

'Maar Billy speelde het klaar om een afspraakje met haar te maken', zei Bridie.

'Voor de bioscoop. Ik sloeg bijna steil achterover toen hij me vertelde dat hij met haar naar de bioscoop zou gaan. Het was... hoelang geleden, Kate? Een jaar of vier, vijf, sinds dat Ierse meisje?'

'Vijf jaar. Het was 1950 en ze trouwden drie jaar later, in 1953.'

'Dertig jaar dus', zei Mickey Quinn.

Kate knikte. 'In september zou het dertig jaar zijn geweest.'

'Da's een behoorlijk lange tijd', zei Mickey Quinn.

En alle ogen gingen naar Maeve, die haar eten kennelijk nog niet had aangeraakt maar met haar handen op haar schoot opzij leunde om naar Ted te luisteren, een andere neef van Billy, terwijl deze naast haar stoel hurkte en ernstig sprak.

'Ze heeft het nooit makkelijk gehad,' zei zus Rosemary, 'vooral de laatste tijd niet. Je weet wel, tegen het eind.'

'Tegen het eind was het een uitgemaakte zaak', zei Kate. 'Ik geloof dat het erger voor haar was in het begin, toen ze haar vader én haar man had om in het oog te houden.'

'Ze houdt zich geweldig vandaag.'

'O, ze is sterk.'

'Dat moet je haar nageven. Ze is erg moedig.'

En op een bepaalde manier mooi misschien, terwijl ze haar ogen nu opslaat om iets tegen mijn vader te zeggen, en tegen kapelaan Ryan naast hem, haar bleke hand tot een vuist gebald op het witte tafelkleed. En als moed ook schoonheid betekende, dan was haar aanwezigheid in de schoenenwinkel Billy's redding, of ten minste zijn tweede kans die hij door koppigheid en onverschilligheid voorbij had laten gaan. Maar als ze zo gewoontjes was als ze altijd hadden gezegd, gedurende al die jaren dat Billy leefde, een weinig aantrekkelijk meisje dat de dertig naderde, met een alcoholistische oude vader om voor te zorgen en geen vooruitzichten – als Eva de schoonheid was geweest – dan was Maeve niet meer dan een schrale troost, een vruchteloze poging een onherstelbaar gebroken hart te genezen. Een ogenblik van respijt, een vleugje optimisme, niet genoeg voor een heel leven.

'Dat wist ik niet', fluisterde nicht Rosemary. 'Had Billy er zelfs in het begin al problemen mee? Ook toen ze pas getrouwd waren?'

We wendden ons allemaal tot Kate, omdat al gebleken was dat ze een goed geheugen had. Zij was de oudste zus, de enige van degenen die hier aanwezig waren die echte rijkdom had vergaard (hoewel al duidelijk was opgevallen dat haar man hier vandaag niet was, gisteravond niet was gekomen), en dus kon zij met enig gezag spreken, terwijl de rest er misschien alleen maar naar kon raden.

'Nou, hij heeft altijd gedronken', zei Kate. 'Maar zijn drankgebruik leek heel lang onschuldig. Ik herinner me dat hij een stuk in zijn kraag had toen hij met verlof was, voor hij overzee ging, maar dat was begrijpelijk. Ik herinner me de avond dat hij thuiskwam en ons vertelde dat Eva gestorven was. Hij ging daarna meteen naar bed en ik heb Dennis toen gebeld om te zien of hij me iets meer kon vertellen en Dennis zei dat ze de avond tevoren allebei flink gedronken hadden, wat ook begrijpelijk was. Het was voor Dennis waarschijnlijk net zo moeilijk om het hem te vertellen als het voor Billy was om het nieuws te horen.'

Zijn zus Rosemary zei: 'Ik herinner me dat hij een glaasje te veel op had toen Jill gedoopt werd. Ik maakte me er zorgen over dat hij met de ondergrondse naar huis moest.'

'Maar hij heeft jarenlang geen dag van zijn werk gemist', zei Kate tegen ons. 'En hij was er iedere zaterdagmorgen om de schoenenwinkel te openen vanaf de tijd dat hij begon tot in het begin van de jaren zestig, toen meneer Holtzman de zaak aan Baker overdeed. Ik geloof niet dat meneer Holtzman ooit heeft geweten dat hij dronk. Bij Edison wist beslist niemand het tot vlak voor het eind.'

Maar Mickey Quinn stak zijn hand op. 'Ze wisten het', zei hij wijs.

'Maar toch nog niet zo lang', zei Kate. 'Misschien toen hij in het ziekenhuis werd opgenomen, in '73, het jaar dat mijn Kevin aan Regis afstudeerde.'

Maar Mickey Quinn fronste zijn wenkbrauwen en schudde zachtjes, verontschuldigend, zijn hoofd, alsof het iets betrof wat maar een beetje bezijden de waarheid was. 'Ze wisten het', zei hij weer. 'We wisten het allemaal. Ik ging in '68 van Irving Place weg en de jongens op kantoor wisten zelfs toen al dat Billy een drinker was. Ze dekten hem, meestal 's middags. Hij ging na de middagpauze weg voor een dienstbezoek en kwam niet op kantoor terug en dan dekten ze hem. Iedereen was op hem gesteld. Ze deden het graag.'

'Ik denk dat Smitty hem misschien ook gedekt heeft', zei zijn zus Rosemary. 'In de schoenenwinkel. Herinner je je Smitty nog? De assistent van meneer Holtzman – dat kale mannetje?' Men herinnerde zich hem. 'Ik ging er op een zaterdag heen, we zochten schoenen voor Betty's eerste communie, en Billy kwam net van zijn middagpauze terug. Ik had het idee dat hij er een paar op had. Ik bedoel, hij mankeerde niets, en de kinderen waren altijd blij om hem te zien, maar ik merkte dat alleen Smitty de maat nam en alle schoenen pakte. Billy zat bijna alleen maar. Wat niets voor hem was. Hij zoog op een pepermuntje.'

'Wanneer was dat?' vroeg Kate zoals haar rijke echtgenoot, die rechten had gestudeerd aan Fordham Law, misschien zou doen.

Rosemary zweeg even om het uit te rekenen. 'Betty zat in de tweede klas. 1962.' Haast verontschuldigend: 'Hij dronk in '62.'

Dan Lynch hief zijn handen. 'Nou ja, wat zegt dat? Hij dronk voor die tijd ook. Bij Quinlan. Zaterdags na zijn werk. Zondagsavonds. Verrek, ik was er ook altijd en aan mijn lever mankeert niets.'

'Wanneer werd het dan een probleem?' vroeg nicht Rosemary.

'Hij begon eind jaren zestig met de AA', zei Kate tegen haar. 'En opnieuw rond '71 of '72.'

'Hij beloofde geheelonthouder te worden tijdens die reis naar Ierland. Dat was in '75.'

'En wat is hij daarmee opgeschoten?'

'Ik dacht dat hij het zou volhouden. Maeve ook.'

Dan Lynch grinnikte, met zijn hand om zijn glaasje. 'Ik weet nog dat Billy zei dat de AA een protestantse aangelegenheid was, als je het goed beschouwde. Opgericht door een stel protestanten. Hij zei dat de joviale manier waarop sommigen Onze Lieve Heer altijd bij zijn voornaam noemden hem niet aanstond. Ik heb hem met de auto naar de eerste bijeenkomst gebracht en gewacht tot ik hem weer naar huis kon brengen, want Maeve wilde niet dat hij reed, en toen hij naar buiten kwam, zei hij dat je kon zien wie de katholieken waren want die bogen om de tien seconden allemaal hun hoofd, terwijl de protestanten het maar luchtig over Jezus, Jezus, Jezus hadden.'

(En jawel, overal aan ons eind van de tafel gingen hoofden omlaag toen Zijn naam werd genoemd.)

Zus Rosemary zei: 'Hij hield er ook niet van dat ze God de

Zaligmaker noemden – wat denk ik de officiële term bij de AA was. Niet aan een kerkgenootschap gebonden, weet je wel. Hij zei dat het alleen maar bewees dat ze geen van allen gevoel voor humor hadden. Hij zei dat je God zelf moest wezen om zaliger te zijn dan de meeste van die kerels waren geweest.'

Er werd hier en daar zachtjes gelachen. 'Billy was een tikkeltje oneerbiedig', zei Mickey Quinn. 'Dat vond ik zo aardig aan hem.'

'Zoals kapelaan Joyce het mij heeft uitgelegd,' ging Dan Lynch verder, 'was de blauwe knoop het katholieke idee van de AA. Hij zei dat het net als een priesterwijding was: je trad toe en dan kon je niet meer terug. Een onbreekbare eed om nooit meer een druppel te drinken. Voor Billy was het je ware.'

'Maar hij heeft hem wel gebroken.'

'Er zijn ook genoeg priesters die hun gelofte breken', zei Dan Lynch tegen hen.

'Nou ja, hij is er in ieder geval door in Ierland gekomen', zei nicht Rosemary. 'Ik heb Maeve en hem ik weet niet hoeveel keer geprobeerd over te halen ernaartoe te gaan, maar het is me nooit gelukt.'

'Maeve houdt niet van reizen,' zei zus Rosemary. 'Ze is een huismus. Altijd geweest.'

Kate boog zich naar ons toe terwijl ze haar handen op de tafel vouwde: een smaakvolle diamanten ring, een gouden armband, een professionele manicure. 'Ik heb me dikwijls afgevraagd', zei ze langzaam. 'Ik heb het hem nooit durven vragen, maar ik heb me wel afgevraagd of Billy het stadje heeft bezocht waar Eva vandaan kwam. Toen hij daar was.'

Haar zus schudde haar hoofd. 'Dan had Billy het wel gezegd. Hij hield nooit iets voor zich.'

Kate zweeg maar een ogenblik om hierover na te denken. 'Maar hij wilde misschien niet dat het Maeve ter ore zou komen, weet je', zei ze. 'Hij dacht misschien dat ze niet over zo'n bedevaart zou willen horen.'

'Wie wel?'

'Wist ze van Eva?' vroeg Bridie, die ook fluisterde en er 'dank u' aan toevoegde toen de ober haar lege bord weghaalde.

'Vast', zei Kate. 'Dank u.' En toen: 'Eigenlijk weet ik het niet. Maar ik stel me voor dat ze wel iets van haar af wist.'

'Hij moet haar toch iets verteld hebben.'

'Dennis zal het wel weten', zei Mickey Quinn. 'Die twee waren altijd dikke maatjes.'

Maar Dan Lynch protesteerde. 'Ik was getuige bij Billy's huwelijk', zei hij. 'Wij waren ook goed bevriend.'

'Nou, heeft hij Maeve over dat Ierse meisje verteld?'

Dan gebaarde ongeduldig met zijn hand. 'Ik weet zeker dat hij haar iets heeft verteld. Het is niet iets waar mannen over praten, weet je. En dit moet ik van Billy zeggen: je hoorde hem nooit meer over dat meisje reppen toen hij eenmaal met Maeve was getrouwd.'

'Vraag het aan Dennis', fluisterde nicht Rosemary.

Het gekozen dessert werd binnengebracht: twee bolletjes vanille-ijs in koude roestvrijstalen schaaltjes. Handen in hun schoot om het werk van die arme man gemakkelijker te maken terwijl hij tussen hun schouders manoeuvreerde. Dank u.

'Ik weet nog dat ik naar Maeve keek toen ze door het gangpad kwam aanlopen', zei Dan Lynch, die zijn lepel optilde en hem als een scepter vasthield. 'Ze liep aan de arm van haar ouweheer, maar als je haar gadesloeg was het duidelijk dat zij hem ondersteunde, je weet wel, hem rechtop hield. Ze glimlachte net zo lief als ieder ander bruidje, maar de manier waarop ze liep had iets vastberadens, je weet wel, zoals ze haar schouder tegen de zijne hield, alsof het een muur was die elk moment kon omvallen. Ze pakte zijn arm vast toen ze bij de eerste bank kwamen, ik bedoel heel stevig, hier.' Hij demonstreerde het en pakte zijn eigen onderarm vast, met lepel en al. 'De oude man stootte zijn voet tegen de knielbank – je kon het door de hele kerk horen – en even leek het erop alsof hij voorover zou tuimelen. Maar zij kreeg hem op zijn plaats en zorgde dat hij ging zitten. Zij leidde hem. Door pure wilskracht, als je het mij vraagt. En toen knikte ze alsof ze wilde zeggen: zo, dat is dat, en ging het altaar op om met Billy te trouwen.' Hij nam een slokje van zijn bier. 'Klaar om het tegen hem op te nemen, herinner ik me dat ik dacht. Ze was niet mooi, maar wel vastberaden.'

'En heel stil', zei Mickey Quinn. 'Als je er ging eten, was Billy meestal aan het woord.'

'Hij bofte dat hij haar gevonden had', zei zus Rosemary. 'Mijn moeder zei altijd dat er niets treuriger is dan een ouwe vrijgezel die geen priester is. Ze dacht dat Billy dat zou worden na dat Ierse meisje. Een ouwe vrijgezel. Sorry, Danny.'

En Dan Lynch lachte, werd een beetje rood op zijn kale hoofd. Nam een slokje van zijn bier en haalde zijn schouders op. Het geeft niet – het verhaal wilde dat Danny Lynch zo'n kenner van schoonheid en manieren was, dat geen onvolmaakte vrouw hem had kunnen behagen en geen volmaakte gevonden had kunnen worden.

'Heb je haar ooit ontmoet?' fluisterde Bridie uit de oude buurt. 'Het Ierse meisje?'

De twee zusters wisselden over de tafel een blik met elkaar, het soort blik dat ze gewisseld zouden hebben als ze naar het laatste hapje keken van een stuk taart dat ze samen deelden. 'Ze kwam naar het appartement', zei Kate, die het ophapte. 'Vlak voordat ze naar haar eigen land terugkeerde. Billy leende de auto van meneer Holtzman om haar in de stad op te halen.'

'Ze was erg knap', voegde Rosemary eraan toe, ook een kruimeltje pakkend. 'Als Susan Hayward.'

'Nou, dat vond ik niet', zei Kate. 'Maar ze had mooi haar, donker kastanjebruin. En grote bruine ogen. Ze was niet erg groot, zelfs een beetje mollig. Billy nam haar op zondag mee voor het avondeten en kon toen zelf geen hap door zijn keel krijgen. Hij behandelde haar zo – ik weet niet – zo omzichtig. Zoals hij tegen haar sprak, naar haar keek en naar haar luisterde. Ze had wel een mooie stem, weet je, dat arme kind' (een geheugensteuntje voor ons dat ze jong gestorven was), 'met haar Ierse accent en zo. Alleen al door naar haar te luisteren werd mijn moeders accent zwaarder. Ze zagen er goed uit samen, Eva en Billy. Een knap stel. Zagen er samen beter uit dan afzonderlijk, op de een of andere manier. Hij was tot over zijn oren verliefd, dat is zeker. We plaagden hem toen hij thuiskwam, nadat hij haar weer naar de stad had gebracht. We zetten zijn bord op de eetkamertafel toen we hem boven hoorden komen. We hadden het bewaard. Hij had nauwelijks een hap gegeten. We zeiden: "Wat mankeerde er aan je eten, Billy?"' Ze begon te lachen. 'We zeiden: "Hoe kun je met dit arme meisje trouwen als alleen al haar aanwezigheid je de eetlust beneemt? Billy," zeiden we, "ze zal iedere avond bij je aan tafel zitten en bij het ontbijt ook, wanneer ga je dan eten? Je zult verhongeren. Je zult helemaal wegkwijnen. Je zult stiekem hierheen moeten komen om te bedaren zodat je kunt eten." We pestten hem zo.'

'En weet je nog wat mama zei?' vroeg zus Rosemary. Kate onderdrukte haar glimlach, keek ongeïnteresseerd. Haar make-up was ook professioneel. 'Nee.'

Heel vergenoegd zei Rosemary tegen mijn eind van de tafel: 'Weet je, mijn moeder beschouwde zichzelf als een soort helderziende.' Zo kreeg ze toch nog haar inbreng in het verhaal. 'Ze legde de kaart en had dromen. En ze zei toen Billy weg was dat toen ze de hand van het meisje aanraakte, ze vier korte trillingen in haar eigen buik voelde, alsof er een baby schopte, wat betekende dat ze vier kinderen zouden krijgen.'

'Of dat je moeder last van haar darmen had', zei Mickey Quinn.

'Dat is aannemelijker', zei Kate. 'Je weet hoe mijn moeder kookte.'

'Ze was niet veel beter als waarzegster.'

Maar Bridie schudde haar hoofd. 'Ik weet het niet', zei ze. 'Het is misschien waar. Ik bedoel, je zou kunnen zeggen dat als het meisje was blijven leven, ze misschien dat aantal kinderen had gekregen.'

Dan Lynch zei ernstig: 'Waardoor dit een andere dag zou zijn geworden.'

'Het zou een ander leven zijn geweest', zei Bridie.

Mickey Quinn schudde zijn hoofd en leunde achterover in zijn stoel, alsof hij dergelijke speculaties wilde vermijden. 'Ik wil dat kopje koffie nu wel, als u de kans krijgt', zei hij tegen de rug van de ober.

'Een ander leven', herhaalde Dan Lynch en hij hief zijn glas bier.

Het licht dat door het raam achter Maeve naar binnen viel was aan het veranderen. Er ontstond iets van schaduw tussen de donkere stammen van de bomen, de lucht die brak, misschien.

'Daar ben ik het niet mee eens', zei zus Rosemary zacht. 'Ik heb er veel over gelezen, zoals het met Billy was. Alcoholisme is geen keuze, het is een ziekte, en Billy zou die ziekte hebben gehad of hij nu met dat Ierse meisje of met Maeve was getrouwd, of hij nu kinderen had gekregen of niet. Het zou niet zo'n ander leven zijn geweest, geloof me. Het leven van iedere alcoholist is zo'n beetje hetzelfde.'

'Hier ben ik het niet mee eens', zei Dan Lynch nauwelijks hoorbaar en Kate voegde eraan toe: 'Het loopt niet altijd dodelijk af.'

'Volgens mij is het een kwestie van wilskracht', zei Dan Lynch, harder sprekend en voorkomend dat Kate opnieuw het hoogste woord zou voeren. 'Ik heb bijna veertig jaar lang zij aan zij met Billy Lynch gedronken. Aan mijn lever mankeert niets. Billy heeft nooit de wilskracht gehad om ermee te stoppen.'

Zus Rosemary fronste haar wenkbrauwen, schudde haar hoofd. 'Dat is niet eerlijk. Toen hij naar Ierland ging, toen hij de gelofte aflegde, was hij vastbesloten. Dat heeft hij me zelf verteld. Je weet hoe gelovig Billy was. En je weet hoe serieus hij die reis opvatte. Hij was die keer echt vastbesloten. Maar die ziekte had hem in zijn greep.' Ze hief haar vuist en liet het hun zien.

Dan Lynch schonk voor zichzelf en Mickey Quinn nog een biertje in. 'Nou, ik zal je vertellen wat hij tegen mij heeft gezegd', zei hij. 'Bij Quinlan, misschien een jaar of twee nadat het Ierse meisje was gestorven. Hij zei tegen me', zei hij, terwijl hij zijn glas optilde en eromheen gebaarde, 'dat ieder jaar hem als een last op de schouders drukte. Ieder uur, zei hij.' Hij gebaarde naar Kate. 'Weet je nog dat je zei dat hij als een man was die op een bus wachtte, toen hij wachtte tot hij haar kon laten terugkomen? Nou, toen je dat zei dacht ik: het is nooit veranderd. Hij wachtte nog altijd, jaren nadat ze was gestorven. Maar nu wachtte hij tot hij naar haar toe kon. Vanaf de avond dat Dennis hem het nieuws vertelde, wachtte hij op zijn dood. Dat weet ik zeker.'

'Maar Maeve was er', riep Bridie uit de oude buurt.

'Dat is niet eerlijk tegenover Maeve', zei zus Rosemary.

Dan Lynch schudde zijn hoofd. 'Ik heb niets aan te merken op Maeve. Ze heeft veel te verwerken gehad, dat staat vast. Maar als je het mij vraagt, stond Billy al met één been in het hiernamaals voor hij Maeve ontmoette.' Hij wierp een blik naar het andere eind van de tafel en boog zich toen voorover, terwijl hij zijn stem liet dalen omdat het aantal gasten langzaam afnam, Billy's vrienden en verwanten stonden op om nog even met Maeve te praten, naar het toilet te gaan of nog een borrel te halen voor ze vertrokken.

'We gingen een keer samen naar de mis. Maria Hemelvaart. 15 augustus. We waren allebei na ons werk bij Quinlan aangewipt, werkelijk een bloedhete dag, zo heet als de hel, en we beseften allebei tegelijkertijd welke datum het was. We gingen op een holletje naar de mis van half zeven in de Sint-Sebastiaan en, ik weet niet, ik keek vlak na de communie even naar Billy. Het viel me in dat het niet de gedachte aan Onze Lieve Heer of de Moeder Gods was waardoor hij die uitdrukking op zijn gezicht had. Het was dat meisje. Dat Ierse meisje. Als hij zijn blik op de hemel richtte, dan zag hij haar.'

'Ach, wat een onzin', fluisterde zus Rosemary.

Mickey Quinn staarde aandachtig naar het plafond. Verderop aan tafel draaiden een paar hoofden zich om, misschien voelend dat er ruzie op komst was.

Dan Lynch nam een slokje van zijn bier en tuitte zijn lippen terwijl hij proefde. 'Wat onzin is, is al dit geklets over ziekten', zei hij. 'Misschien is het voor sommige mensen een ziekte. Maar bij anderen gebeuren er misschien dingen in hun leven waar ze eenvoudig niet mee kunnen leven. Dingen die hun plezier in alles vergallen. Misschien is het bij sommigen een verdriet waar ze zich niet van kunnen losmaken of een teleurstelling die niet weggaat. En weet je wat ik tegen die mensen zeg? Ik zeg "het ga je goed" tegen die mensen.' Hij hief zijn glas, hief zijn kin. 'Ik zeg, misschien zijn ze niet zo slim en verstandig en verdraagzaam als ieder van ons', ieder van ons aanduidend met een brede zwaai van zijn bierglas, 'maar ze zijn trouw. Ze blijven trouw aan hun eigen gevoelens. Ze blijven trouw aan hun oorspronkelijke plannen, net zoals Billy trouw bleef aan Holtzman en aan de baan die hij hem had gegeven. En zoals hij trouw zou zijn gebleven aan haar als ze was blijven leven en terug was gekomen en ze met elkaar getrouwd waren. Net zoals hij trouw bleef aan Maeve: Billy repte met geen woord meer over dat meisje toen hij eenmaal met Maeve was getrouwd. Maar het meisje was de eerste en voor Billy zou ze altijd de eerste blijven. Zo'n soort man was het. Maeve kon hem niet veranderen.'

'Ik geloof dat hij naar haar graf is geweest toen hij in Ierland was', zei Kate plotseling. 'Ik heb gewoon het gevoel dat hij op een gegeven moment toen hij daar was naar het stadje is gegaan waar zij vandaan kwam en haar graf heeft bezocht. Ik geloof dat dat de eigenlijke reden voor zijn reis was.'

Rosemary schudde haar hoofd, wendde zich tot Mickey Quinn, die verdiept was in het oplossen van de suiker in zijn koffie. 'Hij is met kapelaan Ryan meegegaan om de gelofte af te leggen', zei ze geduldig. 'Om in retraite te gaan. Om met drinken te stoppen.'

Maar Kate zei: 'Ach, Rose, denk er eens over na. Ierland is niet de enige plaats waar retraites voor alcoholisten zijn. Hij had er hier een kunnen vinden. Misschien dacht hij dat hij het eindelijk kon laten rusten als hij naar haar graf ging. Zijn gevoelens voor haar kon laten rusten zodat hij kon stoppen met drinken.'

'Maar dat kon hij niet', zei Dan Lynch bedroefd en hij schonk nog een glaasje bier in.

'Dat kon hij niet', was Kate het met hem eens. 'En daarom hield hij het niet vol, ook al was hij vastbesloten.'

Maar Rosemary had een koppige trek om haar mond. 'Nee', zei ze vol overtuiging. 'Hoor eens, er zijn snellere en aangenamere manieren om jezelf van het leven te beroven. Ik verzeker je dat ik alles wat er is over dit onderwerp heb gelezen. Alcoholisme is een ziekte, het is erfelijk. Onze eigen vader heeft ook zijn lever verwoest en zou op dezelfde manier gestorven zijn als hij geen kanker had gekregen. En oom John in Philadelphia was alcoholist. En twee zonen van hem – Chuck en Peter – gaan naar de AA. En Ted. En Mary Casey en Helen Lynch. En de vader van Dennis was er ook niet vies van.'

'Oom Daniel is aan kanker gestorven', zei Dan Lynch verontwaardigd. 'Hij was geen dronkaard.' Hij richtte zich tot Bridie en Mickey Quinn. 'Hij heeft zijn zes broers en zijn zus laten overkomen en God mag weten hoeveel andere vrienden en familieleden. Allemaal van zijn salaris als conducteur.'

'Hij was een heilige', zei Bridie uit de oude buurt knikkend. 'Dat zei mijn moeder altijd.'

'Goed', zei Rosemary. 'God zegene oom Daniel, maar ik bedoel te zeggen dat onze familie behept is met wat ze een erfelijke aanleg voor kanker en alcoholisme noemen. Het zat Billy in zijn genen.'

'Toen hij uit Ierland terugkwam,' zei Kate zacht, terwijl ze langs de steel van haar glas streek, 'in juni '75 – dat herinner ik me omdat mijn Daniel net aan Fordham was afgestudeerd – ging hij rechtstreeks naar Long Island. Naar het kleine huisje. Dennis was er; het was niet lang nadat hij Claire had verloren. Weet je nog dat hij het huisje vaak van zijn moeders huurder terughuurde zodat hij er zijn vakantie kon doorbrengen? Nou, Billy was amper een dag thuis toen hij de trein erheen nam – en hij was er in geen jaren geweest.'

'En wat wil dat zeggen?' vroeg Rosemary koel.

'Dat wil zeggen dat hij naar de plek terugging waar hij haar, Eva, voor het eerst had ontmoet. Hij probeerde iets voor zichzelf op te lossen.'

'Ach, toe nou', zei Rosemary. 'Het was bijna dertig jaar geleden. Wat viel er nog op te lossen? Het was jammer dat ze stierf, maar Billy had sindsdien dertig jaar verder geleefd. Ik bedoel, alsjeblieft, noem me eens iets wat je dertig jaar lang zo sterk bijblijft.'

Wat ons eind van de tafel een ogenblik tot zwijgen bracht, alsof datgene wat we wilden opperen ons slechts even ontschoten was.

Nicht Rosemary prikte met haar roerstokje in het overgebleven ijs in haar glas. 'Al het water van de zee kan het toch niet meer afwassen', zei ze, alsof de inhoud van haar hoge glas dat inderdaad was: water van de zee. 'Wat heeft het eigenlijk voor zin dit nu allemaal te bespreken? Billy was er en nu is hij er niet meer, en ik kan het in elk geval gewoon niet geloven. Ondanks zijn problemen.' Tranen nu. 'Ik zal hem missen. Ik zal zijn stem door de telefoon missen. Ik zal zijn lachende gezicht missen.'

'Amen', zei Mickey Quinn.

Maar Dan Lynch hief zijn glas weer. Hij sprak op fluistertoon, zijn stem heftig. 'Ik vind gewoon niet dat het het leven van een man eer aandoet om te zeggen dat hij in de greep van een ziekte was en dat dát zijn ondergang is geworden. Zeg dat hij te trouw was. Zeg dat hij teleurgesteld was. Zeg dat hij veel te veel ophef over dat Ierse meisje maakte en later het leven niet meer recht in de ogen kon kijken. Maar geef hem tenminste de eer dat hij gevoelens had, dat hij de hand in zijn eigen lot had. En zeg niet dat het een ziekte was die hem verblindde en alles vernietigde wat hij was.' Hij nam driftig een slok, zijn gezicht rood. 'Doe die man dat plezier, alsjeblieft.'

De lucht brak inderdaad en een zwak zonnetje scheen op het haar van Maeve – je kon niet zeggen verlichtte het, maar het scheen erop en toonde het zoals het was: vaalbruin dat nog grover werd door het grijs, en toch liet het zo duidelijk zien wat het was dat je er een zekere aantrekkingskracht in kon ontdekken. Misschien was het gewoon de oprechtheid ervan. Een soort schoonheid die geen transformatie van haar eenvoudige uiterlijk was maar een bevestiging ervan, een nadrukkelijke verzekering dat het niet meer was dan wat het leek.

Mijn vader stond naast haar, in de ene hand zijn servet, de andere hand achter haar uitgestoken om afscheid te nemen van weer een neef, Ted uit Flushing, die naar de AA ging om aan kanker te sterven, niet aan levercirrose. Teds kleine vrouw stond vlak achter hem, met een hand op zijn rug.

In het volgende halfuur zou mijn vader de rekening betalen en de fooien uitdelen en Maeves arm vasthouden wanneer ze naar de auto liep die haar naar huis zou brengen in Bayside. Hij zou beloven later op de avond bij haar langs te komen, gewoon om er zeker van te zijn dat het goed met haar ging. Hij zou iedereen de hand drukken, hen bedanken voor hun komst en beamen dat het ongelooflijk was, nog steeds ongelooflijk. In onze auto, terwijl we over de brug reden, zou hij met een vage glimlach luisteren wanneer ik hem vertelde over de discussie die aan ons eind van de tafel had plaatsgevonden.

'Nou, dit is het droevigste ervan', zou hij ten slotte vermoeid zeggen, alsof hij het over een oude ergernis had die door het verstrijken van de tijd bijna onbeduidend was geworden, maar nog niet helemaal. 'Dit is het treurigste van alles. Eva is nooit gestorven. Dat was een leugen. Onder ons gezegd: Eva is blijven leven.'

Terwijl hij het verhaal vertelde ging mijn vader moeiteloos van verleden in tegenwoordige tijd over: Billy was, Billy is, Billy dronk, Billy drinkt. Billy zet zijn zinnen ergens op.

Op de voorbank van meneer Holtzmans auto, in Seventieth Street, vlak bij Park Avenue, sloeg mijn vader Mary gade, de zus van Eva, die aan een zakdoekje van Iers linnen (uiteraard) frunnikte, waarop in de hoek drie kleine klavertjes geborduurd waren. Symbolisch natuurlijk, als je er nu op terugkijkt, maar in werkelijkheid hadden de kinderen voor wie ze zorgde het voor haar gemaakt. Zij had hun geleerd hoe ze de steekjes moesten maken. Ze hadden er een voor hun moeder en hun tante gemaakt. En een voor haar.

Haar nagels waren rond en wit waardoor hij altijd bedacht dat ze de kinderen net daarvoor alle zeven in bad had gedaan, wat waarschijnlijk ook zo was. Het was eind september, laat in de middag. Het licht hetzelfde als wat nu boven de stad hing, terwijl we over de brug naar Queens reden.

'Het zijn klavertjes', zei ze en ze liet ze zien omdat hij het haar gevraagd had. Ze spreidde het vochtige weefsel uit. Ze had een rok van mooie wol en een trui van kasjmier aan, afdankertjes van haar mevrouw. 'De kinderen hebben het voor me gemaakt. Ik heb hun het steekje geleerd. Ze hebben er een voor hun moeder en een voor haar zuster in Riverdale gemaakt. En toen hebben ze er een voor mij gemaakt. Klavertjes.'

'Ik weet wat het zijn', zei hij. En toen voegde hij eraan toe: 'God, wat een mal mens ben jij.'

De uitdrukking op haar gezicht liet hem weten dat ze allesbehalve mal was. 'Je moet de boodschapper niet ombrengen', fluisterde ze.

Het was de auto van meneer Holtzman, een oude Ford met een hoge achterkant, de brede, met stof beklede voorbank, de oude rantsoeneringssticker die vroeg: 'Is deze rit noodzakelijk?' Een zweem van de geur van de haarpommade die hij gebruikte op de rugleuning van de bank en de bekleding rond het raam.

Ze zei: 'Wat ga je tegen hem zeggen?' en als je iemand de schuld wilt geven van die leugen, dan kun je net zo goed haar de schuld geven omdat ze het zo formuleerde: wat ga je tegen hem zeggen? Alsof er verschillende keuzen waren.

'Ik zou graag zeggen dat ze dood is', zei hij.

'Voor mij is ze dood.'

Dit was een Ierse overdrijving natuurlijk. Dit was de voorliefde van de Ieren om iedere gelegenheid aan te grijpen om de dood, iedere metafoor, iedere dreiging ervan, in de mond te nemen, zoals een zeehond achter een hem toegeworpen makreel aangaat. Omdat hij toen nog niet echt een idee had. Geen plan. Dit was maar gepraat.

'Ik wist van Tom af', zei ze, de jongen in Ierland met wie Eva getrouwd was. 'Maar ik wist ook dat ze Billy graag mocht. Ze zei altijd dat hij zo lief was. Ze had het altijd over zijn geweldige brieven. Ik zou nooit geloofd hebben dat ze zijn geld zou stelen.' Om een aanbetaling te doen, had ze gezegd, op een benzinestation aan de kloosterweg buiten Clonmel.

Hij boog zich opzij over haar schoot, over de mooie wollen rok, het zachte kasjmier, het nog heerlijke restje Chanel uit de fles van haar mevrouw, en trok aan de ivoorwitte kruk van het portier. Ze had het zakdoekje in haar hand, weer als een prop in haar vuist. De tranen kwamen weer.

'Ik wou dat ze dood was gegaan', zei Mary. Het was de Ierse

voorliefde voor het woord natuurlijk, maar ook het feit dat ze jong genoeg was om te denken dat dergelijk gepraat bewees dat haar gevoelens oprecht waren. 'Voor mij is ze nu zo goed als dood.'

Opzij gebogen duwde hij met zijn vingertoppen het portier open. Hij had nog steeds een hand op het stuur. Ze legde haar hand op zijn arm, het linnen zakdoekje tussen hen in. 'Bel je me?' vroeg ze.

Hij zei dat hij het zou doen. Hij kuste haar. En boog zich toen om het portier opnieuw open te duwen, nu helemaal, zodat het naar buiten zwaaide boven het trottoir. Zodat er niets anders voor haar opzat dan, zonder hulp, uit te stappen en met hangend hoofd en haar zakdoekje tegen haar oog gedrukt, zonder begeleider, terug te lopen naar de dienstingang van het gebouw waar ze nog maar een halfuur geleden op hem had gewacht.

Een dergelijke ongemanierdheid betekende iets in die dagen. Nu is het allemaal onwetendheid, maar toen was het opzettelijk en betekende het iets voor hen beiden. Het betekende het einde van de relatie.

Zelfs toen hij die avond de trap naar Billy's appartement op klom, had hij geen echt plan. Hij wist alleen dat hij hem de slag niet wilde toebrengen waar Billy's twee zussen en hun man en tante Ellen, zijn moeder, bij waren. Denk je die avond eens in: je toekomstplannen tenietgedaan, de baby huilend in de kamer ernaast, je zus en haar jonge man woelend in hun bed, je moeder die weduwe is en die elk uur op je slaapkamerdeur klopt en vraagt: 'Gaat 't goed met je? Wil je een kopje thee?' En vanachter de gesloten deur zegt: 'Billy, er komen nog genoeg andere meisjes, geloof me toch.'

Toen Dennis die avond Mary in de stad had achtergelaten, ging hij eerst naar huis in Jamaica, waar Holtzman zich eerder die dag hardop had afgevraagd of het huisje op Long Island in de storm van gisteravond onbeschadigd zou zijn gebleven. Hij had zijn toiletgerei en een kostuum, een gestreken overhemd en een das gepakt, en toen zei hij tegen Holtzman dat hij er vanavond naartoe zou rijden om te zien hoe het met het huisje was gesteld.

Verbaasd likte Holtzman zijn lippen en streek met zijn hand over zijn buik. Hij was een Duitser met dubbele kin, glad gekamd haar en oorlellen waar een hele duimafdruk op zou passen. *De man van mijn moeder.*

'Dat is erg aardig van je, Dennis', zei Holtzman langzaam, vol aarzeling. Zich ongetwijfeld afvragend of het soms met een meisje te maken had, hetzelfde meisje misschien dat die middag naar het huis had gebeld. Zich ongetwijfeld afvragend hoeveel kilometers er al gereden waren, hoeveel de wagen ervan te lijden had gehad en hoeveel jaar van dit huwelijk hij haar volwassen zoon nog in huis zou moeten hebben.

De moeder van Dennis zat aan de andere kant van de woonkamer de zondagskranten door te bladeren en te roken. Ze stopte even om naar hen te kijken.

'Ik neem Billy mee', zei Dennis – ongetwijfeld het licht in de projector dovend die Holtzman het beeld toonde van een of ander knap jong blondje poedelnaakt op de bruine bekleding van zijn auto. Van zulke flauwekul zou niets terechtkomen als Billy meeging.

'Billy vindt het altijd heerlijk om daarheen te rijden.'

En Billy, die de deur van het appartement opendeed, grijnsde toen hij Dennis zag. Hij had een vulpen in zijn hand, was net aan een brief bezig. Hij droeg de broek en het witte overhemd die hij die morgen naar de mis had aangehad. Een ritje klonk geweldig, kom binnen, kom binnen. Zijn zus Kate, met de baby op de bank in de woonkamer, fluisterde dat haar man in de slaapkamer zat, hij studeerde. Rosie en haar man Mac waren naar de bioscoop omdat de man van Kate (sst) zat te studeren. Billy's moeder kwam met een boek in haar hand uit de keuken, zei fluisterend gedag en herinnerde hen eraan zachtjes te doen omdat die arme Peter daarbinnen zat te studeren.

De leugen – nog steeds de enige leugen die hij die avond wilde vertellen – begon heel aardig vorm aan te nemen rond de kleine kern van waarheid: de storm van gisteravond. Meneer Holtzman, zei hij, had gevraagd of zij tweeën de tijd zouden willen nemen om er vanavond naartoe te rijden om te kijken hoe het huisje erbij stond. Ze konden er blijven slapen en morgenochtend terugrijden, meteen doorgaan naar kantoor.

Bij de stoeprand draaiden ze zich om en zagen Billy's moeder de trap af en de vestibule in rennen, met een bruine papieren zak vol broodjes met boter en plakjes overgare zondagse ham. Wat hebben jullie 's morgens te eten, daar helemaal buiten?

Dennis zette de zak op de vloer voor de achterbank, naast de fles vermout en de fles whisky die hij uit het kastje van Holtzman had geleend. Ze stapten allebei in, het groene licht van het dashboard weerkaatsend in Billy's bril.

Zijn moeders beeld van oostelijk Long Island, zei Billy, bestond uit wilde zwarte eenden en verlaten aardappelvelden en een woeste, schuimende zee. Ze had nooit begrepen wat hij erin zag.

'Misschien heeft ze wel gelijk', zei Dennis.

Hij koos oriëntatiepunten voor zichzelf, plaatsen waar hij zou beginnen: zodra ze bij de Jericho Turnpike, de Sunrise Highway waren, zodra ze Suffolk binnenreden. 'Ik heb Mary vandaag gesproken', zou hij zeggen. 'Ze had een brief van Eva. Ze is vorige maand getrouwd, Bill. Met een jongen die ze al sinds haar jeugd kent. Ze heeft jouw geld opgemaakt. Het in een benzinestation gestoken, nota bene. De schoenen die je haar hebt gestuurd waarschijnlijk naar de lommerd gebracht. Je ring waarschijnlijk naar de lommerd gebracht. Het is godgeklaagd, Billy, godgeklaagd.'

Maar de moed zonk hem in de schoenen. Hij dacht eerlijk gezegd steeds meer aan de andere mensen aan wie hij het zou moeten vertellen als hij het nieuws eenmaal aan Billy had overgebracht. In de eerste plaats zijn moeder, die 'wat jammer' zou zeggen, met dat licht in haar ogen dat zou zeggen: des te beter, ik heb het aldoor al geweten. Die dan naar het geld van Holtzman zou vragen.

En dan was er Holtzman. Die man had al een lange lijst gemaakt van dingen waartoe Dennis en Billy en de meesten van hun generatie volgens hem niet in staat waren: een zaak drijven, rijk worden, de les van zich afschudden die ze in het leger hadden geleerd dat iemand anders voor je laten zorgen hetzelfde was als voor jezelf zorgen. Een toekomst scheppen.

Toen hij de cheque uitschreef die hij aan Dennis had gegeven om aan Billy te geven die hem naar Eva zou sturen zodat ze kon terugkeren voor de zomer voorbij was, had Holtzman gezegd: 'Jullie jongens zullen nooit een cent hebben als je alles uitgeeft voordat het verdiend is.'

'Dit is een voorschot, meneer', had Dennis geantwoord. 'Billy verdient het zó weer terug in de winkel.'

Holtzman had wijs gekeken, een ergerlijke blik bij een man die zo dom was. 'Maar eerst geeft hij het uit', had hij gezegd.

Hij zou het Holtzman moeten vertellen.

En de jongens op kantoor. Ze wisten allemaal van Eva af, omdat Billy amper twintig minuten voorbij kon laten gaan zonder een aanleiding te bedenken om haar naam te noemen. De meisjes op kantoor ook, van wie er velen (met inbegrip van je moeder) ooit een oogje op hem hadden gehad. Van wie er velen, ongetwijfeld, door het verhaal van Eva's verraad langzaam een andere kijk op hem zouden krijgen: als zij liever Tom had, zou mij dan niet hetzelfde gebeuren?

(Zijn moeder die door de dichte slaapkamerdeur tegen hem zei: 'Billy, er komen nog genoeg andere meisjes.')

De rest van de familie zou ingelicht moeten worden en Billy zou maandenlang, misschien wel jarenlang, hun medelijden en hun bestudeerde stilzwijgen moeten verdragen wanneer het onderwerp liefde en huwelijk ter sprake kwam. De buren zouden het ook moeten weten, met inbegrip van Bridie, over wie Billy het nu had terwijl ze door Speonk reden – weer een punt waar hij zou beginnen, zoals hij zichzelf had beloofd.

Bridie, zo scheen het, was eindelijk verloofd, met een vent uit Staten Island die Jim Fox heette, en zou rond kerstmis trouwen. Dat zou dus... Billy telde hardop en somde ieder echtpaar op... de zeventiende bruiloft worden waar hij dit jaar naartoe was geweest.

'Iedereen dacht altijd dat ze op jou wachtte', zei Dennis.

Maar Billy schudde zijn hoofd. Kate zei dat Bridie met Tim Schmidt zou zijn getrouwd als die was blijven leven. Dat hadden ze afgesproken, zei Kate. Kate zelf had de hele nacht met Bridie opgezeten op de dag dat het nieuws kwam dat hij gesneuveld was. In Italië, in de winter van '43. Van Kates eigen man, die bij dezelfde divisie zat, hadden ze al zes weken of langer niets gehoord. Was het soms niet gemakkelijk om te vergeten hoe de oorlog was geweest voor de mensen thuis? Weet je, Mike Breen was ook bij het Ardennenoffesnief. Zag hem bij Quinlan. De oorlog was vreselijk voor hem...

Het nachtelijke duister werd dieper en de koplampen toonden alleen het donkere stuk weg dat hen naar die woeste zee voerde. Het zou beter zijn als ze erin was verdronken, dacht Dennis. Beter dat de vrouwen zich in echte rouw rond Billy schaarden, de hele nacht met hem op zouden zitten als ze dat wilden, klagend over het noodlot en het verlies en de onvermijdelijkheid van de dood, dan dat ze hun sentimentele medelijden, hun bestudeerde stilzwijgen op hem zouden richten telkens als er over liefde en huwelijk werd gesproken. Een benzinestation aan de kloosterweg. Beter dat hij diepbedroefd was dan dat hij de rest van zijn leven door een besef van zijn eigen dwaasheid zou worden achtervolgd.

Hij vertelde hem de leugen op de hobbelige, met regen gevulde oprijlaan van het huisje op Long Island. De koplampen toonden alleen een enkele tak, de bladeren al met een vleugje herfstkleur, die in de zijtuin was gevallen. (Hij was verbaasd deze te zien, alsof hij zowel de storm van gisteravond als Holtzmans verzoek om hiernaartoe te gaan en de gevolgen ervan te onderzoeken had verzonnen, alsof hij bij aanraking ervan zou ontdekken dat hij van papier en lijm was gemaakt.) Al het andere om hen heen was in volslagen duisternis gehuld. Billy had net de zaklantaarn uit het handschoenenkastje gepakt. Hij maakte zich de meeste zorgen om het dak, zei hij. Als je bedacht hoeveel kalk hij de vorige zomer op het plafond had gesmeerd, was wel het laatste wat hij wilde zien dat het nu allemaal weer op de vloer lag.

'Ik heb Mary vandaag gesproken', begon Dennis. 'Ze had een brief van thuis. Over Eva.' De details kwamen gemakkelijk genoeg, zonder echt plan. Longontsteking, zei hij, zo vochtig als het in dat land was, zoals de familie altijd zei. Ze was wekenlang ziek geweest, voegde hij eraan toe, wat verklaarde waarom ze hem zo lang niet had geschreven.

Billy bleef een ogenblik verbijsterd zitten, trok toen de bril van zijn oren en raakte met zijn duim en wijsvinger zijn neusrug aan. En toen sloeg hij een kruisje en vloekte en zei zacht dat het een godgeklaagd oord was, een primitief pestland. Hij vroeg of ze haar tenminste naar het ziekenhuis hadden gebracht.

'Dat weet ik niet', zei Dennis, waarmee hij natuurlijk bedoelde dat hij zijn verhaal nog niet zo ver doordacht had. Hij was zelf ook verbijsterd over de driestheid van wat hij had gedaan, aan het doen was. De omvang en diepte van de leugen die hij vertelde, de wereld die hij creëerde waarvan hij nu al besefte dat hij die niet in stand zou kunnen houden. Er zouden ontelbaar vele details, ontelbaar vele gelegenheden voor fouten, vergissingen zijn, waarbij een besef van onwaarheid, van onjuistheid zou kunnen binnensluipen dat de hele constructie omver kon werpen. Billy zou een brief van haar krijgen (hopelijk met een cheque erin), of hij zou Mary op straat tegenkomen, of Mary's werkgever, of hij zou halsoverkop naar Ierland reizen om zich op haar graf te storten, of ze zou overkomen met haar man en zich verplicht voelen hem op te bellen om haar verontschuldigingen aan te bieden. Het was een driest, bizar iets wat hij aan het doen was en hij wist dat de wereld van alledag, de wereld zonder illusies (behalve door de kerk gesanctioneerde) of nonsens (behalve door alcohol veroorzaakte), die de wereld van het Iers-katholieke Queens in New York was, weinig tolerantie had voor driest en bizar. Niet lang in ieder geval.

Hij nam de zaklantaarn en zei tegen Billy dat hij hem even de gelegenheid zou geven alleen te zijn. Hij pakte het eten en drinken achter uit de auto en baande zich over het modderige pad een weg naar het huisje.

Alles was onbeschadigd, geen watervlekken voorzover hij kon zien, geen buitensporige vochtigheid. Nog geen schimmel, wat misschien of misschien ook niet kwam door de brokken houtskool die zijn moeder langs de plinten had gestrooid toen ze het huis na Labor Day afsloten. Nog maar drie weken geleden nu. Toen ze nog zeiden dat Billy en Eva hier voor de winter terug zouden zijn voor hun wittebroodsweken.

Hij mengde cocktails in een kan, belegde wat broodjes met de draderige plakjes ham. Op een gegeven moment hoorde hij het portier dichtslaan, maar het duurde enkele ogenblikken voor hij Billy's voetstappen op het pad hoorde. Hij kwam niet binnen. Hij ging op het trapje zitten zoals hij bijna iedere avond had gedaan toen ze pas uit de strijd waren teruggekeerd. Het licht uit de woonkamer scheen door de hor op het witte overhemd van Billy.

Dennis droeg de glazen naar buiten, het bord met broodjes balancerend op een ervan. Hij duwde met zijn voet de hordeur open en Billy schoof een beetje opzij om plaats voor hem te maken. Billy pakte het glas aan. Dennis zette het bord met broodjes op het trapje tussen hen in.

Hij vroeg Dennis de details te herhalen: de brief, de longontsteking, de duur van haar ziekte – waarvan Billy zelf zei dat dat verklaarde waarom hij de hele zomer geen brief van haar had gekregen.

'Haar ouders zouden je wel geschreven hebben,' zei Dennis, in de duisternis van de tuin en de weg starend, zich indekkend, 'maar ze vonden het beter om het eerst aan Mary te vertellen en Mary vond het het beste dat ik het aan jou vertelde. Ze zal nu zelf wel teruggaan, denk ik.'

'Je zult haar missen', fluisterde Billy en Dennis schudde zijn hoofd. Niets wat hij in dit opzicht zou kunnen zeggen kwam hem als geloofwaardig voor.

Hij legde op een gegeven moment zijn hand in Billy's nek. Schonk hun glazen meer dan eens vol. Later leidde hij hem naar binnen en stopte hem in bed.

Het was de volgende morgen, op de terugweg naar de stad, dat Billy zei dat hij niet kon begrijpen hoe Dennis al die tijd dat hij de vorige avond in hun appartement was, de hele weg naar Long Island, het nieuws voor zich had kunnen houden. Hoe hij had kunnen rijden en kletsen en het voor zich had kunnen houden tot ze bij het huisje waren. Hij zei niet dat hij de zelfbeheersing van Dennis bewonderde of zelfs waardeerde. Hij zei gewoon dat hij niet kon begrijpen hoe hij dat had kunnen opbrengen.

We stonden nu op onze eigen oprijlaan en opnieuw glimlachte mijn vader, schudde hij zijn hoofd om die oude ergernis. Hij zei dat het heel lang geleden was. Ze waren jonger geweest dan hij zich nu kon herinneren.

'Is hij er ooit achter gekomen?' vroeg ik hem. 'Dat je erover gelogen had?'

Hij knikte. 'In 1975', zei hij. 'Toen hij daar was. Hij kwam haar opnieuw tegen. Dronk een kopje thee met haar in de kleine tearoom die ze bij het benzinestation had geopend. Het was schijnbaar een heel succesvol bedrijf geworden. Ze had ook vier kinderen. Allemaal al groot. Hij zei dat ze nog steeds knap was.'

'Heeft ze hem terugbetaald?'

'Ik geloof dat ze het heeft aangeboden. Meer uit schaamte dan uit iets anders. Natuurlijk wilde hij het niet aannemen.'

'Was hij kwaad, toen hij erachter kwam?'

'Op haar? Nooit.'

'Op jou.'

Hier dacht hij even over na. 'Aan de ene kant', zei hij, 'was ze uit de dood teruggekeerd. Dat was één ding. Aan de andere kant had hij dertig jaar van zijn leven het verkeerde geloofd. Met dat verdriet geleefd. Maar nee, hij was niet boos. Uiteindelijk plaagde hij me er bijna mee. We beseften dat het allemaal lang geleden was gebeurd.'

Hij trok het portier open.

'Wou je dat je hem de waarheid had verteld?' vroeg ik.

'Ja', zei hij zonder aarzelen. 'Ik denk het wel.' Hij glimlachte weer. 'Het is een slechte zaak, zo'n leugen.' En toen klom hij uit de auto, de dunne grijze stof van zijn colbert kreukend tussen zijn schouders. We gingen de zijdeur binnen, de keuken in. Onze koffiekopjes en sapglaasjes stonden nog in de gootsteen. Hij had de radio aan gelaten; het was een gewoonte geworden, denk ik. Ik liep achter hem aan de keuken door en de eetkamer in, waar hij voor de spiegel boven het dressoir bleef staan, zijn das lostrok en zijn kin optilde om zijn boordje open te knopen.

'Heb je het ooit aan ma verteld?' vroeg ik.

'Ik heb het nooit aan iemand verteld', zei hij. 'En Billy heeft het ook nooit aan iemand verteld, voorzover ik weet. Dat was zijn keuze, dacht ik. Maar toen ik dinsdagmorgen naar het Veteranenhospitaal ging, was ik blij dat het aan het licht was gekomen, in '75. Ik was blij dat hij niet zijn hele leven met dat bedrog heeft geleefd. Niet is gestorven met het idee van een zalige hereniging in het hiernamaals.'

'Denk je dat hij dat gedacht zou hebben? Dat zei Dan Lynch, dat hij zijn hele leven wachtte tot hij haar in de hemel weer zou zien.'

Met twee handen trok mijn vader zijn das van zijn hals, knoopte hem los, vouwde hem in drieën en legde hem op het kanten kleedje dat het dressoir bedekte. 'Dat is typisch Dan Lynch', was zijn enige reactie. Hij draaide zich om, leunde met zijn handen achter zich op de rand van het dressoir. Hij sprak alsof hij een tegengif toediende voor het gebazel van Dan

Lynch. 'Ik had het waarschijnlijk niet moeten doen. Ik had hem de waarheid moeten vertellen. Hij zou het wel te boven zijn gekomen en Maeve toch wel hebben ontmoet. Hij zou iets anders hebben gevonden om over te treuren als hij dronk. Rosie had gelijk, een alcoholist kan altijd een reden vinden maar heeft er nooit een nodig. Ik ging er denk ik van uit dat ik zijn onschuld bewaarde. Maar ik had eraan moeten denken dat als Billy ergens zijn zinnen op heeft gezet, je hem er onmogelijk van af kunt brengen. Hij is trouw. Hij heeft zijn geloof – daarom drinkt hij waarschijnlijk. Het probleem is dat het moeilijk is om een leugenaar te zijn en tegelijkertijd zelf te geloven. Dat besefte ik pas toen je moeder stierf en toen had ik het er een beetje moeilijk mee. Ik weet niet of je je dat herinnert.'

Ik boog mijn hoofd. Ik herinnerde het me. En mijn vader duwde zich van het dressoir af, waarop hij had geleund. Er was al te veel gezegd. Hij ging naar boven om zich te verkleden. Ik liep naar de keuken en bleef even staan om te zien wat ik kon doen. Ik zette de ketel op – een erfelijke gewoonte. Toen ik naar hem riep, zei hij dat hij alleen maar een geroosterde boterham of zo wilde voor hij naar Maeve ging.

Het huis op Long Island was mijn vaders erfenis van een moeder die, met een inhaalmanoeuvre die zelfs de engelenschaar tijdelijk met stomheid moet hebben geslagen, gedurende de laatste dagen van haar leven besloot een eindsprint naar de hemel te maken. Niet dat ze tot op dat ogenblik een slechte vrouw was geweest. Ze had zich eenvoudig onverschillig betoond, tegenover haar twee echtgenoten en haar zoon, tegenover haar kleinkinderen, tegenover de meeste van de eenvoudige en complexe geneugten van het leven dat haar was geschonken.

Het huis werd van haar tijdens haar tweede huwelijk en volgens mijn vader was het enige plezier dat ze er ooit aan beleefd had, dat ze mensen uitnodigingen kon onthouden om op bezoek te komen. Het huis zelf was een bescheiden geval, vlak na de oorlog door mijn vader en Billy gemoderniseerd, en behalve af en toe een veeg met een stofdoek of een haal met een verfkwast was er nauwelijks iets aan gedaan tot het begin van de jaren tachtig. Het bestond uit één ruimte die verdeeld was in een woonkamer en keuken, met drie kleine slaapkamers die als postzegels langs de zijkant waren geplakt. Het lapje grond waarop het stond was bijna helemaal met struikgewas bedekt, maar er was een baai met strand op loopafstand en, vooral 's avonds, de scherpe geur van zeezout in de lucht, en voor mijn grootmoeders vrienden en verwanten uit Brooklyn en Queens was het een steunpuntje in een wereld van uitgestrekte gazons en beroemde kunstenaars en zomerkolonies waar rijke mensen hun herenhuizen ooit 'zomerhuisjes' hadden genoemd – van dagjes aan de kust waarvoor ze niet op de trein naar Seagirt hoefden over te stappen of twee uur voor de tolhekken bij Jones Beach in de rij hoefden te staan.

De man van wie ze het had geërfd, Holtzman, haar tweede echtgenoot, had het in de crisistijd gekocht van een andere stadsbewoner die aan de grond zat en er toen door eigen geldproblemen bijna tien jaar lang vrijwel niet meer naar omgekeken. Tegen het eind van die tien jaar begon een petieterig roodharig vrouwtje van ergens achter in de veertig zijn winkel aan Jamaica Avenue te bezoeken, op zoek naar maatje vijfendertig. Terwijl haar kleine hielen in de palm van zijn hand rustten, kwam hij erachter dat ze weduwe was met een zoon overzee. Hij noteerde haar telefoonnummer om haar te kunnen bellen als er iets nieuws in haar maat binnenkwam. Hij nam haar mee uit lunchen en vond het goed dat ze haar doos met schoenen achter de toonbank liet staan terwijl zijn bediende voor de winkel zorgde. Hij gaf haar wat nylons en een handtas. Hij nam haar mee uit eten en zei, langs het huis in Jamaica rijdend waar hij ook als kind had gewoond, dat hij nog een ander huis had, een bungalowtje op Long Island.

Ze noemde het huis in een brief die mijn vader bereikte toen hij overzee was. Een hele waslijst, zei hij, met redenen waarom ze zou moeten hertrouwen. Het huis op Long Island stond er ook op, bijna bovenaan.

Hij zei dat er helemaal niets in stond over liefde.

Ze was, volgens mijn vader, de meest onsentimentele vrouw die hij ooit had gekend of zelfs van wie hij ooit had gehoord. Dit weet hij voornamelijk aan haar jeugd. Als enig kind van Schotse immigranten die aan grootheidswaanzin leden, was ze in deftige armoede grootgebracht, had ballet- en rijles gekregen, les in goede manieren, Franse les en vioolles, tot tuberculose op twaalfjarige leeftijd een wees van haar maakte. De zes jaar die volgden was ze van het ene naar het andere toch al overbelaste familielid gegaan tot ze op haar achttiende met een vierenveertigjarige tramconducteur trouwde die zo vol mooipraterij (zoals mijn vader het vertelde) en onstuimige poëzie zat, van Tennyson en Shakespeare en Gilbert en Sullivan, dat hij iedere broer en zus, tante, oom, neef en nicht van overzee had moeten importeren om genoeg oren hebben waarin hij het allemaal kon spuien. Wat hem de Heilige Vader van een hele huurkazerne vol Ierse immigranten maakte, maar waardoor zijn vrouw en zoon bijna voortdurend in armoede leefden en – met de ene na de andere illegale aardappelvreter die van de andere oever werd gevist en op hun bank gesmeten – nooit alleen in hun eigen huis.

Mijn moeder zou misschien anders zijn geweest, zei mijn vader graag, als haar leven anders zou zijn geweest (ik was een tiener voor ik hem erop begon te wijzen dat dit voor ons allemaal gold), en ik denk dat mijn vader zijn leven lang in zijn hart een beeld van zijn moeder droeg als een vrolijk en verwend kind dat met haar heldere ogen alleen maar de meest oprechte bedoelingen zag.

In werkelijkheid, zoals hij haar kende en zoals ik haar kende, was ze een geigerteller voor huichelachtigheid, onechtheid en halve waarheden. Ze kon een gemaakte houding met één blik ontmantelen en het meest romantische denkbeeld met een enkel woord doorprikken. Ze had geen geduld voor poëzie, Broadwaymusicals, presidentiële politiek of de omhaal van haar godsdienst – hoewel mijn vader, een echte zoon van zijn vader, dol op deze dingen was in evenredige verhouding tot haar minachting ervoor – en ze zocht zo standvastig naar de waarheid, dat onder haar strakke blik overdrijving, zelfbedrog en gesnoef eenvoudig opdroogden en wegwaaiden, evenals hoop, nonsens en alle ongefundeerde vrolijkheid.

Haar levensfilosofie scheen te zijn om tot de kern van de zaak door te dringen, de kale, onopgesmukte, overwegend materiële en kleurloze kern van de zaak, en er van daaruit naar te streven iedere voorbijgaande bevlieging weg te vagen die de met moeite verworven klaarheid van haar blik zou kunnen vertroebelen. Omdat ze tevens intelligent en geestig was, en omdat al haar cynisme geschraagd werd door een scherpe logica, kreeg ze op latere leeftijd de reputatie een wijze vrouw te zijn, maar een bij wie vrienden en familie alleen aan het eind van een ervaring te rade gingen, wanneer ze bereid waren zich met hun teleurstelling te verzoenen of ontdaan waren van ieder restje hoop op een onverwachte wending.

Toen Holtzman in 1964 overleed, vond ze iemand die het huisje op Long Island het hele jaar door wilde huren, omdat het op dat moment economisch gezien het verstandigst was. (Iedere mooie herinnering aan zomerweekends die ze er met haar man en jonge kleinkinderen had doorgebracht wegvagend, aangezien – weg ermee – de een dood was en de anderen zo snel opgroeiden dat zulke weekends toch niet veel langer meer zouden voortduren, en als ze wel voortduurden, ten koste van het vaste inkomen dat een permanente huurder kon verschaffen, dan zouden ze toch allemaal weer hetzelfde zijn, niet waar: dagjes aan het strand en maaltijden op de barbecue in de achtertuin, ommetjes maken door het dorp, marshmallows roosteren op het kampvuur, broodkapjes voeren aan de eendjes, en hoeveel herinneringen aan plezierige zomerdagen op Long Island heeft een mens nou eigenlijk nodig, als je het goed beschouwde? Is genoeg niet meer dan overvloed?)

Ten slotte scheen het huisje nooit meer ter sprake te komen en mijn ouders begonnen te vermoeden dat ze het stilletjes aan haar vaste huurder had verkocht en een veel praktischer en winstgevender manier had gevonden om het geld te bewaren dat zo lang in het huis was vastgelegd. Inmiddels waren we onze vakanties in de Adirondacks gaan doorbrengen en waren we er zelfs mee opgehouden onszelf ervan te overtuigen dat we veel liever in de bergen dan aan het strand zaten. Kinderen van een bepaalde leeftijd vinden het, denk ik, prettig nostalgische gevoelens te hebben en de zomerdagen die we met de moeder van mijn vader in het huis op Long Island hadden doorgebracht kregen in ons gezin moeiteloos een plaatsje op de korte maar zich uitbreidende lijst van dingen die we vroeger wel maar nu niet meer deden.

En dus was het met enige verbazing dat ik op de middag van haar begrafenis in 1971 hoorde dat ze het huis op Long Island aan mijn vader had nagelaten. Mijn moeder vertelde me het nieuws toen we het restaurant verlieten waar haar begrafenismaal had plaatsgevonden. Ik herinner me de hebzuchtige triomf die ik had gevoeld: een huis, een lapje grond, allemaal niet verwacht en niet gezocht en, het meest bevredigend van alles, niet zelf verdiend – de hebzuchtige en zelfvoldane triomf van een luie erfgenaam.

Maar mijn moeders triomf was dat de erfenis deel uitmaakte van een reeks veranderingen die mijn grootmoeder in de weken voor haar overlijden in haar nalatenschap had aangebracht, een onderdeel van haar bekering aan het eind van haar leven. Het huis op Long Island bleek alles te zijn wat mijn vader kreeg. De rest van mijn grootmoeders vermogen, dat eigenlijk Holtzmans vermogen was, ging naar de kerk waarvan ze tot op dat ogenblik niets had willen weten, naar diverse liefdadige instellingen waarvan ze de brieven en tv-oproepen altijd als een onomstotelijk bewijs van hun kapitaalsverduistering had beschouwd, en zelfs naar haar vroegere buren van gemengd ras in Jamaica die pleegkinderen in huis namen – om eraan te verdienen, had ze altijd beweerd. Mijn moeder was wel zo katholiek dat ze grijnsde terwijl ze me dit alles vertelde, alsof de voldoening die ze voelde toen ze erachter kwam dat mijn grootmoeder wel degelijk bang was voor God, de aanzienlijke som geld die zij net had weggeschonken ruimschoots waard was. Geld dat in andere omstandigheden alleen van ons gezin zou zijn geweest.

Mijn broers en ik zagen het natuurlijk anders. Wij zagen ons collegegeld verdeeld worden. Wij zagen haar verandering van ideeën niet zozeer als een bekering op haar doodsbed maar als een gokje wagen op het allerlaatste moment, een haastige actie vlak voor het dichtgaan van het loket (zoals mijn oudste broer, die filosofie studeerde, het formuleerde) om nog een graantje mee te pikken in de weddenschap van Pascal. Een zo scherpzinnige vrouw als mijn grootmoeder zou natuurlijk niet met lege handen naar haar Schepper gaan. Maar we waren ervan overtuigd dat een zo scherpzinnige vrouw als mijn grootmoeder ook zou weten dat wat haar te wachten zou staan net zo goed de leegte van een opgebruikt lichaam en een uitgedoofde geest zou kunnen zijn. Ze dekte zich alleen maar in.

Mijn vader beweerde dat het een blijk was van het tedere, zelfs romantische hart dat ze altijd had gehad maar verborgen had gehouden. Om dit idee te ondersteunen beschreef hij hoe ze in haar laatste dagen, nadat ze haar goede voornemens kenbaar had gemaakt, op een morgen toen de ziekenhuiskapelaan haar kamer uitging ook had gezegd: 'Worden ze niet naar ziekenhuizen gestuurd omdat er iets niet deugt in hun verleden?' Nog altijd haar knorrige zelf. Maar ze had er tevens aan toegevoegd, toen ze hem vertelde dat hij het huis op Long Island zou krijgen: 'Zorg dat Billy je daar komt opzoeken. Hij heeft die plek te lang gemeden.'

Ik wist dat ze Billy tijdens haar leven vrijwel genegeerd had, zij het met niet meer hartstocht of moedwilligheid dan waarmee ze ons allen had genegeerd, en dus vertelde mijn vader mij bij wijze van uitleg, en misschien voor het eerst en in heel beknopte vorm, het verhaal van Billy's korte romance en verloving met een meisje dat hij daar, vlak na de oorlog, had ontmoet. Een meisje dat aan longontsteking was gestorven voor ze met elkaar konden trouwen.

Billy was voor mij toen slechts een van mijn vaders talloze neven, die zich niet zozeer onderscheidde door zijn alcoholisme (ik had de indruk dat er meer alcoholisten dan republikeinen, of zelfs roodharigen, onder hen waren) als wel door zijn vrouw, Maeve, die bij gebrek aan veel familie van zichzelf heel sterk op mijn vader leunde wanneer Billy voor moeilijkheden zorgde. Ik neem aan dat ik een of ander verband legde, of dat toen mijn vader het verhaal vertelde er een of ander verband werd gesuggereerd, tussen die oude teleurstelling en Billy's huidige behoefte om te drinken, maar zoals ik al zei, er waren aan die kant van zijn familie zoveel alcoholisten die voorzover iedereen wist met het meisje van hun dromen waren getrouwd, dat een dergelijk verband niet noodzakelijk was.

'Denkt u dat hij die plek heeft gemeden?' had hij aan zijn moeder gevraagd, meer geboeid door het feit dat ze zo laat in haar leven een dergelijk gesprek voerden dan door wat ze misschien over Billy zou zeggen.

'Ik geloof dat je dat wel weet', zei ze. 'En ik weet zeker dat je ook weet waarom.'

'Wraak', zei mijn vader nu tegen ons. 'Koppigheid.' Zodat hij, wanneer hij werd uitgenodigd of wanneer iemand anders er was geweest, kon zeggen: 'Ik ga er zelf niet meer naartoe', en iedereen er stilzwijgend aan kon herinneren wat hij al die jaren geleden had doorstaan, gevonden en verloren. Hij hoefde nooit de naam van het meisje te noemen. Hij hoefde alleen maar zijn hand op te steken als hij geïnviteerd werd en een minzaam 'nee, nee' te fluisteren om iedereen eraan te herinneren.

'Zorg dat Billy er weer naartoe gaat', zei mijn vaders moeder. 'Laat hem zijn vrouw meebrengen.'

'Mijn moeder begreep het', zei hij, waarmee hij opnieuw bewees dat ze niet alles was geweest wat ze had doen voorkomen, dat achter haar koele uiterlijk altijd een warm hart was schuilgegaan. 'Ze piekerde over Billy, over Billy en Maeve, en die zomer die hij in het huis op Long Island had doorgebracht, al die jaren geleden. Mijn moeder had over hem nagedacht zonder ooit de indruk te wekken dat ze dat deed. Ze had over ik weet niet hoeveel dingen nagedacht waarvan we nooit hebben geweten.'

Wat hij toen natuurlijk niet zei, was dat ook zij bedrogen was. Dat ze, ondanks haar levenslange minachting voor misleiding en romantiek en weemoedig terugblikken, haar leven had besloten met een herinnering aan Billy's zomeridylle op Long Island en zijn knappe (naar het gerucht tenminste wilde), innig beminde meisje dat gestorven was; ze had een remedie voor hem gezocht op hetzelfde moment dat ze haar eigen ziel trachtte veilig te stellen.

Billy keerde inderdaad naar het huis op Long Island terug, in de zomer van 1975. Het was begin juli en mijn vader en ik haalden hem van het station in East Hampton af. Ik had even vakantie tussen twee zomersemesters op de universiteit. Behept misschien met mijn grootmoeders afkeer van te veel van het goede, had ik besloten in zo kort mogelijke tijd mijn studie te voltooien en ik had tijdens iedere zomer- en wintervakantie colleges gevolgd. Ik zou in december afstuderen, anderhalf jaar eerder dan het vastgestelde tijdstip.

Sinds de dood van mijn grootmoeder had mijn vader iedere zomer twee weken in het huis op Long Island doorgebracht en het daarna, voor de rest van het jaar, weer aan meneer West verhuurd, de man die hij nog steeds 'mijn moeders huurder' noemde. De afspraak was dat mijn vader, wanneer hij over acht à tien jaar met pensioen zou gaan, ons huis in Rosedale zou verkopen en hier voorgoed zijn intrek zou nemen. We grapten dat meneer West dan naar zijn vrouw en drie zoons zou terugkeren, die hij een jaar of tien geleden in de steek had gelaten.

Mijn eigen moeder was in de lente van '73 aan longkanker gestorven. Het eenzame leven dat mijn vader nu leidde kon mijn hart (mijn armen, mijn schouders, de kuil van mijn maag) soms nog met een ondraaglijke zwaarte vullen, maar telkens als we samen waren zag ik ook dat dit leven hem redelijk bevredigde. Hij was altijd enorm inschikkelijk en snel tevreden geweest, of hij nu alleen met een krant zat of aan een eettafel vol vrienden en familie. Ik neem aan dat zijn moeder hem had geleerd niet te veel van het leven te verwachten en dus was het niet moeilijk voor hem om iedere dag als een eindeloze processie van onverwachte genoegens te beschouwen. Zij zei het als een waarschuwing tegen overdaad, maar mijn vader zei het met een soort verbaasde dankbaarheid: genoeg wás meer dan overvloed.

Ik denk dat het niet veel zin heeft de omvang en diepte van de romance van je eigen ouders, de duur en de kracht van hun liefde te meten. Jouw ouders of de ouders van wie ook, nu we het er toch over hebben. Ik ken een ouder echtpaar dat hun volwassen kinderen zozeer van de charme en duurzaamheid van hun hartstochtelijke liefdesgeschiedenis heeft doordrongen – jong en arm getrouwd, gescheiden door de oorlog, herenigd en daarna toegewijde, hardwerkende jonge ouders geworden, liefdevolle partners bij het opzetten van een bedrijf, geduldige beschermers van teenagers, betalers van collegegeld en ten slotte (terwijl ze elkaar trots in de ogen keken) dankbare, rijke en nog altijd hartstochtelijke gepensioneerden en grootouders – dat hun kinderen in hun eigen liefdesleven alleen maar teleurstelling en verdriet hebben ervaren en nu, op middelbare leeftijd gekomen, hun bejaarde en nog altijd zelfgenoegzame voorzaten met afgunst en wanhoop bekijken.

Mijn ouders, zo moet ik geloven, hadden een huwelijk dat de normale ontwikkeling volgde van vroege verliefdheid tot serieuze liefde tot genegenheid, af en toe verzwakt door ongeduld en onenigheid, versterkt door onderlinge afhankelijkheid en nu en dan aangewakkerd door tederheid en door humor. Dat ze van elkaar hielden stond vast, denk ik, hoewel ik ook denk dat er maanden, misschien jaren, waren waarin hun liefde voor elkaar wellicht helemaal verdwenen was en ze hun leven alleen uit gewoonte voortzetten of omdat ze zich niets anders konden voorstellen.

Een redelijk goed huwelijk, karakteristiek voor het midden van de twintigste eeuw, dat plotseling tot iets anders opbloeide in het jaar dat ze op sterven lag. Ik aarzel om het woord te gebruiken met betrekking tot een periode die met zo veel pijn gevuld was, dat vond ik alleen maar afschuwelijk, maar ik geloof dat mijn ouders tijdens de ziekte van mijn moeder hartstochtelijk van elkaar begonnen te houden. Hun kennismaking, hun verkeringstijd, de jaren waarin ze hun kinderen hadden grootgebracht, iedere gewone dag die ze tot op dat ogenblik samen hadden beleefd, vormden alleen maar de aanloop die ze hadden genomen om dit moment met een sprong te overbruggen. Om sierlijk en achter elkaar boven de afgrond te zweven.

Het maakte het gemakkelijker dat ze beiden in het eenvoudigste soort hiernamaals geloofden, dat mijn vader, zelfs in die laatste dagen, schertsend maar zonder ironie tegen haar kon zeggen: 'Je zult het nog beu worden om van me te horen. Ik zal je vierentwintig uur per dag om ditjes en datjes vragen. Jézus, zul je zeggen, hier komt weer een gebed van Dennis.' En dan antwoordde mijn moeder, haar stem schor van de pijn: 'Jezus geeft je misschien de raad af en toe eens naar de film te gaan. Je arme vrouw een beetje rust te gunnen. Ze is tenslotte in de hemel.'

Het was een grapje, maar ze geloofden het en ze geloofden ook, denk ik, dat hun liefde, hun trouw aan elkaar niet langer een kwestie van het lot of het toeval was, maar een hoedanigheid van hun bestaan die net zo min vrijwillig of vermijdbaar was als het stromen van hun bloed, de beelden op hun netvlies. Hun verbondenheid in dat jaar ademde een tegennatuurlijke blijdschap, vond ik, terwijl mijn vader voor de eerste en enige keer in zijn leven de talrijke vrienden en verwanten de rug toekeerde die afhankelijk van hem waren geworden, zoals ze ooit van zijn vader afhankelijk waren geweest, en alleen aan haar dacht. (Hij nam zelfs Billy's telefoontjes niet aan. Legde een kussen op de telefoon in de gang boven en zei tegen me dat ik het ding moest negeren als ik het midden in de nacht hoorde rinkelen.) Er was een vreemd zelfbehagen in hun verwachting van wat komen zou. Het was nu duidelijk dat ze tot het laatste ogenblik van haar leven van elkaar zouden houden – was dat vanaf het begin niet het doel geweest? Ze zouden zelfs na de tijd die ze samen hadden geleefd van elkaar houden; bestond er een grotere triomf?

Op mijn achttiende was ik daar niet zo zeker van. Op mijn achttiende wilde ik alleen maar een moeder die er in levenden lijve zou zijn om te zien dat ik afstudeerde en trouwde en zelf kinderen kreeg. Die kon voorkomen dat mijn vader de rest van zijn leven alleen sleet en zijn overleden vrouw dagelijks met honderden gebedjes lastigviel.

Op de ochtend dat Billy aankwam aten mijn vader en ik ons gewone ontbijt op het trapje van de veranda voor het huis. We deden in die dagen angstvallig ons best alles op de gebruikelijke manier te doen. Het was anders wanneer ik hem thuis bezocht, waar hij zijn werk had om naartoe te gaan en ik mijn kamer en mijn vrienden had, voor ons allebei genoeg overblijfselen van ons leven zoals het was voor mijn moeder stierf om een paar uur te kunnen doorkomen zonder dat we haar misten. Maar op Long Island had ons alleen-samenzijn in de allereerste plaats tot gevolg dat we aan haar afwezigheid herinnerd werden en daarom klampten we ons vast aan de dagelijkse gewoonte (of, beter gezegd, ik klampte me vast aan wat volgens mij de dagelijkse gewoonte van mijn vader was als ik er niet was) alsof we het verplicht waren.

Iedere morgen werd hij om zeven uur wakker en verrichtte in zijn kamer of op de achterveranda door het leger uitgevaardigde gymnastiekoefeningen. Hij nam een douche, kleedde zich aan en ging dan naar de keuken om het ontbijt klaar te maken. Ik stond op als ik hem de ketel hoorde opzetten. Tegen de tijd dat ik gedoucht en aangekleed was, waren de cornflakes in kommetjes gedaan, de sinaasappels uitgeperst en stond het blad klaar om naar buiten gebracht te worden, waar we op het trapje gingen zitten als het mooi weer was zodat ik mijn haar in de zon kon drogen.

De tuin stelde niet veel voor, maar in die tijd van het jaar stond het onkruid en struikgewas dat aan de rand van het grasveld groeide vol met rode wortel en rudbeckia en de kamperfoelie langs de zijtuin tierde welig. Aan de overkant van onze meestal stille straat lag een leeg veld, eveneens een wirwar van onkruid en wilde bloemen, met in het midden de afbrokkelende sintelbetonnen fundering van een huis dat nooit was gebouwd. Daarachter bevonden zich enkele bomen, de baai en de blauwe hemel.

Het gras aan mijn voeten was zo groen als het ooit zou worden en de zanderige grond was al warm van de zon. Ik leunde achterover tegen de trede en onderdrukte de neiging om het stukje gebarsten groene verf bij mijn elleboog eraf te krabben (mijn vader zat op de trede boven mij toe te kijken). Ik hield mijn hoofd achterover om de zon op mijn gezicht te laten schijnen en herkende, terwijl ik dat deed, mijn eeuwige hoop op een van zon verzadigde transformatie die bepaalde jongens misschien zou opvallen als ik volgende week naar de universiteit terugkeerde – de bruine huid, het door de zon gebleekte haar, het slank makende effect van een dagelijkse duik in het water...

Ik opende mijn ogen weer toen ik het geluid van een auto hoorde die onze met grind bestrooide oprijlaan opreed. Hij reed net ver genoeg door om zijn achterbumper niet in de straat te laten uitsteken en zelfs de manier waarop de motor afsloeg en het portier aan de bestuurderskant openging scheen iets aarzelends te hebben. Meneer West stapte langzaam uit en liep naar ons toe en zag er de hele tijd uit als een man die op het punt staat de benen te nemen. Hij was slungelig, ouder dan mijn vader, dacht ik, maar gespierd en diep gebruind. Hij had een sigaret in de holte van zijn hand, dicht bij zijn dijbeen gehouden, en daardoor leek hij nog schuwer en behoedzamer terwijl hij dichterbij kwam. Ik had hem maar een paar keer ontmoet sinds mijn kinderjaren, eenmaal in Montauk, waar hij zijn boot had liggen, eenmaal op straat in Amagansett, hoewel de lucifersdoosjes en tijdschriften en herinneringen die hij ieder jaar in het huis achterliet me het gevoel gaven dat ik hem beter kende. Hij was, zoals mijn vader graag zei, een 'Bonacker', een echte 'Bonacker', een gemeenzame uitdrukking die voor mijn vader betekende dat meneer West een boerenkinkel was.

Mijn vader riep al goedemorgen voor meneer West helemaal bij ons was, en toen hij zijn donkere kapiteinspet aantikte en zich verontschuldigde voor het feit dat hij ons tijdens ons ontbijt stoorde, riep mijn vader: 'Geen probleem, geen probleem', joviaal en vriendelijk, op de bovenste tree gezeten met zijn kommetje en lepel als Old King Cole uit het kinderversje. 'Wat kan ik voor u doen?'

Meneer West wees naar de achterzijde van het perceel, naar de houten garage waar hij ieder jaar gedurende de twee weken van mijn vaders vakantie zijn extra kleren en persoonlijke bezittingen bewaarde. 'Er zijn een paar dingetjes die ik moet pakken', zei hij beleefd. 'Als u het niet erg vindt.' En mijn vader wuifde met zijn lepel. 'Nee, nee, nee, natuurlijk niet, ga gerust uw gang. Dat hoeft u niet te vragen. Hebt u uw sleutel?'

Meneer West knikte en stak zijn hand omhoog, waarin hij een sleutelbos had.

'Ga gerust uw gang dan. Haast u niet.' Altijd de welwillende huisbaas.

Maar toen meneer West door de zijtuin liep, de brede deur van het slot deed en opende en in zijn spullen begon te rommelen (we hoorden hem fluiten, in zichzelf mompelen), bleef mijn vader stijf, ongemakkelijk zitten, zonder zijn thee te drinken of zijn cornflakes op te eten en zonder een woord te zeggen, zelf meer huurder dan landadel. Het huis en de grond nog steeds meer het eigendom van zijn moeders huurder dan van ons.

En toen schetterde er opeens muziek uit de auto aan het eind van de oprijlaan, een plotselinge, snerpende riedel van gepraat en geruis, viool, rock. Mijn vader en ik keken allebei die kant uit, maar ik weet dat ik hem het eerst zag, door het zonlicht en de schaduw die over de voorruit speelden: een jongen op de passagiersstoel voorin, voorovergebogen om de radio af te stemmen. Toen hij weer rechtop ging zitten, stak hij zijn arm uit het open raampje en tikte op het dak van de auto. Maar toen stopte hij en stak zijn hand op, de vingers gespreid, terwijl een donkere band van gevlochten leer langs zijn pols omlaag gleed, in een gebaar dat in de eerste plaats leek te zeggen: geen kwaad bedoeld. Ik stak mijn hand op dezelfde manier op.

En daar was hij dan: onze begroeting. Onze eigen kinderen, in die eerste eeuwigheid, moesten hun oren gespitst hebben.

'Een van zijn zoons', zei mijn vader. Cody of John of Matt, wist ik, door de namen die met potlood achter op de deur van de provisiekast geschreven waren. Matt de langste in 1967. 'Hij logeert bij zijn vrouw.'

Mijn vader was ervan overtuigd dat meneer West zijn vrouw en drie zoons niet zou hebben verlaten als op de dag dat hij hun woning in Amagansett uit stormde mijn grootmoeder er niet was geweest die een gemeubileerd huurhuis aanbood voor een heel jaar, tegen een redelijke prijs. Wat hij gedaan zou hebben, wat hij volgens mijn vader had moeten doen, was het huis uit stormen, naar de supermarkt rijden, zes blikjes bier kopen en ze op zijn boot opdrinken, die toen in het droogdok in Three Mile Harbor lag, in slaap vallen en de volgende morgen met hangende pootjes naar huis terugkeren, met een kater en vol berouw en verkleumd tot op het bot. Maar wat dit scenario veranderde, wat het leven van meneer en mevrouw West en hun drie kinderen voorgoed veranderde, was het kaartje waarop mijn grootmoeder 'Te huur voor het hele jaar, redelijke prijs, gemeubileerd' had geschreven en dat ze op het prikbord vlak bij de ingang in de winkel had gehangen, het kaartje dat meneer West op weg naar buiten, met het bier onder zijn arm, eraf had gegrist zodat de punaises in het rond vlogen.

Welke schuldgevoelens mijn vader ook had over het feit dat hij meneer West over acht à tien jaar op straat zou moeten zetten wanneer hij ons huis in Rosedale verkocht en voorgoed naar Long Island verhuisde, ze werden verzacht door zijn overtuiging dat zodra hij dit deed meneer West naar zijn vrouw en nu grote kinderen zou terugkeren.

De man kwam uit de garage tevoorschijn met een jasje en wat losse vellen papier onder zijn arm. Hij riep een bedankje, stapte in zijn auto en reed langzaam achteruit; zijn zoon keerde zich maar even naar het raampje toen ze het huis weer passeerden.

Binnen deden mijn vader en ik de afwas en we ruimden op, zoals onze gewoonte was. We overwogen kort wat we met de wijn en het bier in de ijskast, de whisky in het kastje zouden doen en toen zei mijn vader, met een wuivend gebaar: 'Laat maar staan. Dat is zijn zaak, niet de onze.' Maar hij zei erbij dat het geen kwaad zou kunnen als we zelf van de drank afbleven tot Billy weg was.

Zoals onze gewoonte was, reden we naar de A&P in East Hampton om de ingrediënten voor het eten van vanavond te halen: iets om buiten te barbecuen en iets zoets voor toe. Daarna gingen we naar het station, twintig minuten te vroeg.

Het was een van die volmaakte dagen op oostelijk Long Island. Het was midden in de week en dus was het dorp in die perfecte rust verzonken die er altijd over neerdaalde in de periode tussen zondagavond en donderdagmiddag, wanneer de weekendgasten weer begonnen te arriveren. De hemel had een mooie, naar de oceaan neigende kleur blauw, met kleine, vlokkige wolkjes, en de geraniums en balsemienen die rond het station waren geplant bloeiden welig. De zoete geur van hooi en gras hing in de lucht, en een vleugje zilte oceaan. Op het perron boog ik me om het spoor af te kijken en zag de plaats, met bosjes donkergroene bomen, waar de aarde zich kromde en de twee zwarte lijnen van het spoor deed samensmelten: oneindigheid. Wie moest niet aan dat woord denken die de illustratie in middelbareschoolboeken had gezien?

Een vrouw ging bij ons op het perron staan, een lange vrouw met een dunne jurk aan en een boeket wilde bloemen in haar gebogen arm. En toen twee jongemannen, gebruind en zonder sokken en in dure tinten lichtgeel en roze gekleed. Daarna drie meisjes met witte tenniskleding en gouden sieraden, nog een illustratie uit een schoolboek, maar dit keer zou het onderschrift hebben geluid: 'Jongedames uit Hampton'.

Ik droeg een afgeknipte spijkerbroek, sandalen en een T-shirt met het logo van de universiteit erop, mijn vader een afgedragen polyester polohemd, een grijze gabardine kostuumbroek, een beige honkbalpet met een vuile klep en zweetband, dus onder onze illustratie zou wel hebben gestaan: 'Ingezetenen van Queens'.

'Hij zal zien dat er veel veranderd is', zei mijn vader over Billy. 'Na dertig jaar.' En toen: 'Als hij verdomme maar nuchter is.'

'En als hij niet nuchter is, wat dan?' vroeg ik. 'Nu hij die gelofte heeft afgelegd. Gaat hij dan rechtstreeks naar de hel?'

Mijn vader wierp een blik op me en zag de afvallige die ik was. (Zag ook, denk ik, zijn moeders scheve glimlachje.) 'Ik weet het niet', zei hij, om zich mijn sarcasme te besparen. We hadden het lang geleden opgegeven over de details van onze kerk te debatteren.

We voelden de verandering in de lucht voor we deze bevestigd hoorden worden door het verre fluiten van de trein. Nu begon iedereen op het perron op te letten. Wie achteraan stond stapte naar voren, wie aan de rand stond deed een stap achteruit. Er klonk weer een fluitsignaal en toen schoof de zwarte locomotief voor het licht. Er was een gepiep van remmen totdat, in wat men ten onrechte voor stilte zou kunnen houden, de trein vóór ons volledig tot stilstand kwam, hijgend, leek het, en reusachtig. We hoorden de stem van de conducteur, zagen zijn gedaante langs de raampjes bewegen. Een tweede hing naar buiten uit de middelste wagon en tuurde links en rechts het perron af alsof hij in een onbetrouwbare en vijandige omgeving was gearriveerd. Toen liet hij de stang los en stapte uit, zich omdraaiend om de passagiers te helpen die zich achter hem al verzameld hadden.

Billy liep zijwaarts het trapje af, zijn zwarte tas voorop, zwarte schoenen en witte sokken en een lichtblauw seersucker kostuum als van een heer uit het Zuiden. Hij glimlachte en zwaaide, zette toen zijn koffer op de grond en wachtte tot we naar hem toe zouden komen.

Hij was langer dan mijn vader, maar enigszins gebogen. Hij was zijn hele leven mager geweest en de gezetheid, de opgeblazenheid van zijn lichaam als gevolg van het ouder worden en de alcohol, scheen er op de een of andere manier niet toe te doen; hij gedroeg zich nog steeds als een magere man. Zo zou je hem nog steeds beschrijven. Zijn donkere haar was glad achterover gekamd en je zag er nog steeds de indruk van zijn natte kam in. Hij droeg het soort bril zonder montuur dat je ooit alleen bij priesters en nonnen zag, en zijn blauwe ogen waren lichtgrijs, als parels bijna. Hij glimlachte een beetje terwijl hij wachtte tot we dichterbij kwamen, raakte zijn rode das even aan, zo elegant als een paus, maar op hetzelfde ogenblik dat mijn vader zijn hand uitstak en 'hé, Googenheimer' zei, kreeg zijn gezicht een schalkse uitdrukking. Hij grijnsde, ze grijnsden allebei, schudden elkaar de hand, lachten zelfs, hoewel ze geen van beiden nog iets meer dan dat gezegd hadden. Zijn wangen en neus waren helderroze met gesprongen haarvaatjes en blauwe adertjes, sporen van zijn losbandigheid, natuurlijk, maar bij Billy op een subtiele wijze charmant, bijna alsof het opzettelijk was – als een vleugje rouge en poeder op het gezicht van een knappe acteur.

'Hoe was de reis?' vroeg mijn vader, nog steeds lachend alsof hij een raak antwoord verwachtte.

'Achter de rug nu', zei Billy grijnzend.

Hij pakte mijn hand, de zijne was koud, en ik gaf hem een korte zoen op zijn wang, die ook koud was en nog naar Ivory-zeep en Sensen rook.

Toen de trein weer wegreed, zwaaide hij naar iemand die erin zat – 'De zoon van Barney Callaghan', zei hij tegen mijn vader. 'Wat denk je daarvan? Conducteur bij de Long Island Spoorwegmaatschappij.' Hij draaide zich om en knipoogde. 'De kinderen', zei hij, 'nemen de wereld over.' Zijn hele gezicht straalde, kleine witte tanden, blauwe ogen, roze wangen en rode lippen, fonkelende brillenglazen die het veranderende licht opvingen.

Bij de auto zetten we de koffer van Billy in de achterbak – een glimp van mijn vaders doos met vistuig, zijn hengel en de groene legerdeken bespikkeld met zand.

Mijn vader bood aan in het restaurant aan de overkant te gaan lunchen en Billy wierp een blik over zijn schouder naar het eethuis en knikte alsof het iets was wat hij zich herinnerde. Het kruispunt was op dat uur bijna verlaten en door de plotselinge stilte die op het vertrek van iedere trein volgde leek het zonlicht iets afwachtends te krijgen: Dodge City om twaalf uur 's middags, met een ophanden zijnde confrontatie.

'Het is allemaal nog hetzelfde', zei Billy, op hetzelfde moment dat de stilte van de middag aan de randjes begon te rafelen: een stoplicht dat ergens op groen sprong, auto's die opnieuw onze kant uit kwamen.

'Nee, het is anders', zei mijn vader. 'Het is niet meer als het platteland, meer als iedere andere voorstad. We zullen een stukje gaan rijden, dan zul je het zien.'

In het restaurant was het ijskoud en donker en hoewel bijna ieder tafeltje bezet was, leken alle geluiden er gedempt. Ik rilde toen ik ging zitten en wreef over mijn blote armen. Billy boog zich naar me over. 'Ik zal je vertellen wat er aan de hand is', fluisterde hij. Hij stak belerend zijn vinger op. Zijn lippen waren opvallend glad. Zijn ogen roodomrand maar helder. 'Iedereen hier heeft de hele zomer over de warmte geklaagd en nu kunnen ze zich er niet toe brengen om over de kou te klagen.' Hij leunde een beetje achterover terwijl er een glimlachje rond zijn mondhoek speelde. 'Zie je nou wat er gebeurt als je hartenwens in vervulling gaat?' Toen wenkte hij de ober. 'Denkt u dat u de airconditioning iets kunt bijstellen?' zei hij zacht, met een heel licht Iers accent, ongetwijfeld een overblijfsel van zijn reis naar Ierland.

'We doen ons best', zei de ober geërgerd.

Toen hij wegliep, schoof Billy zijn stoel naar achteren, stond op en trok toen met veel vertoon zijn colbert uit en drapeerde het galant om mijn schouders. Tegen de mensen om ons heen, die hun ogen naar hem hadden opgeslagen, zei hij: 'Een beetje fris hier, hè? Vindt u niet?' Bijval zoekend van iedereen. Een verbond sluitend, leek het. 'Ja, kijk eens aan, u hebt een trui meegebracht', zei hij tegen de oudere dame vlak naast ons. 'U bent slim.' Het colbert rook naar Old Spice en de trein naar Long Island. Ik trok het rillend over mijn ellebogen en terwijl ik dat deed, voelde ik een klein, zwaar, vierkant voorwerp in een van de zakken: een kerkboek of een zakflacon.

Tegen de tijd dat de ober kwam om onze bestellingen op te nemen, wist Billy dat de oude dame met de trui hier al sinds 1952 woonde en voor geen goud 's winters naar Florida zou gaan. En dat haar metgezel, die haar jeugd in Sag Harbour had doorgebracht, er haast net zo over dacht, hoewel zij nog in Yonkers woonde.

'Nou, ik ben hier bijna dertig jaar niet geweest', zei hij tegen hen. Door de manier waarop hij het zei, zou dit ook zijn bakermat kunnen zijn geweest. De vrouwen waren voldoende meelevend. Voldoende verbaasd. 'Mijn vrouw vindt het prettig in de Rockaways, ziet u, of dat vond ze tenminste, voor het er veranderde', ging hij verder. 'Ze houdt van een strand met een promenade. En u weet hoe het gaat, er gaat een zomer voorbij en nog een en je hoort jezelf zeggen: "Laten we er volgend jaar naartoe gaan." Het is wat mij betreft het mooiste plekje op aarde, maar u weet hoe het gaat, opeens is het dertig jaar geleden, ook al lijkt het nog pas gisteren.'

Onder het spreken rolde hij zijn mouwen op – zijn bleke onderarmen waren schilferig van de resten van een winterse psoriasisuitslag – en pakte een vulpen uit zijn borstzakje waarmee hij iets op de hoek van zijn papieren placemat krabbelde, terwijl hij de dames naast ons de hele tijd zijn onverdeelde aandacht scheen te geven. Hij vouwde de placemat in tweeën, daarna in vieren, maakte toen een keurig driehoekje bovenaan en vouwde het naar binnen. Hij schreef haastig een adres op de witte voorkant – kapelaan zus of zo, leek het, Albany, New York. Hij stak zijn vinger in het borstzakje van zijn overhemd, haalde er één postzegel uit, likte eraan, en plakte hem in de hoek. Hij legde de envelop aan de rand van onze tafel alsof hij elk ogenblik door een koerier kon worden weggegrist.

'O, het is veranderd hier', zei de vrouw met de trui tegen hem. 'Het is niet meer zoals het in de jaren veertig was.'

'In mijn dromen wel', zei Billy tegen hen. 'Precies hetzelfde.' Hij knipoogde, haalde zijn hand door zijn haar. 'Maar ja, dat ben ik zelf ook.'

'Ach, zijn we dat niet allemaal?' zeiden de dame met de trui en haar vriendin tegelijkertijd.

Billy glimlachte naar hen met iets van dankbaarheid, alsof hij zich niet kon voorstellen dat hij naast twee sympathiekere en fijngevoeligere vrouwen zou kunnen zitten. Hij hief zijn waterglas. 'God zegene de dromen', zei hij, en de dames beantwoordden zijn toast. Als er schoenen te krijgen waren geweest, vermoed ik dat hij ze wel tien paar had kunnen verkopen.

Toen de ober onze broodjes bracht, keek hij enigszins onthutst naar de lege plek voor Billy en schoof toen vlug de extra placemat op onze tafel naar Billy's plaats. Tijdens het schrijven en het gelijktijdige gesprek met de dames had mijn vader grijnzend achterover gezeten, toekijkend hoe zijn neef zichzelf was en ervan genietend – er was geen ander woord voor – van hem genietend. Voor het eerst zag ik iets van wat het van mijn vader moet hebben gevergd, al die jaren dat ik klein was en Billy uit ons huis was verbannen tot hij nuchter kon verschijnen, diezelfde jaren waarin de stem van mijn vader ons allemaal midden in de nacht wakker maakte terwijl hij door de telefoon schreeuwde: 'Billy, je maakt jezelf kapot', of zachter maar ook wanhopiger: 'Zeg me nou maar waar je bent, Billy. Vertel me nou maar waar je bent.'

Ik drukte mijn elleboog tegen het zware voorwerp in Billy's colbert. Als het een flesje was, dan was het leeg. Als het een kerkboek was, dan was het nogal dun.

'En hoe gaat het met iedereen?' vroeg mijn vader, zich voorover buigend om zijn broodje te pakken.

Billy begon vol vuur aan een bekende litanie: de kinderen van zijn zus Rosie (Holy Cross en Katherine Gibbs, Queensborough Community en het telefoonbedrijf) en de kinderen van Kate (Regis Fordham Notre Dame Marymount Chase Manhattan) en zijn moeder die op tachtigjarige leeftijd nog altijd van haar slaapmutsje hield. En wie hij had gezien uit de oude buurt en van kantoor en wie hen had uitgenodigd om volgend weekend naar Breezy Point te komen en heb je gehoord dat de man van Kate nu hoofd financiën van de hele organisatie is, dat betekent weer een nieuwe aanbouw aan hun huis in Rye, dat al groot genoeg is voor iedereen, als je het hem vraagt, dus hij zei tegen haar: waarom gebruik je niet wat van dat geld om de armen te eten te geven in plaats van een huis op te knappen dat al knap genoeg is. Ze is tenslotte niet gelukkig met haar leven, dat is ze nooit geweest, als je weet wat ik bedoel. Ze had tegen hem gezegd dat ze heel goed de armen te eten kon geven en tegelijkertijd een nieuw gastenverblijf aan haar huis kon bouwen, wat alleen maar bewijst dat ze niet begrijpt wat liefdadigheid inhoudt en bovendien net zo verslaafd is aan geld uitgeven als haar man aan geld verdienen.

'En hoe was het in Ierland?' vroeg mijn vader.

'Koud', zei Billy hoofdschuddend, alsof de weersgesteldheid een morele tekortkoming was. 'En nat. Een ellendige plek om met drinken te stoppen.'

Mijn vader glimlachte toegeeflijk. 'Maar je bent gestopt.' Het was geen vraag.

'Ik heb mijn woord gegeven', zei Billy knikkend. 'En de dag nadat ik mijn woord gaf, heb ik een auto gehuurd en ben ik naar het graafschap Wicklow gereden. Helemaal alleen. Naar Clonmel.'

'En hoe was dat?' vroeg mijn vader – ik moet zeggen dat hij het nonchalant vroeg.

Langzaam legde Billy zijn broodje op zijn bord en leunde achterover, met zijn vingers op de rand van de tafel. 'Eva runt daar een benzinestation', zei hij. 'Met haar man. Ze heeft vier kinderen.' Hij wachtte even. 'Eva.'

Mijn vader roerde in zijn ijsthee met een lange lepel. Hij knikte, tilde de lepel behoedzaam op en legde hem op het bordje onder zijn glas. Hij raakte het schijfje citroen aan dat ernaast lag. 'Dat wist ik', zei hij.

Billy trok zijn wenkbrauwen op en glimlachte een beetje. Zijn tanden waren volkomen recht en regelmatig. Een vals gebit, had mijn moeder me eens verteld, herinnerde ik me, een presentje van Uncle Sam. 'Dat vertelde ze me, ja', zei hij.

Mijn vader speelde met de lepel. Had ik eerder in het gesprek gevraagd wie Billy Sheehy of Marge Tierney of Eddie Schmidt of Tony D'Angostino was, dan was ik nu misschien geneigd geweest naar Eva en haar benzinestation en haar vier kinderen te informeren. Maar er zaten walnoten in de kipsalade die er voor mij echt niet in hadden gehoeven en het was makkelijk genoeg om te veronderstellen dat Eva iemand uit de buurt, uit het bedrijf, uit mijn grootvaders groeiende erfenis van immigranten en immigrantenkinderen was. Iemand naar wie Billy misschien placematbrieven zou sturen.

'Ja, ik wist het', zei mijn vader. 'Het spijt me.'

En Billy blies wat lucht tussen zijn lippen uit en schudde zijn hoofd en wierp een blik op het koude plafond boven ons. Toen knipoogde hij naar me. 'Toen jij gedoopt werd,' zei hij, 'reed je vader ons van jullie huis naar de kerk. Je moeder, God hebbe haar ziel, bleef thuis – vrouwen deden dat in die tijd, niet waar' – tegen mijn vader – 'misten het dopen van hun eigen baby's en bleven thuis om alles voor het feest in orde te maken.'

'Er werd van uitgegaan dat ze nog bedlegerig waren', zei mijn vader, en toen, de waarheid erkennend: 'Maar ze waren meestal bezig alles voor het feest in orde te maken.'

'Dus je tante hield je vast,' ging Billy verder, 'de zus van je moeder, Louise, en zij en ik gingen met de anderen naar binnen terwijl je vader hier de auto parkeerde. Je was nog maar pas lid van die parochie, hè Dennis? Van Sint-Clara?'

Ik zag dat mijn vader begon te grijnzen, in afwachting van wat er ging komen. 'We hadden net de maand ervoor het huis gekocht.'

Billy wendde zich weer tot mij. 'Nou, hij moet in de war zijn geraakt bij het parkeren, want hij deed er langer over dan we hadden gedacht en voor je het weet, staan we allemaal bij de doopvont op hem te wachten. En daar komt hij hard hollend binnen en als hij ons daar met de priester ziet staan, maakt hij een sprongetje om bij ons te komen – hij dacht zeker dat we zonder hem zouden beginnen – en valt, klets, plat op zijn gezicht aan onze voeten.'

Mijn vader grijnsde nu breed en keek naar zijn schoot, terwijl hij zijn hoofd schudde.

'Ik ken dit verhaal al', probeerde ik te zeggen, maar Billy ging verder.

'Nou, iedereen zegt: goeie God, en als de priester zich buigt om hem te helpen, kijkt je vader met een hoogrood hoofd op en zegt: "Ik ben gewoon zo zat."'

'Van geluk!' zegt mijn vader nu. 'Ik wilde zeggen: ik ben gewoon zo zat van geluk...'

Billy hief zijn vinger tegen hem op. 'Jawel, maar wat je zei en wat iedereen verstond was: "Ik ben zo zat."' Weer tegen mij, zijn ogen plotseling nat van de tranen, hoewel alleen mijn vader lachte. 'En amper een week later loop ik een eethuisje op Linden Boulevard binnen en daar zit de priester die de doop heeft verricht – hoe heet hij ook weer, Dennis, het was een oudere man?'

Mijn vader schudde zijn hoofd om aan te geven dat hij het zich niet kon herinneren. 'Ik zou het moeten weten', zei hij. 'Hij heeft me vreselijk de les gelezen toen het dopen voorbij was.'

'Enfin, daar zit hij in dat eethuisje en hij komt naar me toe en hij vraagt: "Hoe is het met die onzalige broer van je?" – hij dacht dat we broers waren – en ik zei tegen hem: "Die kan het nog steeds niet laten, vrees ik."' En nu begon ook Billy te lachen, een diepe, zachte, maar onbedwingbare lach, waarbij zijn ogen blonken van de ingehouden tranen. '"Die kan het nog steeds niet laten", zei ik.' Hij keek even naar mijn vader. 'Niet echt een leugen, zou je kunnen zeggen. Meer een kwestie van interpretatie.'

Mijn vader boog zijn hoofd weer alsof hij iets toegaf, maar toen hij weer opkeek, toonde zijn glimlach dat er een last van hem afviel. 'Goed, goed', zei hij, alsof hij bereid was zijn dwaling te erkennen. 'Goed, goed.' Alsof hij geloofde dat hem vergiffenis werd geschonken.

We maakten de gebruikelijke rondrit met hem langs de grote huizen in de dure wijken van East Hampton en hij scheen ze zich stuk voor stuk te herinneren van die ene zomer na de oorlog dat hij hier was geweest. Een ervan herkende hij als het huis van de familie Appleton; hij had er indertijd een ansichtkaart van gekocht. Mosler, Eastman, Bouvier. Zijn favoriete huis was er een aan de rand van het strand, boven een aardappelveld. 'Waar is Pudding Hill Lane?' vroeg hij, en mijn vader sloeg af en reed langzaam de laan door voor hem. 'Dit noemden ze hun zomerhuisjes', zei Billy op een gegeven moment, terwijl hij zich tot mij op de achterbank richtte. 'Ja.' Ik knikte alsof het ironische ervan nog altijd interessant was. De raampjes waren open en Billy had een arm omhooggestoken, waarmee hij het dak vasthield; zijn andere hand zat in de lege linkerzak van zijn colbert.

'Nou, het is nog altijd mooi', zei hij toen we naar het dorp en het huisje terugreden. 'Niets is veranderd.'

'Alleen wij', zei mijn vader, maar Billy was langzaam, zachtjes gaan declameren, als een man die een deuntje in zichzelf neuriet, waarbij hij de woorden op het briesje uit het raam liet drijven: *'I will arise and go now, and go to Innisfree...'* Het vervulde mijn vader, Billy's vrienden en familie in het algemeen, met enige trots dat Billy de hele oorlog een bundel van Yeats bij zich had gehad. Niet dat mijn vader, of de meeste van zijn verwanten, zelf de gedichten hadden gelezen; het was meer dat ze door Billy's interesse vrijgesteld waren van het hebben van een eigen interesse.

Toen de neven en nichten van mijn generatie van de universiteit terugkeerden met boeken van Ginsberg en Ferlinghetti en Sylvia Plath, konden onze ouders snuivend zeggen: 'O, poëzie, ja hoor. Billy Lynch is dol op die Ierse dichter, Yeats (of Yiets)' – met een trotse achteloosheid die scheen te suggereren dat de dichter de vriend van een vriend was. *'And I shall have some peace there'*, zei Billy.

Bij het huis trok ik snel mijn badpak aan en ging naar buiten voor mijn dagelijkse, transformerende duik in het water. Ik stapte langs hen heen, terwijl ze beiden op het trapje voor het huis zaten, met glaasjes limonade in hun hand en op mijn vaders knie het tijdschrift *Time*: een artikel over Nixon, die arme man (zeiden ze), die arme achtervolgde man, verstrikt in zijn wirwar van leugens. Billy had zijn colbert en das in de logeerkamer achtergelaten.

De baai lag ongeveer twee kilometer verderop, aan het eind van straten die, zoals mijn vader had gezegd, steeds meer op een voorstad begonnen te lijken. Dertig jaar geleden, zoals hij telkens had opgemerkt wanneer we deze route samen liepen, had er nauwelijks een huis tussen het onze en de baai gestaan en bestond de weg, die nu geasfalteerd was, voornamelijk uit zand. Billy en hij hadden, die eerste zomer dat ze terug waren van overzee, zelf een gedeelte ervan verbreed met de zeis die meneer Holtzman hun had geleend.

Nu waren er net zo veel huizen, net zo veel auto's op de geasfalteerde wegen als je in iedere groenere voorstad van Long Island zou kunnen vinden. En hoewel de meeste huizen hier, met hun aangebouwde carports en decoratieve kreeftenfuiken, met scheepsvlaggen en badminton-sets in zanderige, door bomen beschaduwde tuinen, duidelijk zomerverblijven waren, strandhuizen in de minder ironische betekenis van het woord, waren er ook een aantal die met licht aluminium waren afgewerkt en op maat gemaakte gordijnen in erkers hadden en grote dubbele garages, net zo stevig en kleinsteeds en saai als elk ander huis in Rosedale of Franklin Square. Huizen die het hele jaar door bewoond werden, waar men om zes uur macaroni met kaas at en waar men zich 's morgens naar zijn werk of de schoolbus haastte. Uitdijende voorsteden, zo ver het oog reikte, die de zomerromantiek verdreven. En de kans voor ieder van ons om die zeldzame twee weken in het hartje van de zomer op een woeste plek bij de zee te wonen, een onderbreking, zoals Billy en mijn vader het na de oorlog hadden genoemd, steeds kleiner maakten.

Toen ik een auto achter me hoorde, ging ik naar de stoffige rand van de weg, zoals mijn gewoonte was geworden op deze wandeling. Ik wierp een boze blik over mijn schouder toen ik de hitte van de motor achter op mijn benen voelde. Het was tenslotte mijn leven dat daar op me afkwam, mijn toekomst die me dreigde te overrijden – wie zou daar niet vuil naar hebben gekeken?

Ik ging nog langzamer lopen, liep zelfs in de mulle berm van de weg, in het hoge onkruid en het gras. Ten slotte draaide ik me om. Het was de auto van meneer West en Matthew of Cody of John zat achter het stuur; hij boog zich opzij over de voorbank om uit het raampje te roepen en me een lift aan te bieden.

Hij (Matthew, jij) had over twintig minuten een afspraak met een vriend bij het kreeftendok, dus de herinnering aan een eerste gesprek op hetzelfde zonnige baaistrand waar Billy in die eerste weken dat hij na de oorlog thuis was Eva ontmoette werd ons bespaard. In plaats daarvan zaten we in de auto, op de brede voorbank. Er hing een muffe lucht van sigarettenrook en oude joints en de zoete geur van het badlaken dat ik op mijn schoot hield. Jij was gebruind en droeg de leren band om je rechterpols. Net van Stony Brook af. Werkte de hele zomer op een vissersboot voor toeristen. Wilde er een van jezelf hebben. Wilde de Westkust zien. Ging nooit de stad in, hield er niet van. Kon je niet voorstellen dat je in een plaats als Rosedale woonde, ging helemaal in Buffalo naar de universiteit. Een Bonacker, een echte Bonacker. Maar je mond was scheef en je ogen waren donkerbruin. Ik vermoedde dat je later precies je vaders gezicht zou krijgen, maar zonder de schuwe oogopslag. Je boog je hoofd als je lachte, als iemand op het toneel die zich in zijn tekst heeft vergist, iemand die zichzelf moest corrigeren.

We spraken af die avond samen uit te gaan. Terwijl ik terugliep van de baai – ik was langer dan gewoonlijk gebleven, er meer profijt van trekkend, dacht ik – vroeg ik me af of mijn vader verontwaardigd zou zijn. Ik wist wat mijn moeder zou hebben gezegd: voor haar was een afspraakje mijn belangrijkste sociale plicht die alle andere aanspraken verdrong. Zelfs tijdens haar laatste dagen stond ze erop dat ik uitging als iemand me vroeg. 'Ga', had ze met een frons gezegd, alsof ze niet kon geloven dat ik aarzelde, alsof ze wilde zeggen: heb ik je dan niets geleerd? Als ze niet kon praten, gebaarde ze alleen maar met haar hand, wuifde me de deur uit: gá.

Ze zaten nu op tuinstoelen, mijn vader en Billy, op het dunne gras voor het huis. Toen ik de weg afliep, leunde mijn vader voorover, met zijn onderarmen op zijn knieën, zijn hoofd gebogen, luisterend als een toegewijde priester. Billy zat ook voorover, maar met zijn armen voor zijn borst gevouwen en zijn rug recht. Ze keken beiden op toen mijn sandaal het grind van de oprijlaan raakte, maar ze waren te afwezig, leek het – verzonken in hun gesprek? het verleden? wederzijdse beschuldigingen? – om me werkelijk te zien of te herkennen tot ik bijna naast hen stond. Of zo dichtbij dat ik zag dat mijn vader heel licht en weigerend zijn hoofd schudde, iets weigerend waarvan Billy wilde dat hij het aanvaardde. En dat Billy, die zich behoedzaam bewoog en langzaam en zachtjes sprak op hetzelfde moment dat hij zich omdraaide en naar me glimlachte, al heel wat had gedronken.

Van de (laten we wel wezen) stuk of vijf basisvarianten van de Ierse fysionomie bezaten zij er twee: Billy, een schraal gezicht met zwart haar en lichtblauwe ogen achter zijn montuurloze bril; Dennis, met brede kaken waarop altijd een blos was, donkere ogen en blond haar dat alleen onder zijn legerhelm dunner was gaan worden, ergens in het noorden van Frankrijk, beweerde hij. De een op-en-top een dichter of geleerde, de ander een perfecte jonge agent of kastelein. De esthetische priester en de vrolijke kapelaan.

Maar in werkelijkheid hadden ze beiden voor de oorlog het RCA-instituut bezocht en een vaste baan bij Con Ed achtergelaten om in dienst te gaan. In juli 1945 waren ze beiden van plan daar in herfst weer te beginnen, of zodra het huis op Long Island af was, zodra ze eraantoe waren deze onderbreking – zo noemden ze het – tussen hun leven zoals het was en wat hun leven zou worden te beëindigen.

Het was hun taak geweest het huis weer leefbaar te maken nadat het bijna tien jaar had leeggestaan. Het loodgieterswerk en de bedrading te moderniseren, de muizen en wespen te verjagen, die delen van de vloer of het plafond, de ramen of de deuren te repareren of te vervangen die gerepareerd of vervangen moesten worden. De opdracht was van Holtzman, de schoenenverkoper, gekomen alsof het een ingeving was, onder het eten op de tweede avond dat Dennis thuis was (hoewel hij het niet als zijn thuis beschouwde, het was het huis van de schoenenverkoper, ook al zat hij aan zijn moeders eetkamertafel). Hij bood het project aan alsof hij een vlaag van inspiratie had, zei zelfs zoiets als 'hier is een ideetje voor jullie jongens...' hoewel Dennis wist dat in zijn plunjezak in een slaapkamer boven (niet zijn kamer, hoewel het bed hetzelfde bed was als waarin hij als kind had geslapen) de brief zat die zijn moeder hem had gestuurd, de waslijst met redenen om te hertrouwen. Hij wist door de zenuwachtige blik die Holtzman op haar wierp, op hetzelfde moment dat hij voorgaf geïnspireerd te zijn, dat het project de hele tijd zijn moeders idee was geweest.

Op de middag van hun aankomst parkeerden ze de auto op de hobbelige, overwoekerde oprijlaan en in hemdsmouwen, met gleufhoed op en legerschoenen aan, baanden ze zich een weg door het kniehoge gras en onkruid met de zeis en de snoeischaar die Holtzman hun had geleend. Als de stadsjongens die ze waren, maakten ze er een hele vertoning van, beproefden hun armen, de warmte en hun vastberadenheid en joegen het hoge gras, de bijen en sprinkhanen en gonzende kevers alle kanten op terwijl ze een fatsoenlijk pad over de zanderige bodem naar de drie afbladderende treden bij de voordeur maakten. Ze trokken bij hun eerste ruk de hordeur uit zijn scharnieren.

De sleutel die Holtzman hun gegeven had zat vast aan een kettinkje dat aan een schoenlepel zat waarin de naam en het adres van zijn winkel op Jamaica Avenue waren gegraveerd. Dit was het enige, deze onhandige sleutelhanger, waardoor ze een beetje stuntelden. De deur zelf ging gemakkelijk open, zoals hij in een film of een droom open zou gaan, alsof het slot helemaal niet echt was, of alsof de scharnieren goed geolied waren. Binnen was het bedompt en warm en in het zonlicht dat door het keukenraam viel waren de stofdeeltjes net zo duidelijk te zien als de gootsteen en het fornuis en de doorzakkende grijze sofa te zien waren.

Nu begonnen Dennis' vage gedachten over iedere plaats die hij sinds zijn terugkeer van overzee had bezocht vaste vorm te krijgen en hij zei tegen Billy: 'Dit was hier', alsof Billy zou weten wat hij bedoelde. Wat hij bedoelde, was dat dit huis hier al die tijd, precies zo, was geweest terwijl hij in het avontuur en de eentonigheid van de oorlog was verwikkeld. Dit was hier geweest, precies zoals het was (net als het Chrysler Building, zijn moeders nieuwe woning, de luchtspoorweg boven Jamaica Avenue), gedurende al die tijd en op ieder afzonderlijk moment dat hij er niet was.

'Sinds de jaren twintig, denk ik', zei Billy, die het niet begreep.

'Eeuwig', zei Dennis tegen hem.

Maar Billy begreep het later, nadat ze voor het avondmaal een restaurant in East Hampton hadden gevonden en toen maakten ze er een rondrit in de auto van Holtzman, omdat ze er geen van beiden ooit waren geweest en omdat de charme van het dorp hun het gevoel gaf dat de wegen die ervandaan leidden meer te bieden hadden. Het was er allemaal geweest. De sierlijke bomen die de brede straten omzoomden, de uitgestrekte groene gazons die, terwijl ze er langzaam voorbijreden, groener en donkerder werden in de schemering zodat je jezelf kon doen geloven dat de nacht binnensijpelde door hun wortels en niet langs de hemel boven hen trok. De huizen – wanneer hadden ze ooit zulke huizen gezien, hoe kwam het dat ze niet hadden geweten dat die hier waren? Grootse, ingewikkelde paleizen, *zomerhuisjes*, met hout bekleed of wit, met prieeltjes in hun tuin en grote, met pilaren versterkte veranda's, afgerond als bogen, en uitkijkposten op het dak en zolderkamers met puntgevels, van waaruit je waarschijnlijk de zilveren spitsen van de stad en de zwarte oceaanrand van de aarde kon ontwaren.

Ze kreunden bij het zien van de verduisterde huizen die nog niet geopend waren voor het seizoen – 'Daar is niet eens iemand' – en ze fluisterden: 'Kijk nou eens', toen er een als een stoomboot van voor- tot achtersteven verlicht was. Maar wat hen overdonderde, wat hen echt overdonderde, waren de huizen die uitzagen over de oceaan, die als voor- of achtertuin een dik, welig tapijt van prachtig gemaaid gras hadden en bovendien schitterende duinen, zeegras, een wit strand en de zee, zich uitstrekkend vanaf de andere kant, alsof voor- en achterzijde op verschillende planeten waren gebouwd.

'Laat me daar maar achter als ik dood ben', zei Billy over een ervan, een groot huis op een breed gazon tegen een achtergrond van een met sterren bezaaide hemel die zelfs in het bijna volledige duister de teruggekaatste klank en glinstering van de oceaan leek te bevatten. 'Zet me overeind op de veranda met een karaf vol martini's en een schaal rauwe oesters en ik zal eeuwig in vrede rusten. Amen.'

Ze gingen naar huis in het donker, onder het dichte gebladerte over Main Street en in de richting van de zandigere en minder nette wijken waar de Springs en Three Mile Harbor waren. Ze sloegen enkele malen de verkeerde straat in en zaten zelfs op de oprijlaan een paar tellen naar het kleine huisje te turen voor ze tot de conclusie kwamen dat het toch het juiste adres was.

Ze spraken af dat ze die avond in de auto zouden slapen, aangezien de matrassen beschimmeld en de muizen veilig weggekropen waren. Met de vindingrijkheid die soldaten eigen is, hingen ze hun T-shirts voor de open raampjes en maakten de randen met isolatieband vast om het merendeel van de insecten buiten te sluiten.

Ze zaten een halfuur te roken, Dennis op de voorbank, Billy achterin. 'Ik heb nooit geweten,' zei Billy op een gegeven moment, zijn bril in zijn hand, zijn hand rustend op zijn voorhoofd, 'ik heb nooit geweten hoe het hier buiten was.' Het was wat hij morgen op zijn ansichtkaarten zou schrijven, artefacten creërend. 'Is dat niet ongelooflijk? Ik had er geen idee van dat hier zulke plaatsen waren.'

'Het is ongelooflijk', zei Dennis. 'Bridie is hier eens geweest', voegde hij eraan toe. 'Ze was met iemand naar Southampton gegaan. Ze zei dat het echt ongelooflijk was.'

'Dat is het', zei Billy. Hij zweeg even. 'Je gaat je bijna afvragen wat er nog meer is waarvan je geen weet hebt.'

Dennis keek een ogenblik nadenkend en zei toen lachend:

'Een heleboel.' Maar hoewel Billy er als een dichter of geleerde uitzag, was hij het niet en hij kon het niet uitleggen: wat was er nog meer waarvan hij geen weet had en dat hem zou treffen zoals het dorp hem vanavond had getroffen – hem op dat allereerste ogenblik van gewaarwording, van zien en ruiken en proeven, zou treffen als iets waarvan hij vanaf dat ogenblik niet genoeg zou kunnen krijgen en waar hij nooit meer zonder zou kunnen leven.

Tegen het einde van de eerste week hadden ze een vaste werkwijze en voldoende kennis van de wegen om de vuilstortplaats en het strand aan de baai, de goedkopere restaurants en de ijzerhandels te kunnen vinden. Ze deden het zwaarste werk 's morgens vroeg en doken vóór de middag het huis in om de bedrading aan te leggen, te schilderen en te pleisteren. Rond vier of vijf uur, als het zonlicht langzaam van wit naar geel verkleurde, pakten ze hun handdoek van de waslijn die ze achter het huis tussen twee bomen hadden gespannen en liepen met de handdoek om hun nek geslagen de twee kilometer naar de baai. Ze baanden een kortere weg met de zeis van Holtzman. Het strand was daar rotsachtig langs de kustlijn, bezaaid met schelpen, maar het water was warmer dan dat van de oceaan en aangezien ze geen van beiden goed konden zwemmen, juichten ze de kans toe om gewoon maar wat te drijven en te duiken en met hun tenen de bodem aan te raken als ze daar zin in hadden.

Op sommige avonden gingen ze naar een café vlak bij de weg naar de Springs. Ze dronken allebei te veel de eerste en tweede keer, maar alleen Billy, die in een lang gesprek gewikkeld was met de kastelein en een lelijke oude Bonacker die maar niet genoeg over de oorlog kon horen, dronk de derde en vierde maal te veel.

Een dronken Billy, in die tijd, was charmant en sentimenteel. Hij sprak op rustige toon, een hand in zijn zak en de andere om zijn glas, zijn glas meer wel dan niet tegen zijn hart gedrukt. Er lag een intense sympathie in Billy's ogen, er sprak althans een intense poging tot sympathie uit, een intense bereidheid om degene met wie hij sprak intelligent en geestig en beter dan de meeste anderen te vinden. Dennis raakte er in die tijd van overtuigd dat je iemands ijdelheid kon meten door te kijken hoelang hij erover deed om te beseffen dat Billy zijn aangeboren en lang ondergewaardeerde charme niet had herkend, maar dat hij deze naar buiten had gebracht met zijn eigen hoge verwachtingen of gewoon totaal had verzonnen.

Ze praatten over de oorlog: de rare snuiters in hun divisies, de jongens uit het Midwesten altijd het meest onbehouwen, was je dat niet opgevallen, had ongetwijfeld iets te maken met het feit dat ze in de buurt van vee leefden; de goede en slechte officieren, de ochtend vlak voordat ze naar huis gingen, toen een groepje dat uit de eerste mess kwam beweerde dat er cake bij het ontbijt werd geserveerd, wat alleen maar brood bleek te zijn, vers brood. De hut van teerpapier die Dennis en nog twee maten hadden gebouwd, warmer dan de tenten, het Pilsen Hilton. Hun geluk dat ze de Pacific hadden kunnen vermijden. Hun jacht op souvenirs. Patton en Ike en F.D.R., die leugenachtige ouwe gladjanus. De kinderen die om chocola en kauwgum bedelden. De Franse meisjes, allemaal mooi, van wie er een naar de centrale verbindingspost in Metz kwam, waar Billy tegen het eind werkte, om te vragen of er een bericht naar haar verloofde kon worden gestuurd, een andere soldaat die naar het noorden was vertrokken. Ze zei dat ze zelfs zijn codenaam kende, Vampier, waarop een stuk of drie andere jongens hardop begonnen te lachen. Ze was een donkerharig meisje met grote donkere ogen. Ze droeg een witte zakdoek om haar hals geknoopt, even mooi als diamanten. Het bericht dat ze Billy verzocht te sturen was eenvoudig: 'Ik ben er nog.'

Hun schouders en armen en nek werden rood en sproeterig en vervelden, en iedere avond na het eten wandelden ze door het dorp met een tandenstoker in hun mond of ze reden langs de indrukwekkende huizen in de omringende straten en letten op de veranderingen eraan, hoe ze er in de regen uitzagen, in het heldere schemerlicht, hoe goed ze zelfs de drukkende atmosfeer van de warmere dagen verdroegen, zich verbazend, nog altijd verbazend dat dit Eden hier was, aan het andere eind van hetzelfde eiland waarop ze hun leven hadden doorgebracht.

Op een middag vlak voor de Dag van de overwinning op Japan zat er een gezin op een deken uitgespreid op het breedste halvemaanvormige deel van het baaistrand – ze dachten tenminste dat het een gezin was toen ze van de weg kwamen aanlopen. Maar toen ze hun handdoek neergooiden en zich bukten om de veters los te maken van hun al losjes gestrikte schoenen, om de sokken uit te trekken die ze erin droegen en de broek die ze over hun zwembroek droegen, kwamen ze snel tot een ander oordeel. Zes kinderen, het grootste kind niet ouder dan negen, en twee vrouwen, meisjes eigenlijk, die niet oud genoeg waren om de moeders van al die kinderen te zijn.

Ze knikten de meisjes en de kinderen goedendag terwijl ze naar het water liepen en zwommen met zoveel lenigheid als ze nooit eerder hadden vertoond zo ver als ze durfden te gaan, daarna lieten ze zich een poosje onder de bleker wordende hemel drijven, ondertussen met onopvallende, zijdelingse blikken naar het groepje op het strand glurend, de meisjes in het bijzonder, van wie er een nu bij de rand van het water stond, een emmer en een schepje in haar hand en twee kleintjes aan haar voeten. Het andere meisje, dat maar ietsje molliger was, zat nog op de deken en droeg een ouderwetse badmuts over haar krullende haar, die vanaf het water – voor Billy tenminste, met zijn bril in de zak van zijn broek op het zand – een aura van koningsblauw licht leek.

Van de kinderen stonden er nu vijf tot aan hun knieën in het water en ze doopten er hun gestrekte handen in zoals het ene meisje hen gelastte te doen, vingers uitgespreid als een zeester, en ze wasten het zand eraf. Toen stapte een van de kinderen, de langste jongen, uit het water met zijn uitgespreide handen omhoog gestoken, alsof hij een chirurg was, alsof het zand elk ogenblik kon opstuiven en ze weer zou kunnen bedekken, en riep 'Eva' in de richting van de deken, 'Eva', hoewel het onmogelijk viel te zeggen of hij het meisje met de badmuts bedoelde of het zesde kind, dat naast haar zat, want op dat moment stopte er langs de weg een enorme zwarte touringcar en met het plotseling bijeenrapen van emmertjes en schepjes en picknickmanden en badjassen en dekens – een plotselinge bedrijvigheid die ophield zodra alles van het zand af was en ze, met een ongelooflijk trage gang, de tocht van het strand naar de auto maakten – waren ze verdwenen.

De twee zwommen wat dichterbij, naar een ondiepere, meer geriefelijke plek vanaf de kust en klauterden toen helemaal uit het water. Ze kwamen bij hun handdoeken en droogden, met een efficiënt gebruik van badstof dat ze in het leger hadden geleerd, gezicht en armen met het ene uiteinde en borst en benen met het andere uiteinde af, gingen toen op het droge middenstuk op het zand zitten om een sigaret te roken en trokken toen, hun voeten eerst met de ene en daarna met de andere sok afkloppend, sokken en schoenen aan voor de wandeling naar huis.

De weg was warm en Dennis had zowel zijn broek als zijn handdoek over zijn schouders gedrapeerd om zijn opnieuw verbrande huid te beschermen. Hij kon het zout op zijn benen en op zijn gezicht en armen onder het lopen voelen drogen. Hij zag er een streep van op het lichte haar van de kuit van zijn neef.

Ze waren maagd, allebei. Voor de oorlog had het geleken alsof alle meisjes die ze kenden een schoolvriendinnetje van een van hun nichtjes was, of een dochter van de beste vriendin van een tante, en hoewel de begeerte zich vaak genoeg had voorgedaan, hadden de kleine behuizing en de strenge omgangsvormen van die tijd en die plaats niet de gelegenheid geboden voor meer dan een toevallige aanraking of een ingetogen kus. En later, toen de gelegenheid wel volop aanwezig was, toen ze aantrekkelijk waren in hun uniform en perfect in conditie, waren ze maar enkele weken of dagen van hun transport verwijderd en door de dreigende mogelijkheid van hun eigen dood leek zelfs het verlangen om zo laat nog een dergelijke doodzonde te begaan even dwaas en even vluchtig als de onzinnige behoefte om jezelf lukraak van een grote hoogte omlaag te storten – de parachutesprong op Coney Island, bijvoorbeeld, of het uitzichtterras van het Empire State Building – of je hoofd uit de modder te tillen tijdens een oefening met scherpe munitie in het trainingskamp, gewoon omdat je daar zin in had.

Dus hadden ze meisjeslippen murw gekust, hadden ze geleerd dat het een genot was om een middel te omvatten of met een hand langs een gekoust been te strijken, of een hartslag achter een borst te voelen, maar de paters van de Missie van Sint-Paulus de Apostel hadden hen op jonge leeftijd in handen gekregen en ze leerden wat hemel en hel was lang voordat ze wisten dat er aan de boord van een kous alleen maar naakt vlees was, en jongens die ze van het basketbalveld of van de Knights of Columbus kenden, waren al overzee gegaan en gesneuveld. En zelfs in Manhattan, om middernacht, met hun uniform aan en net zo dronken als de meisjes op hun knieën, zagen ze door de luide muziek en het gelach en de rokerige lucht hun voortijdig beëindigde leven, de nabijheid van de eeuwigheid, en dus reden ze altijd alleen met de ondergrondse naar huis, wankelend en lachend en geholpen door de handen van ontelbare glimlachende vreemdelingen, om hun roes onder het dak van hun eigen moeder uit te slapen.

De volgende middag waren de twee meisjes en de zes kinderen voor wie ze zorgden er weer, het slankere meisje met hetzelfde donkerblauwe badpak aan dat aan de voorkant recht over de bovenkant van haar dijen liep, maar aan de achterkant een beetje meegaf en de bekoorlijke lijnen van haar achterwerk volgde; het andere met weer een andere badmuts op, een lichtgele deze keer, een stralenkrans nu terwijl Billy over het zand naar haar tuurde. Ze hadden vandaag een strandparasol bij zich, groen met gele strepen, en in de schaduw ervan hadden ze een koeltas en een rieten wasmand staan.

De kinderen waren al in het water toen ze met zijn tweeën arriveerden, de jongsten vandaag uitgerust met rode en blauwe binnenbanden, en dus was het makkelijk genoeg, nadat ze hun schoenen en sokken en hun kaki broek hadden uitgetrokken, om nog eens naar de dames te knikken en tegen de kinderen te zeggen terwijl ze langs hen liepen in de zacht klotsende branding: 'Het water is vandaag erg nat, vinden jullie niet?'

Er viel een stilte waarin kinderogen staarden.

Billy knipoogde. 'Gisteren was het lang zo nat niet, hè?'

De vier kinderen gaapten hen aan, vier vlaskopjes met blauwgroene ogen en een rode streep van de zon over iedere neus. 'Nee', zei een van hen, het langste meisje. 'Dat kan toch niet.'

'Tuurlijk wel', zei Billy tegen hen. Hij wreef wat water tussen duim en wijsvinger alsof hij aan stof voelde. 'En vorige week was het op een dag bijna helemaal niet nat.'

'Hadden geen handdoek nodig', zei Dennis.

'Hadden geen handdoek nodig', beaamde Billy. 'Gingen een halfuurtje het water in en kwamen er kurkdroog uit.'

Het oudere meisje keek hen nog steeds vol twijfel aan, maar de jongere kinderen waren begonnen te giechelen, waarbij het gelach in hun keel omhoog kabbelde, ongeveer zoals ze in hun zwemband kabbelden. 'Nee', zeiden ze. 'Dat verzint u maar.'

'Het is echt waar', zei Dennis verontwaardigd, en toen wees Billy naar het kleinste meisje dat, omdat zij niet bij de bodem kon, onder het lachen uitbundiger bewoog.

'Kijk eens naar dat kleintje hier', zei Billy. 'Ze is net een boei.'

Dennis schudde ernstig zijn hoofd. 'Nee, het is een meisje.'

Het kleintje keek naar haar grotere zusje en het zusje zei: 'Het is een meisje.'

'Maar ze ziet erúít als een boei', zei Billy weer. 'Een boei, een boei.' Hij wees naar de baai, naar de rode boeien die als stipjes aan de horizon dreven, tot de kinderen begrepen wat hij bedoelde en begonnen te roepen: 'Een boei, een boei, een rooie boei.'

Maar Dennis bleef zijn hoofd schudden. 'Hoe kan ze nou een

boei zijn, een boei heeft toch geen haar? Jij bent een meisje, hè?'

En het kleintje, dat het grapje niet helemaal snapte maar van de aandacht genoot, giechelde en dobberde alleen maar en liet de andere drie voor haar roepen: 'Ja, het is een meisje, maar hij bedoelt zo rood als een boei.'

De opschudding had het gewenste effect (o, die gezegende kinderen) en langzaam slenterde de jonge vrouw met het marineblauwe badpak aan naar het water, met een peuter op haar heup en het begin van een glimlach, wist Dennis zeker, als ze dat schuchter gebogen hoofd maar op zou tillen.

Dit deed ze toen ze in het water stapte en er met haar vrije hand wat van over het mollige beentje van de baby spatte. 'Hallo', zei ze, hen lang genoeg aankijkend om te laten zien dat haar ogen grijs met donkere wimpers waren.

'Hallo', zeiden ze, de een na de ander, met zoveel hoffelijkheid en vriendelijkheid als mogelijk was, terwijl ze half ontkleed en tot aan hun dijen in het water stonden. Hadden ze een hoed opgehad, dan zouden ze hem even hebben opgelicht.

'Vind je het water niet nat vandaag, Mary?' vroeg het oudere meisje.

Mary bleef loom met haar vingertoppen het water opscheppen en het over het been van het kind strijken. 'Ja, vind je niet?' zei ze. Het arme kind keek met iets wat op paniek begon te lijken naar de baai en klampte zich aan haar schouder en de hals van haar badpak vast en trok het net ver genoeg naar beneden om een stukje zuiver blanke huid zichtbaar te maken vlak onder een zachtbruine teint. 'Natter dan gisteren, geloof ik', zei ze.

En daar had je het.

'Je komt uit Ierland', zei Dennis en Billy vroeg: 'Waarvandaan?', klaar om te vertellen dat zijn eigen vader uit Cork kwam en zijn moeder uit Donegal.

Ze kwam uit een plaats in het graafschap Wicklow, hoewel ze al sinds voor de oorlog hier was. Sinds voordat Jonathan, de oudste, die nu languit onder de parasol lag met een tijdschrift en een appel, geboren werd. En toen ze naar Jonathan op de deken keken, zagen ze het andere meisje natuurlijk ook, of ze wilden of niet (hoewel Billy haar als een luchtspiegeling van kleurvlekken zag, roze benen en een donker badpak, roze schouders en armen en gezicht, en een gele badmuts als een zachte vlam, een luchtspiegeling die misschien alleen met een uitzinnige hoop en een geweldige verbeelding tot een echte vrouw gemaakt zou kunnen worden).

'Dat is Eva, mijn zusje', zei Mary. 'Zij is alleen maar op bezoek. Zij gaat straks weer naar huis.'

Het gezin waarvoor ze werkten had een woning op Park Avenue en een huis in East Hampton en geld, concludeerde Dennis, dat als zonlicht uit de hemel viel. De heer des huizes had de oorlog in Washington, D.C., doorgebracht, maar niet zoveel tijd dat er ooit een eind aan de komst van kinderen was gekomen, alle zes in de afgelopen tien jaar geboren en het zevende, het jongste, nu slapend in de rieten mand.

'Het was echt te veel voor me', zei Mary. 'Dus heb ik gevraagd of mijn zusje deze zomer kon komen. Ze was bij een gezin in Chicago geweest. Ze gaat in de herfst naar huis.'

Billy kneep zijn ogen tot spleetjes en knikte en roerde met zijn handen in het water rondom hem. Het had drijfzand kunnen zijn, zo diep leek hij er nu in weggezonken. Niet dat Mary zelf niet knap genoeg was, met haar grijze ogen en donkere lokken en haar jongensachtige, openhartige houding, maar Dennis had al het grootste aandeel in het gesprek en zij scheen het prettig te vinden zo. En hij wilde geen trouw zweren voor hij beide mogelijkheden zorgvuldig had overwogen, en hij voelde, misschien omdat ze nog steeds een wazige vlek van gekleurd licht was, dat het meisje op de deken de ware voor hem was.

Maar hoe kon hij bij haar komen? Hoe kon hij dit gesprek hier beëindigen (Dennis en hij hadden tenslotte nog niet eens gezwommen) en op het strand komen en dicht genoeg bij de deken waarop ze gedeeltelijke in de schaduw van de parasol zat en zeggen: 'Hé, hallo, Eva.'

En toen begon het kleintje in de mand te huilen. Eerst dacht hij dat het een krijsende meeuw was en hij keek naar de lucht, maar toen zag hij dat ze naast de mand knielde en het kind – nog een wazige vlek – omhoog bracht naar haar schouder, toen opstond en wiegend heen en weer begon te lopen. De andere kinderen besteedden geen aandacht aan het gehuil en dat was ook wel te verwachten in een gezin waar elk jaar een nieuwe baby arriveerde die hen weer een beetje dichter bij hun volwassenheid bracht, maar Mary en Dennis besteedden er ook geen aandacht aan, nu alleen nog met zijn tweeën pratend over bepaalde fortuinlijke investeerders die uitsluitend van de oorlog hadden geprofiteerd.

Billy liep langs hen, door het water en over de rotsachtige rand van het strand. Hij had niet gezwommen en dus waren alleen zijn zwembroek en benen nat en zelfs zijn handen leken droog terwijl hij naar haar toe liep. De baby huilde nu luidkeels, warm en slaperig en vertwijfeld tegen haar schouder. Ze had haar hand achter zijn hoofd en maakte sussende en kalmerende geluidjes, maar toen hij zo dichtbij was dat hij haar beter kon zien, wist hij dat ze hem de hele tijd had gadegeslagen. De jongen met het tijdschrift keerde hen zijn magere rug toe, zoals het de zoon van een magnaat betaamde.

Ze glimlachte bedroefd. De bloesem van krullend haar boven haar voorhoofd was donker, donkerrood, en de gele muts die de rest ervan aan het oog had onttrokken was gedeeltelijk naar achteren geschoven, een slordigheid die vanuit de verte de illusie van een aura, een stralenkrans had gewekt maar van dichtbij alleen maar kinderlijk en aanbiddelijk leek. Haar ogen waren bruin, haar wangen glad en breed en omdat haar tanden scheef waren, was haar mond ook scheef. Ze was kleiner dan haar zusje en inderdaad gevulder. En de schouder die de arme dreumes met speeksel en tranen natmaakte, was blanker dan het zand en bestrooid met donkere schoonheidsvlekjes zo subtiel als verre sterren.

'Mag ik hem vasthouden?' vroeg Billy, terwijl hij zijn handen uitstrekte. Hij stond aan de rand van de deken, het zand donker kleurend door het water uit zijn zwembroek.

'Als ik hem zijn fles maar zou kunnen geven', zei ze – ook haar accent was voller dan dat van haar zusje, en haar stem klonk beverig, met iets van paniek, ongetwijfeld veroorzaakt door het hardnekkige verdriet van het kind.

'Ik hou hem wel vast', zei hij.

Als hij verlegener was geweest zou het niet hebben gewerkt. Of als hij berekenender was geweest. Als hij had gelet op de deining van haar borsten, de omvang van haar middel, de vorm van haar benen en dijen toen ze hem de schreeuwende baby overhandigde en zich snel naar de koeltas omdraaide om de fles melk te zoeken, zou het kind in zijn armen verstijfd zijn en nog harder hebben geschreeuwd en zou hij gedwongen zijn geweest hem aan haar terug te geven en misschien zelfs naar het water terug te lopen, opgelaten en verslagen, alles veel erger geworden door zijn bemoeienis.

Maar het kind was zo licht als een veertje in zijn handen en die lichtheid verblufte hem. De baby had een seersucker zonnepakje aan dat zijn kleine armpjes en schouders bloot liet en Billy bedekte deze met een beschermende hand terwijl hij het kind tegen zijn borst hield. Het lijfje was aangenaam warm alsof Gods hand het net had gevormd. Hij blies zachtjes over het donzige haar van het kind en sloot zijn ogen en zei: 'Stil maar, ventje. Stil maar.'

Het kind was lichter dan de door de zon verwarmde lucht. Het wonderbaarlijke voor hem was de volmaaktheid van het kleine hoofdje en de ruggengraat, van oor en handje. Het wonderbaarlijke was dat het kind onmiddellijk in Billy's armen bedaarde, zijn wang tegen Billy's hart legde en een diepe, kalme zucht slaakte zelfs voordat ze zich van de koelbox met de fles melk in haar hand had omgedraaid.

'Kijk nou toch eens', zei ze, haar scheve glimlach, haar fonkelende ogen tonend. 'Je kunt zeker goed met kinderen overweg.'

En hij zag aan haar verbazing (haar ogen waren niet zozeer bruin maar een soort mahonie, precies de kleur van haar haar) dat er niets was wat ze meer in een man bewonderde.

'Heb je veel broers en zussen?'

Was er een betere manier om te beginnen? Hij hield het kind vast en ze praatten met elkaar tot het natte zand bij zijn voeten weer droog was geworden, en toen het kind opnieuw wakker werd, reikte ze hem de fles aan en hij liet zich met de baby op de deken zakken, in de schaduw van de parasol, en gaf hem daar zijn flesje terwijl de andere kinderen heen en weer renden en Dennis en Mary, die nu aan de rand van het water stonden, maar praatten en praatten.

Wanneer was hij verliefd op haar geworden? Waarschijnlijk de vorige dag, zelfs voordat hij haar duidelijk had gezien. Maar die middag werd hij verliefd op de rest van zijn leven en dat was nog beter. Op de dagen die voor hem lagen, wanneer hij hier naar het strand zou gaan en het kind dat hij vasthield en de kinderen die naar hen toe renden hun kinderen zouden zijn en wanneer de huid van haar armen en haar hals en haar zachte borsten hem even vertrouwd zou zijn als zijn eigen.

Het bestond, dat leven, die toekomst. Het was er de hele tijd geweest. Hij had er gewoon tot nu toe geen weet van gehad of had zich, een maand geleden nog maar, niet kunnen voorstellen dat zoiets als dit van hem zou kunnen zijn. Dat deze gouden toekomst, dit Eden, een deel van hetzelfde leven was geweest dat hij aldoor had geleefd. Was dat niet ongelooflijk? Hij had tot nu toe niet geweten dat het bestond.

Ze ontmoetten elkaar de volgende middag en de middag daarna weer. Dennis en Billy begonnen iedere dag een beetje vroeger op te houden met hun werk en soms was het al bijna donker als ze hun schoenen op het trapje bij de voordeur lieten staan.

Meneer en mevrouw – zoals de meisjes hun werkgevers noemden – waren een week in Washington en dus was het heel gemakkelijk voor hen om de chauffeur op te dragen niet voor een uur of zes, en toen zeven, te komen. De kinderen vonden het heerlijk om laat buiten te zijn en op het strand te eten, met het snoepgoed na dat Billy voor hen kocht.

'sAvonds maakten de jongens nog steeds langzaam hun ronde langs de statige huizen, maar nu met een grotere belangstelling en vast van plan het huis te ontdekken waar de meisjes woonden. Hoewel ze hen de eerste middagen voorzichtig probeerden uit te horen ('Jullie wonen toch niet in een van die huizen langs het strand, hè?'), kwamen ze er alleen door het rechtstreeks te vragen achter welk huis het precies was en diezelfde avond werden ze beloond met de aanblik van Eva, van wie ze een glimp opvingen door de enige opening in de hoge heg die het huis tot dan toe oninteressant had gemaakt, terwijl ze op blote voeten over het pad voor het huis liep en het trapje naar de veranda op ging.

Laat in augustus, op een dinsdagavond, haalden ze de meisjes bij het huis zelf af. Het was negen uur. Meneer en mevrouw hadden gezegd dat de meisjes uit mochten gaan, maar pas nadat de kinderen sliepen, en de meisjes hadden hun gezegd naar de achterdeur te komen en op de keukendeur te kloppen.

In de donkerblauwe schemering reden ze door het dorp en de inmiddels bekende straten. Ze waren fris gedoucht en geschoren en droegen de witte overhemden die ze 's morgens hadden uitgewassen en de hele dag in de zon hadden laten drogen en toen zelf hadden gestreken, met een oude, tweedehands Proctor-Silex, op een handdoek onder een sloop dat ze op de keukentafel hadden uitgespreid. Ze sloegen het pad in voorbij de hoge heg, zoals hun was opgedragen, en het geknars van hun trage wielen op het grind van de oprijlaan was voldoende om hun hart te laten roffelen, zoals het tromgeroffel van een orkest vlak voordat het doek opging.

Ze parkeerden en nu vulden cicaden en de stilte van de oceaan de lucht, samen met de geur van kamperfoelie en zout water. Er was een reeks ramen langs de achterzijde van het huis en achter elk ervan scheen een warm licht, en aan de kant het dichtst bij hen voerde een eenvoudig trapje van de oprijlaan naar een donkere deur.

Dit liepen ze op, 'Is het hier?' fluisterend en voor ze aanklopten naar binnen glurend, in een kleine, vierkante vestibule verlicht door een rechthoek van licht dat door een gordijn sijpelde uit de kamer erachter. Daar stonden de bekende schepjes en emmertjes, de zwembanden en de koeltas. Ze hoorden Mary's stem en toen werd de binnendeur opengetrokken en daar stond ze in een lichte jurk en opende de deur om hen binnen te laten.

'Jullie moeten nog even wachten', zei ze. 'Er is een opstand aan de gang.'

Het vertrek dat ze achter haar binnenliepen was reusachtig – zeker zo ruim als het appartement waarin Dennis was opgegroeid. Een keuken met een tafel zo groot als een bus en een ijskast waarin een gezin van kleine mensen had kunnen wonen. Het vertrek was nu zacht verlicht en stil, maar je kon je de chaos voorstellen die er een uur of twee geleden moest hebben geheerst. Je zag het aan de houten kinderstoelen, nog enigszins scheefstaand, aan het andere eind van de houten tafel, aan de vijf lege melkflessen netjes op een rij op het metalen aanrecht, de verspreid liggende kinderboeken en kleurkrijtjes en papieren vliegtuigjes op het zitje in de vensternis aan de andere kant van de kamer. Je rook het aan de aangename geur van afwasmiddel en koffie en de lucht van een of ander gebraad die er nog hing.

Eva zat met haar rug naar hen toe aan het dichtstbijzijnde eind van de tafel en toen ze zich bij hun binnenkomst omdraaide, zagen ze dat ze Sally, het meisje van vijf, op schoot had. Ook Eva had een jurk aan. Een jurk met kopmouwtjes en een ronde hals en er bestond niets mooiers dan de manier waarop ze zich in haar stoel omdraaide en naar hen glimlachte over het hoofd van het meisje. Er stond een glas melk en er lag een half opgegeten koekje op de tafel voor hen.

'Allemaal in bed behalve deze', zei Mary.

'O, maar ze gaat nu, hè?' fluisterde Eva, zich om het meisje heen buigend om haar gezicht te kunnen zien. 'Nu de jongens er zijn.'

Ze was een mager engeltje, met haar dunne katoenen nachtpon en haar vlecht. Een elfje. En te klein, dacht Dennis, om in een huis van deze omvang te wonen. Maar ze knikte en zei ja, duidelijk uitgeput, en zette haar voetjes op het vertrouwde linoleum.

'Down by the salley gardens,' zei Billy met een licht accent terwijl Eva opstond en de hand van het meisje pakte, *'my love and I did meet...'*

Het kind glimlachte naar hem, omdat ze het gedicht herkende dat hij eerder voor haar had opgezegd, op het strand. *'She passed the salley gardens with little snow-white feet.'* Hij legde zijn hand op zijn hart, met een theatraal gebaar. *'She bid me take love easy, as the leaves grow on the tree; But I, being young and foolish, with her would not agree.'* Hij knipoogde naar Eva over het hoofd van het meisje. *'She bid me take life easy, as the grass grows on the weirs; But I was young and foolish, and now am full of tears...'*

'Zeg de heren welterusten', zei Mary tegen haar en Sally fluisterde welterusten en zwaaide verlegen.

'Welterusten, liefje', zeiden ze allebei en ze keken toe terwijl Eva haar een donkere gang door leidde, aan het eind ervan verlicht door het licht in andere kamers, en toen de achtertrap op.

Was hij een dichter of geleerde geweest, dan zou Billy misschien hebben opgemerkt dat, in ieder huis, kinderen die in verre kamers slapen de atmosfeer iets lieflijks geven. Maar die opmerking zou hij bewaren voor Eva alleen, als de kinderen en het huis van hen waren.

Aangezien het te laat was om te gaan eten, gingen ze naar Southampton, naar een café waarvan Dennis zich herinnerde dat Bridie het genoemd had – een kastelein daar de broer van een vriend uit Woodside. Maar de kastelein vanavond was een onbekende, zij het vriendelijke man – nog een soldaat die het geluk had gehad de oorlog vanaf een luchtmachtbasis in Engeland te kunnen gadeslaan. Hij had Glenn Miller daar gezien, vlak voordat hij in het vliegtuig stapte waarmee hij verdween. En was met een meisje uit Cornwall getrouwd, dat nog niet bij hem was maar al in haar brieven zei hoe erg ze dat verdraaide Engeland zou missen.

Mary en Eva klakten met hun tong. Dat arme meisje.

Het café was koel en donker en fonkelde hier en daar als een juweel; ving als een juweel het licht op langs de glanzend gepoetste oppervlakken, in de koperen leuning, in de spiegel die zich over de hele lengte uitstrekte en de talrijke glazen en flessen die langs de achterzijde van het zware, statige buffet stonden opgesteld. Er was maar één ander stel aan een tafeltje in de hoek en zij met z'n vieren, tot de deur openging en een jongeman in zijn eentje naar binnen liep. Hij ging tegenover hen aan het andere eind van de bar zitten en omdat de kastelein midden in een grappig verhaal zat over een gekke piloot en een bom die nooit gegooid was, zat de man er een hele tijd zonder bediend te worden, tot Dennis op het moment dat het verhaal uit was naar hem wees en knikte.

De kastelein veegde een traan van het lachen uit zijn oog, gooide de vaatdoek over zijn schouder en draaide zich om naar de nieuwe klant en trok toen, net zo abrupt, de doek omlaag en begon langzaam een leeg gedeelte van de bar te wrijven.

'Maar ik vond het jammer dat ik Parijs niet heb kunnen zien', zei hij. 'Dat is het enige van de oorlog wat me echt spijt.' Hij ging weer voor hen staan. 'Er was een vent bij ons,' zei hij, 'ook een piloot.' Hij wilde zijn elleboog op de bar zetten om aan een nieuw verhaal te beginnen en Dennis, die dacht dat hij bijziend óf lui was, wees weer en zei: 'Daar zit al een tijdje een man te wachten.'

Nog steeds voorovergebogen keek de kastelein over zijn schouder naar de man, en de man – hij was niet ouder dan zij – deed zijn hand omhoog en stak een vinger op om aan te geven dat hij er was, alsof hij tussen een heel stel bezoekers zat en niet alleen aan de andere kant van een bijna verlaten ruimte.

De kastelein richtte zich weer tot hen. 'Die kerel zat op Harvard, die piloot waar ik het over heb, maar hij was evengoed een aardige kerel, heel geschikt. En hij komt op een morgen naar me toe en hij zegt...'

Billy, die een droge keel begon te krijgen uit solidariteit met de man (hoewel zijn eigen glas tweemaal opnieuw en heel royaal was volgeschonken) onderbrak hem nu en zei: 'Ik geloof dat daar een man zit die een borrel nodig heeft.'

Deze keer draaide de kastelein zich niet om, boog alleen maar zijn hoofd en glimlachte een beetje – het was een knappe kerel met een krachtige kin en dik haar – en hervatte zijn verhaal.

De meisjes wisselden een blik die zowel verbazing als bezorgdheid uitdrukte en toen keek Eva Billy aan op een manier die hem op een dag vertrouwd zou zijn, stelde hij zich voor, hem om een verklaring vragend. Terwijl de kastelein zijn verhaal voortzette, zat de man daar, roerloos, met zijn handen over elkaar gevouwen op de bar, en toen liet hij zich, zonder enige uitdrukking van ongeduld of boosheid of walging, misschien alleen een enkele diepe zucht, een verslagen beweging van zijn schouders, van de barkruk zakken en liep de deur uit.

Het bleek dat de jongen van Harvard de kastelein na de bevrijding naar Parijs zou hebben gevlogen, bij wijze van huwelijksgeschenk, als hij de oorlog had overleefd.

Hij richtte zich weer op. 'Dit is mijn rondje.' Maar Dennis legde zijn hand op zijn glas en wees naar de plaats waar de man had gezeten.

'Wat is hij, een dronkelap?'

De kastelein draaide zich achteloos om, de cocktailshaker in zijn hand. Hij wist kennelijk tot op dat moment niet dat de man vertrokken was, scheen er desondanks ergerlijk onbewogen onder te blijven dat hij een klant was kwijtgeraakt. Hij schudde zijn hoofd en koos whisky voor de cocktails van de meisjes. 'We bedienen geen joden', zei hij net zo moeiteloos als hij het drankje inschonk en het op de bar voor hen plaatste.

Ze waren dankbaar dat ze buiten waren en nog dankbaarder dat ze in de auto van de verkoper konden stappen en naar de donkere, nette straten van East Hampton konden terugkeren. 'Nou, ik vind het een schande', zei Mary vanaf de voorbank. 'Goeie God, waar hebben jullie jongens anders voor gevochten? Heeft hij over de kampen gelezen? Waar ging de oorlog dan om – die arme man.'

En de andere drie schudden hun hoofd, ja, arme man, maar niet bereid om hun idylle in dit heerlijke oord te laten verstoren door het beschamende ervan, het trage, misselijkmakende gevoel van valse hoop en valse belofte.

Billy boog zich opzij naar Eva's schoot en wees uit haar raampje. 'Kijk daar', zei hij. 'Dat daar. Dat is mijn idee van de hemel.'

Ze parkeerden bij het Coast Guard-strand en de meisjes zaten samen op de bumper terwijl de jongens wrakhout zochten en een vuurtje aanlegden. Terwijl ze eromheen zaten, werd het strand onmetelijk en zwart en het gedreun van de onzichtbare oceaan scheen hen onophoudelijk te verrassen, ondanks het voorspelbare ritme ervan.

Ze legden ieder een arm om de schouders van hun meisje en toen tilde Dennis de zwakker wordende zaklantaarn op en vroeg Mary een wandeling met hem langs het strand te maken. Billy en Eva sloegen het zwaaiende schijnsel gade terwijl het door de duisternis bewoog en daarna over de zeewering verdween.

Eva had haar schoenen uit en haar witte tenen waren gedeeltelijk in het zand begraven. Ze had haar knieën opgetrokken onder haar rok, de zoom van de rok omlaag getrokken rond haar enkels. Ze boog zich voorover toen de andere twee vertrokken waren, maakte zich los uit zijn arm om naar het brandende hout te staren en zei: 'Toen ik nog een kind was, deed ik altijd alsof ik een klein mensje was dat daar beneden in het vuur gevangen was. Een verloren ziel.' Ze bewoog haar vinger en volgde een denkbeeldig pad. 'Ik zag mezelf het ene blok op en het andere af rennen om aan de vlammen te ontkomen.'

Ze wendde zich tot hem, het licht van het vuur op haar wang en haar blote armen. 'Ik wist zeker dat ik naar de hel zou gaan en ik dacht dat dit een goede manier was om te oefenen – je weet wel, plannen makend hoe ik me daar zou redden, hoe ik de duivel te slim af zou zijn.'

Hij lachte. Haar ogen waren prachtig. 'Waarom dacht je dat je niet naar de hemel zou gaan?'

Ze trok de hoek van haar scheve mond omlaag. 'Denken alle kinderen niet dat ze naar de hel gaan?'

Hij schudde zijn hoofd. 'Alle kinderen denken dat ze heiligen zullen worden, martelaars waarschijnlijk. Dat dacht ik.'

'Tja,' zei ze, haar hoofd optillend zodat hij een ogenblik dacht dat ze het tegen iemand anders had, Dennis en Mary misschien die terugkwamen, een of andere derde persoon daarbuiten in de duisternis, 'dat is dan het verschil tussen jou en mij.'

Haar kussen was als het inademen van de geest van een vage maar sterke alcohol. Hij herinnerde zich zijn poëzie: als het proeven van het aroma van de wijn maar niet de hele wijn. Hij wist dat het de letterlijke vermenging van haar whisky en zijn gin was, van de rook van het vuur en de nevel van zeewater die te fijn was om haar huid te bevochtigen maar een tere sluier voor haar zachte haar had gemaakt, een die brak toen hij er, te ruw misschien, zijn vingers door haalde. Maar hij wist dat het ook nog iets anders was, iets wat niet uit de delen ervan kon worden gedistilleerd, wat de duistere smaak van verlangen was, maar een verlangen dat hij niet kon benoemen – naar geluk, natuurlijk, naar betekenis, naar kinderen – een verlangen dat het leven zelf zo heerlijk zou zijn als bepaalde woorden het konden doen voorkomen.

'Ik wou dat je met me trouwde', zei hij tegen haar, zichzelf verbazend, niet omdat hij het onderwerp ter sprake had gebracht maar omdat hij niet had gezegd: 'We gaan trouwen.'

'O, Billy', fluisterde ze en ze lachte, terwijl ze zijn bril rechtzette en hem daarna, quasi-verlegen, helemaal afzette. 'Eind september ben ik weer thuis.'

Nu was de duisternis rondom haar, en het licht van het vuur zelf, zachter geworden – zelfs het dreigende gebulder van de oceaan was verflauwd. 'Maar je komt toch terug', zei hij.

Ze hield de bril tussen hen in, tegen haar hart. 'Het kost veel geld om heen en weer te reizen', zei ze.

'Blijf dan', zei hij tegen haar. 'Kun je niet gewoon blijven?'

Ze schudde haar hoofd. 'Mijn ouders zijn daar', zei ze.

'Maar je zusje is hier.'

'En nog drie zusjes daar.'

'Laat ze dan overkomen. Laat je ouders ook overkomen.'

'Ja, hoor', zei ze lachend.

'Ik meen het. Zo heeft mijn vaders familie het gedaan. De vader van Dennis is eerst overgekomen en toen heeft hij zijn zes broers en een zusje hierheen gehaald, en God mag weten hoeveel mensen nog meer.'

Haar hoofd was nu diep gebogen; met haar vinger volgde ze de omtrek van zijn bril, die ze op haar schoot hield. 'Ik moet teruggaan', zei ze. 'Ze verwachten me.'

Hij zag de lijn van de scheiding in haar haar, haar hoofdhuid heel wit tegen de intense duisternis. 'Ik zal je laten overkomen', zei hij tegen haar. 'Is dat goed? Je gaat een tijdje naar huis en zodra ik het geld bij elkaar heb, zal ik je laten overkomen. Dan haal ik je terug. Is dat goed?'

Ze schudde haar hoofd maar heel licht en met haar kin nog steeds omlaag fluisterde ze: 'Mijn familie is er ook nog.'

'Die laat ik ook overkomen', zei hij en omdat hij haar een beetje hoorde lachen, misschien zag glimlachen, voegde hij er eveneens lachend aan toe: 'Ik zal ze allemaal laten overkomen, je ouders en je zusjes en de buren als je dat wilt. Is er een pastoor in je dorp – dan laat ik die ook overkomen. Een melkboer? Die ook.' Ze lachte nu. 'Is er een bakker op wie je dol op bent? Nonnen? Neven en nichten? Dan halen we ze hierheen. We halen ze allemaal hierheen.' Het was wat zijn leven altijd met hem had voorgehad.

Lachend sloeg ze haar glanzende ogen op, met de donkere wenkbrauwen erboven die elkaar bijna raakten en volgens hem bewezen dat de Natuur, in haar sterke drang om te beschermen, begreep wat voor een schitterend paar ogen ze had gecreëerd. 'Ben je soms van plan een paar banken te beroven?'

'Natuurlijk', zei hij. Hij nam haar gezicht in zijn handen, maar zelfs van zo dichtbij kon hij niet zien of het door het licht van het vuur kwam of door tranen dat haar ogen zo glansden, of misschien door zijn eigen vertroebelde blik. Hij trok haar tegen zich aan, maar voorzichtig ditmaal. Er was een onmetelijke duisternis achter hen en het onverschillige dreunen van de zee, maar in diezelfde wereld waarin hun heerlijke toekomst lag, dreven ook tegenspoed en teleurstelling, een misselijkmakend gevoel van valse hoop en valse belofte dat alleen met al Gods genade op een afstand kon worden gehouden.

Vijftig meter verder verlichtte de zwakker wordende zaklantaarn een geel plekje zeeschuim en rolde toen een eindje naar de oceaan met het terugtrekkende water. De volgende golf brak met zo'n geraas dat het de grote ijzeren poort van de verdoemenis had kunnen zijn die achter hem dichtviel. Maar Dennis reageerde nauwelijks.

Hij zou de priester van Sint-Filomena zaterdag iets te vertellen hebben.

Twee weken later kwamen Holtzman en Dennis' moeder met de trein om te zien hoe ver de jongens gevorderd waren en, wat de schoenenverkoper betreft, om enig idee te krijgen wanneer ze naar de stad en hun echte werk zouden terugkeren. Holtzman was op zijn manier een royale man en hij leek stapelgek op zijn tengere vrouwtje, maar hoewel een vrijgezellenbestaan van een halve eeuw hem uiterst gewillig had gemaakt om haar te vertroetelen, had het hem ook voorzichtig gemaakt. De dankbaarheid van een natie was allemaal goed en wel, maar van die dankbaarheid (en van die van hem) moest geen misbruik worden gemaakt en je kon niet verwachten, vertelde hij zijn vrouw op het Jamaica-station, dat het verder zou gaan dan dat eerste gebaar. Het gebaar was gemaakt, ze hadden hun onderbreking op Long Island gehad. Uncle Sam gaf misschien twaalf maanden loon voor twaalf maanden dienst, maar zelf hechtte hij meer belang aan de financiële onafhankelijkheid van een jongeman.

En toch verheugde de aanblik van het opgeknapte huisje hem. Billy speelde voor gids en terwijl hij iedere verbetering aanwees die ze hadden aangebracht, prees Holtzman hen beiden voor hun behendigheid met kalk, verf en nieuw hout. Hij klopte met duim en wijsvinger op zijn hart – een gebaar dat Dennis altijd deed denken aan iemand die muntjes in een automaat wierp – en vertelde hun hoe hij het huis vijftien jaar geleden in een opwelling had gekocht, nadat hij ergens op de achterpagina van de krant een advertentie had gezien. Hij had geen idee gehad wat hij ermee zou doen, zei hij, hij wist alleen dat het een goede prijs was, een ongelooflijke prijs, zo veel als de vrouw die het aan hem verkocht – de dochter van de nu failliete bouwer – misschien ooit voor een nieuwe jurk had betaald. Minder. Hij klopte op zijn hart. Hij wist alleen dat hij de kans niet moest laten lopen, net zoals je een dubbeltje dat op de stoep lag niet voorbij zou lopen, ook al had je thuis een pot vol dubbeltjes. Precies zoals je een berg afgedankte rommel aan de stoeprand niet voorbij zou lopen als je iets zag, een stoel, een tafel, een driepotig telefoontafeltje, dat bruikbaar en nog heel was. (Dat verklaarde het telefoontafeltje in de gang van het huis in Jamaica, dacht Dennis.) Zij gooide het huis weg; hij raapte het op.

De moeder van Dennis liep ondertussen door de kleine kamertjes alsof ze niets minder had verwacht dan gladde muren en verse verf en nieuw sanitair in de kleine badkamer. 'We zullen iets aan deze meubels moeten doen als we het het volgende seizoen willen verhuren', zei ze tegen haar man en Holtzman zei: 'Natuurlijk', op een manier waaraan zelfs Dennis kon horen – en hij kende de man nauwelijks – dat hij geenszins van plan was het te verhuren.

Ze reden naar de baai en passeerden onderweg het pas verrezen geraamte van weer een bungalow. 'Ik geloof dat deze plaats populair begint te worden', zei Billy tegen hem. 'Long Island zal zich straks snel ontwikkelen, meneer Holtzman', zei hij. 'U hebt geluk dat u alvast binnen bent.' En Holtzman knikte, stopte nog wat meer muntjes in zijn hart. Zo zelfingenomen dat Dennis niet kon nalaten te zeggen, terwijl hij in de achteruitkijkspiegel keek: 'Maar geluk heeft twee kanten, hè? Er is de vent die het dubbeltje opraapt en de vent die het laat vallen, hè?'

Maar Holtzman was er de man niet naar om zich in het leven van een ander in te denken. 'Jullie jongens hebben goed werk geleverd', zei hij weer, alsof Dennis naar een complimentje viste.

Op het strand aangekomen zagen ze hem onhandig over de schelpen en stenen hinken die aan de rand van het water lagen en toen de baai in duiken. Zou er in Amerika nog een soldaat zijn, dacht Dennis, die bij zijn terugkeer uit de oorlog tot de ontdekking kwam dat een dikke Duitser met zijn moeder was getrouwd?

Zijn moeder zat naast hem op de deken die hij voor haar had uitgespreid, de wollen legerdeken die hij door Europa had meegedragen. Ze sloeg haar man gade vanonder een strooien hoed en vanachter een donkere zonnebril, ondoorgrondelijk.

Het was warm weer, vochtig en bewolkt. Mary en Eva waren met de kinderen naar een kermis van de brandweer. Ze zouden hen vandaag niet zien, wat misschien ook maar goed was, begon hij nu te denken. Billy stond aan de rand van de deken, nog met zijn T-shirt en broek en schoenen aan, naar het water te staren. Hij had Eva's naam niet genoemd sinds ze zijn moeder en Holtzman van het station hadden afgehaald, wat óf een opmerkelijk bewijs van zelfbeheersing was óf een vreselijke aaneenschakeling van uren die hem geen gelegenheid hadden geboden. Hoe het ook zij, dacht Dennis, ook dat was maar goed.

Hij had al op jonge leeftijd geleerd voorzichtig te zijn met waarmee hij bij zijn moeder kwam – vreemde schilderingen of dromen, fantastische plannen – niet omdat ze geen belangstelling voor hem had (hij was haar enige kind en zij was op haar manier een liefdevolle moeder), maar omdat ze hem, wist hij, in een oogwenk kon laten zien dat de schildering onbegrijpelijk was, de droom onzin, de plannen buitensporig of onlogisch of gedoemd te mislukken. Dat deed ze niet op wrede of roekeloze wijze, of met een gemene bedoeling, maar meer op dezelfde behoedzame en vriendelijke manier waarop een andere moeder misschien tegen haar kind zou zeggen dat de aspirientjes geen snoepjes waren en het bleekwater geen limonade was.

Als kind wist Dennis dat wanneer zijn vader van de keukentafel opstond of de kamer uit liep, hij maar naar zijn moeder hoefde te kijken om erachter te komen dat het verhaal dat de man hun zojuist had verteld gelogen, overdreven was, een oefening voor of een herhaling van een verhaal dat hij aan iemand anders zou vertellen of had verteld: de passagiers in zijn tram of de mannen in de kroeg of wie er op dat moment ook maar in hun zitkamer huisde. Dennis hoefde maar naar zijn moeder te kijken om erachter te komen dat de man, ondanks alle mensen in New York die hem verheerlijkten, onvolmaakt, moeilijk was, al te zeer opging in het leven van te veel andere mensen en niet genoeg in hun eigen, haar eigen leven.

Wat zijn moeder zou denken van Billy's uitzinnige verliefdheid, daar kon hij alleen maar naar raden, maar hij vermoedde dat er onder haar onbeweeglijke blik niet veel van over zou blijven, dat het een kinderlijk waanidee zou worden, zelfs voor Billy. Ze zou het, wist hij, in een juist daglicht voor hem plaatsen, hem eraan herinneren dat het zomer was en dat hij net uit de oorlog was teruggekeerd; dat dit meisje, deze Eva, tenslotte een vreemdelinge was die zelf plannen had en over een paar weken weer naar haar eigen land zou gaan en, zeg nou eerlijk, met vijftig dollar per week van Con Ed (waar het geld voor de trein en kleding en de huur die hij aan zijn arme moeder moest betalen nog afging), hoe waarschijnlijk was het dan dat hij haar binnenkort kon laten overkomen? Zijn moeder, wist Dennis, zou Billy de ogen openen, alles reduceren.

Maar natuurlijk was twee uur zonder dat Eva's naam over zijn lippen kwam meer dan Billy kon verdragen.

Hij plofte op de rand van de deken neer en begon zijn veters los te maken. 'Waar zeiden ze dat ze vandaag naartoe gingen?' vroeg hij over zijn schouder aan Dennis. 'Montauk?'

Dennis wierp een blik op zijn moeder, die haar hoofd maar ietsje naar hen toe had gedraaid.

'Een kermis van de brandweer.'

Billy knikte en glimlachte. 'Dat zullen de kinderen heerlijk vinden, hè? Laten we hopen dat Mary en Eva hen kunnen bijhouden.'

Nu keerde zijn moeder haar gezicht, de blinde ogen van haar donkere bril, helemaal naar hem toe. De liefde, dacht Dennis, had Billy niet bot maar geslepen gemaakt. Hij wist dat de onbeleefdheid van dit kleine privé-gesprek – de schending van die eerste schooljongensregel voor de omgang met anderen: 'Is er iets wat je aan de hele klas zou willen vertellen?' – Dennis voor het blok zou zetten. Hem zou dwingen een uitleg te geven.

'Een stel kinderen dat we hier op het strand hebben ontmoet', zei hij tegen haar. 'Zeven stuks, van klein tot groot. Ze komen hier elke middag met hun kindermeisjes om pootje te baden in de baai. Ze hebben een huis in het dorp, maar ze komen hier graag omdat een van de kleine meisjes...'

'Sally', voegde Billy eraan toe, die zich niet kon inhouden. Hij was verliefd op hen allemaal.

'Sally,' vervolgde Dennis, 'doodsbang voor de golven is.'

Zijn moeder glimlachte een beetje achter haar donkere bril. Ze zat rechtop op de deken, met haar handen om haar knie. Haar huid was ivoorblank en donzig en bezaaid met lichte sproeten. In de schaduw van haar hoed had ze twintig kunnen zijn.

'Ze hebben een fantastisch huis', ging Billy verder, nu de gelegenheid er eindelijk was. 'Een herenhuis bijna en ze gebruiken het alleen in de zomer. Pudding Hill Lane heet de straat. Net iets uit een kinderversje, vindt u niet? Zeven kinderen in een huis aan Pudding Hill Lane.'

'Je bent er geweest?' vroeg zijn moeder vriendelijk. Billy kleurde van zijn hals tot in zijn haarwortels – nee, van zijn middel tot in zijn haarwortels; zelfs zijn witte T-shirt werd roze. 'We zijn met de meisjes uit geweest', zei hij. 'De kindermeisjes, hoe vaak, Dennis, twee, drie keer nu?'

'Zoiets ja', zei Dennis en hij trok zijn shirt uit over zijn hoofd. 'Ga je zwemmen?' vroeg hij aan Billy, een zin onderbrekend die begon met: 'Het zijn Ierse meisjes...' Billy had zijn bril nog op en zag dus goed genoeg om Dennis' blik op te kunnen vangen.

'Goed', zei hij, met tegenzin zijn shirt uittrekkend, met tegenzin die prachtige deur sluitend die hem even de kans had gegeven Eva, Sally, Mary, Pudding Hill Lane te zeggen...

Terwijl ze het water inliepen, zei Dennis zacht: 'Vertel haar niets meer over de meisjes.'

Billy keek hem aan met onschuldige, kippige ogen. 'Goed', zei hij en hij kon niet nalaten om eraan toe te voegen: 'Het moet vreselijk zijn je schuldig te voelen.'

Dennis begreep het verwijt maar lachte. Het was tenslotte Billy's lieflijke romance die hij had willen beschermen.

'Je schuldig voelen is heerlijk', zei Dennis knipogend tegen hem. 'Als het welverdiend is.' En dook toen in hetzelfde zoute water als waarin Holtzman dreef en maakte er, als je er goed over nadacht, een mooie mengelmoes van.

Zijn moeder streek Holtzmans overhemd altijd het eerst, in de kelder van het huis in Jamaica, op een strijkplank die ze ooit, in april 1945, had neergezet en nooit meer had opgeborgen. Ze waste hun overhemden op de hand in de gootsteen daar beneden en streek ze dan de volgende morgen. Dat van Holtzman het eerst, zei ze, omdat hij ten slotte haar man was, de eigenaar van dit ruime huis, degene die het feest bekostigde. Dat van haar zoon daarna, omdat de strijkbout dan warmer was en dus een nettere boord zou maken. Trouw, aan wat eigen en wat aangetrouwd was, was een ingewikkelde zaak voor zijn moeder.

De dagelijkse routine waarin ze vervielen nadat Billy en hij die zomer van Long Island waren teruggekeerd was een evenwichtsoefening. Wanneer Dennis 's morgens beneden kwam, was ze in de keuken bezig koffie voor hem te zetten en brood voor hem te smeren, maar zelf at ze nooit iets. Zij wachtte op Holtzman. In plaats daarvan leunde ze tegen het aanrecht en sloeg haar zoon gade met een taxerende blik: de snit van zijn pak, de knoop in zijn das, de vooruitzichten voor zijn toekomst. Hoewel ze op die leeftijd zelf maar twee banen had gehad – een in een bakkerij in Brooklyn, een in de postkamer van het gasbedrijf – had ze een weldoordachte mening over wat de wereld van alledag je kon aandoen, en dat was geen bijzonder gunstige mening, ondanks haar protestantse afkomst.

Voor een deel maakte ze bezwaar tegen de eentonigheid van een vaste baan, de verveling, de uren en dagen waarvan je op het laatst alleen maar wenste dat ze voorbij waren, terwijl je je van de ene zaterdagmorgen naar de andere slingerde, als een aap in de dierentuin. Voor een deel was het de anonimiteit: vergeet de dromen maar die je de nacht ervoor had gedroomd, vergeet het liefdevolle oog dat je aanzag bij het ontbijt, of zelfs het verdriet dat de hele nacht je ziel had gekweld, want volgens haar was het zo dat zodra je in de ondergrondse of de bus stapte, of je aansloot bij die kruipende stroom auto's, of je plaatsje in de draaideur, de lift, achter het bureau of de toonbank of de machine innam, je werd wat je werkelijk was – je werd, als je het goed beschouwde, wat je werkelijk was: een van de velen. Wéér een.

Als jongetje had Dennis voor iedere gast en kostganger en drinkmakker die zijn vader mee naar huis nam *The Village Blacksmith*, moeten opzeggen. Dan stond hij midden in de zitkamer of 's zomers, als het binnen verstikkend benauwd was door alle immigranten en de warmte, midden in een kring van hen op het dak en droeg voor: *'Under a spreading chestnut tree...'*

Telkens wanneer hij bij deze regels kwam:

Each morning sees some task begin
Each evening sees it close;
Something attempted, something done,
Has earned a night's repose

vulden de ogen van zijn oude vader zich met tranen – een heel couplet na de tranen die iedere andere Ier in de kamer al in de ogen waren gesprongen zodra het tot hem doordrong dat de vrouw van de smid dood was – en als het gedicht uit was, waren dat de regels die zijn vader hem vroeg te herhalen.

Dennis hoefde maar naar zijn moeder te kijken om te weten dat zij niets bekoorlijks aan de woorden vond, dat het haar eentonig in de oren klonk. Een langzame mars naar een einde dat niet opmerkelijk was.

De baan bij Edison was eigenlijk een geschenk aan zijn stervende vader van Bart Carroll en oom Jim, die er in '37, toen Dennis achttien was, al werkten. 'De geweldigste stad ter wereld zal altijd elektriciteit nodig hebben', had zijn vader heel verheugd gezegd, zijn gezicht onder de ziekenhuislampen al een doodshoofd. De etherlucht een voorbode van de dood. De andere bezoekers rondom hem – broers, neven, nichten, vrienden – waren het met hem eens geweest. 'Dennis komt wel goed terecht', hadden ze gezegd, zijn schouder aanrakend, zachtjes op zijn rug kloppend, hem een beetje draaiend zodat hij niet zou zien hoe zijn vader zijn benen optrok onder de dunne lakens, zodat hij niet zou zien dat zijn vader, die van het leven had gehouden, door een ellendige dood, kronkelend van pijn, uit dat leven werd weggerukt.

'Ieder nutsbedrijf zou een veilige gok zijn', zeiden ze tegen hem, terwijl ze hem een andere kant op draaiden. 'Maar je kunt het niet beter treffen dan met Edison, Dennis. Je hebt zekerheid, als je daar blijft. Blijf bij dat bedrijf en je hoeft je geen zorgen te maken.'

Thuis zei zijn moeder: Cooper Union, City College, het RCA-instituut, als je geïnteresseerd bent in elektriciteit. Dan een cursus spreken in het openbaar. Het leger, een officiersopleiding. Iets anders. Iets meer.

Hij had haar haar zin gegeven, had avondlessen gevolgd wanneer hij kon, was in '41 bij het leger gegaan en had haar, tot haar ontsteltenis, gezegd dat er uiteindelijk niet veel was wat hij verlangde. Dat hij, goed beschouwd, wel blij was met wat hij had.

En nu, op deze ochtenden nadat Billy en hij van hun onderbreking op Long Island waren teruggekeerd, keek ze hoe hij zich gereedmaakte om naar kantoor te gaan, altijd middelmatig, vond ze, altijd zonder uniform en in pakken gestoken die volgens haar beter van snit konden zijn geweest (hoewel zijn overhemd keurig was gestreken). Ze keek hoe hij ontbeet, zijn hoed rechtzette in de spiegel in de gang, zijn tas en paraplu oppakte en op weg ging naar de bus die hem naar de ondergrondse zou brengen die hem naar kantoor zou brengen, precies zoals hij de komende veertig jaar zou doen, wist ze, en ze kon haar teleurstelling niet verbergen. Hij zag het aan haar gezicht terwijl ze hem nakeek uit het voorraam: de goedhartige zoon, trouwe werknemer als zijn vader, een van de velen. Wéér een.

Holtzman kwam de trap af terwijl de Dennis de deur uitging. Hij nam er altijd de tijd voor haar goedemorgen te wensen, zijn hoed op te zetten en jas aan te trekken, zodat hij er zeker van was dat Dennis hem minstens drie à vier straten vooruit was voor hij zelf op weg ging om zijn ochtendkrant bij de kruidenier op de hoek te halen. Als de bus te laat was, zag Dennis hem daar, een stuiver in het sigarenkistje werpend waar Dennis net de zijne in had geworpen. Dan hieven ze beiden hun krant, geheel in beslag genomen door het lezen van de vetgedrukte koppen en klaar om volkomen verbaasd te kijken (Hé, dag, ik zag je niet) voor het geval dat de een de aanwezigheid van de ander zou erkennen, wat ze geen van beiden ooit deden natuurlijk.

Thuis in het herenhuis, wist Dennis, zou zijn moeder de eieren aan het koken zijn en een schaal boterhammen op het fornuis hebben klaarstaan. Als Holtzman binnenkwam, zou hij ieder sneetje aan een lange vork prikken en het boven de open vlam van de gasbrander perfect roosteren. Dat deed hij in de weekends ook voor Dennis. Dennis stelde zich voor dat dit de vloek van 's mans lange vrijgezellenbestaan was geweest: dat hij niemand had aan wie hij deze techniek kon demonstreren.

('En jij vraagt me,' zei mijn vader, 'of ik denk dat Danny Lynch een eenzame ziel is.')

Iedere morgen zaten Holtzman en zijn moeder schuin tegenover elkaar aan de oude keukentafel waar Dennis ooit zijn huiswerk had gemaakt, waar zijn vader ooit had gezeten, gedeclameerd, gezongen, zijn voorhoofd op het kale hout had gelegd wanneer de nacht lang was geweest en de zon te snel opkwam. Schuin tegenover elkaar spraken Holtzman en zijn moeder over geld: investeringen die ze hadden gedaan, rekeningen die betaald moesten worden, de winst van de schoenenwinkel en de inkoopprijs van schoenen. Zo nu en dan stak Holtzman zijn hand onder de tafel om haar een klopje op haar knie te geven of zij raakte zijn hand aan, nog steeds pratend, zodat iemand die hen vanachter de dikke ruiten van de keukenramen gadesloeg zou denken dat ze elkaar een halfuur lang, bij hun afkoelende eieren, eeuwige liefde beloofden en niet de omvang van hun inventaris bepaalden.

Ze wekte voortdurend Holtzmans bewondering, volgens Dennis, dit tengere vrouwtje dat zo onverwacht laat in zijn middelbare jaren was verschenen. Zij leek hem te beschouwen als de belichaming van gezond verstand, werkelijkheidszin en steun, de beste investering die ze ooit had gedaan.

Als ze hadden gegeten, ging hij met de krant en een tweede kopje koffie naar de woonkamer of, discreter, de trap op naar de badkamer in de gang, terwijl zij de vaat deed en vervolgens naar de kelder liep om aan de was te beginnen. Het schonk haar altijd grote voldoening wanneer ze erover nadacht dat haar huwelijk haar niet alleen een huis maar ook een kelder had opgeleverd. Een kelder voor haar alleen. Ze vond het een enorme luxe dat ze niet om de kinderwagens en kisten en de abominabele leunstoelen van een tiental buren hoefde te manoeuvreren maar ongehinderd van trap naar tobbe naar waslijn en strijkplank kon stevenen, die ze in april 1945, toen ze het huis betrok, had neergezet en nooit meer zou hoeven opruimen.

Natuurlijk was de kelder van Holtzman niet leeg, maar wat er stond was grotendeels van haar: haar kisten en kledingzakken en bijzettafeltjes. Zoals ze in haar brieven aan Dennis overzee had gezegd, Holtzman was bijzonder redelijk wat haar spullen betrof en drong erop aan dat aangezien zij degene was die haar appartement opgaf (haar huis, had hij het genoemd), zij niet ook nog eens haar meubels op zou geven. Het was niet moeilijk geweest om het allemaal een plaatsje te geven: zijn huis had drie keer zoveel kamers als het appartement en hij was zo royaal geweest haar toe te staan om wat overbodig werd, zijn eetkamer- en keukenmeubilair, bijvoorbeeld, een aantal lampen, een bed, aan de familie van haar overleden man aan te bieden. Nu de oorlog afgelopen was, waren er genoeg gegadigden onder de verschillende neven en nichten, zelfs onder diegenen die nog geen eigen woning, of zelfs geen echtgenoot hadden gevonden. De oude keukenstoelen van Holtzman, bijvoorbeeld, belandden in de slaapkamer van Mary Lynch in Astoria, als een zuil opgestapeld tegen de muur gedurende wat minstens drie, misschien vier jaar moet zijn geweest: een monument van haar hoop, noemde haar vader, oom Jim, het altijd, tot ze nog net op tijd (ze was zelf bijna dertig) Jack Casey ontmoette en de stoelen opnieuw keukenstoelen werden.

Voor de moeder van Dennis vestigden deze extra meubelstukken niet alleen haar nieuwe rol als weldoenster (zij die zo lang, haar hele eerste huwelijk, in feite, en lang daarvoor, hulp nodig had gehad), maar losten ze ook een schuld af. Ze had heel veel te danken aan de familie van haar eerste man, die haar zo royaal had gesteund in de periode van zijn ziekte en toen ze weduwe was en vooral in de jaren nadat Dennis in dienst was gegaan. En al deed ze gedurende al die jaren nog zo haar best hen terug te betalen of zelfs hun gulheid te temperen met de verzekering dat haar weduwepensioen voldoende was en haar behoeften gering waren, ze hieven alleen maar hun handen op en reageerden met een of ander lang en dikwijls overdreven verhaal over wat voor een onbaatzuchtig, grootmoedig wonder 'haar Daniel' ooit voor hen had verricht, verhalen die meestal eindigden met tranen en een 'God zegene zijn ziel' of een 'zo een als hij zullen we niet meer meemaken', tot zij, Sheila Lynch, de verarmde weduwe met de soldatenzoon, ten slotte een kop thee voor hen zette of een slokje vermout inschonk of een arm om hun schouders sloeg en 'stil nou maar' fluisterde.

Dit moest mijn vader zijn moeder nageven: ze vervreemdde nooit van de familie van haar eerste man toen ze eenmaal met Holtzman was getrouwd. Hoe graag ze dat misschien ook zou hebben gewild.

In de kelder zette ze de strijkbout aan en wachtte even om te zien of de lichten zouden flikkeren – dat deden ze soms, iets waarnaar ze Dennis zou moeten vragen. Dan vulde ze haar invochtfles bij de gootsteen, haalde de overhemden van de lijn en streek ze: dat van haar man en daarna dat van haar zoon.

Hij was ongetwijfeld de Heilige Vader voor de hele clan geweest, haar Daniel. Vierenveertig, toen ze hem ontmoette, met een dikke bos donker haar dat neerviel in zijn alledaagse gezicht. De Heilige Vader voor de hele wereld, als deze hem de kans had gegeven.

Het verhaal wilde dat ze in die tijd vlak bij Nostrand Avenue woonde, in een klein, bedompt appartement dat van haar oud-oom Robert en tante Eileen, zijn stugge vrouw, was. Ze wilden haar daar niet – ze had gezien hoe de man op zijn lip beet wanneer ze een tweede geroosterde boterham pakte en de tafel vastgreep, alsof hij elk ogenblik kon opspringen om haar hand tegen te houden als ze meer dan een scheutje melk in haar havermout schonk. Maar hun enige zoon was naar Europa vertrokken en het nieuws over zijn lege slaapkamer bereikte Washington Heights, waar ze bij een andere, jongere tante en oom woonde en in één bed sliep met een achtjarig neefje – een jongen met loden ledematen en de lucht van een natte overjas.

Tante Eileen had zich tegen het idee verzet dat een zestienjarig meisje de kamer van haar zoon zou bewonen (de geur van haar haar in zijn kussen zou drijven, ondergoed zou rondstrooien, op zijn matras zou bloeden – ze dacht aan alles, die vrouw) en gaf pas toe nadat ze heilig beloofd had zich nooit in de kamer van de zoon aan of uit te kleden. In plaats daarvan kreeg ze de opdracht haar koffers in een hoekje van de provisiekamer te laten staan en zich daar om te kleden voor haar oom 's morgens op was en nadat hij 's avonds naar bed was gegaan. Dit deed ze gewillig – het was zo'n luxe het brede veren bed van haar neef helemaal voor zich alleen te hebben – en toen haar oom zag dat ze al op was en klaar om naar school te gaan terwijl hij net de keuken binnenschuifelde, moest hij een ingeving hebben gekregen.

Ze was er nog niet lang toen hij aankondigde dat hij een baantje voor haar had gevonden. Een echtpaar dat hij kende, landgenoten van hem, hadden een bakkerij op DeKalb en aangezien de vrouw last van haar rug had, zouden ze een meisje kunnen gebruiken dat 's morgens vroeg in de winkel kwam om het brood en gebak klaar te zetten. Hij zei nooit hoeveel ze betaald zou krijgen en ze begreep zonder het te vragen dat al het geld dat ze verdiende rechtstreeks naar hem zou gaan. Haar oom wist dat het de laatste wens van haar ouders was geweest dat ze op school zou blijven en hijzelf had haar op dezelfde dag dat ze van Washington Heights wegging voor een beroepsopleiding opgegeven, maar het ochtendbaantje was een aardige manier om de kosten van haar verzorging te compenseren, zonder dat het de aarzelende overeenkomst die hij met de doden had gesloten zou ondermijnen.

De dag voordat ze zou beginnen, ging ze na school bij de winkel langs. Alleen de vrouw van de bakker, mevrouw Dixon, was er, maar ze was blozend en opgewekt en riep uit toen ze haar zag: 'Ach gut, jij bent maar een iel ding!'

Het was net een sprookje, die eerste morgen. De straten waren nat en donker, vol weerspiegelingen. Wel een beetje onheilspellend, zo vroeg in de morgen dat het nog nacht was, maar ook vol belofte, avontuur. Toen ze de lege winkel binnenkwam, was het er warm en schemerig verlicht en doortrokken van de geur van brood dat gebakken werd.

Het enige licht kwam van achter, waar de ovens waren, maar er was genoeg licht om bij te kunnen zien en ze vond de muts en de jas die ze aan moest netjes gevouwen op de toonbank. Ze dacht aan het sprookje van de kaboutertjes en de schoenmaker. Ze bedekte haar haar en schoot het mouwschort aan. Gisteren, toen mevrouw Dixon het haar had laten zien, had het over haar schoenen gehangen. Nu was het gezoomd tot precies de juiste lengte, vijfentwintig centimeter boven haar enkels.

Aarzelend maar klaar om te beginnen tuurde ze in het licht van de achterkamer. Ze voelde de hitte van de oven als een warme hand op haar gezicht en toen zag ze de bakker op een kruk naast een van de houten tafels zitten. Zijn schoenen en broekspijpen onder zijn schort waren bedekt met meel; zijn schouders hingen en hij had zijn hand om het glas dat op de tafel naast hem rustte. Hij was een donkerharige man met zwarte wenkbrauwen en een breed, rood gezicht.

Hij sloeg zijn ogen naar haar op vanonder die wenkbrauwen, gebaarde toen met zijn vrije hand en zei, niet onvriendelijk: 'Nou, kom binnen, kom binnen, ik zal je niet bijten.'

Ze liep naar binnen. De houten vloer leek zacht en ook deze was bedekt met meel. Op een andere reusachtige tafel tegenover het grote gietijzeren fornuis stond een plaat met scones die nog niet gebakken waren en een rieten mand vol kleine, bruine broden.

'Mijn vrouw heeft je laten zien wat je moet doen?' vroeg hij.

Ze knikte. 'Ja', zei ze, maar er kwam nauwelijks geluid uit haar keel.

Ze moest op haar tenen gaan staan om de mand goed vast te kunnen pakken en botste bijna tegen de deurpost toen ze die wegdroeg, voelend dat hij haar nakeek. Toen ze terugkeerde, stond hij en schoof de plaat met scones in de oven; een andere plaat, goudbruin en geurig, bevond zich op de brede tafel. Hij keek naar haar over zijn schouder terwijl hij de ovendeur dichtdeed. 'Jij bent maar een klein ding, hè?' zei hij vriendelijk, aardiger dan hij daarvoor was geweest.

Ze stonden samen in de smalle ruimte tussen de oven en de tafel, en de lege mand in haar handen leek de ruimte nog smaller te maken. Plotseling stak hij zijn arm uit en trok aan haar oorlelletje met een met bloem bestoven hand. 'Een iel ding', zei hij. Hij was niet veel langer dan zij, eigenlijk maar een hoofd groter, maar hij had een brede borst die tegen de mand en haar arm drukte. Hij trok aan een plukje haar bij haar slaap, duwde tegen het mutsje. Nu kon ze ruiken dat hij had gedronken, maar ze wist toen nog niet genoeg om te beseffen wat het betekende.

'Een knap poppetje met haar jurkje aan', zei hij en hij trok aan de kraag van haar mouwschort. Hij streek haar onder de kin. Zij grijnsde alleen maar, blozend. Hij was vrij oud en zij nog vrij jong; ze dacht dat hij met haar speelde zoals je met een klein kind zou spelen, haar bewonderend, vriendschap sluitend.

Hij zei haar de lege mand naar de deegtafel te brengen. Ze was blij dat ze uit die nauwe ruimte verlost was, van zijn aandacht verlost was. Ze voelde haar gezicht minder warm worden.

Hij greep haar zo snel dat ze een seconde dacht dat het licht was uitgegaan. Hij had haar hoofd in de holte van zijn arm en verraste haar zo volkomen dat haar mond openhing toen hij er zijn eigen mond op drukte en ze hun voortanden tegen elkaar hoorde klikken. Het was geen kus, alleen maar tanden en nat been en ze voelde het zachte gelach in zijn borst vlak voordat hij haar losliet. Nog lachend keerde hij achteloos naar zijn werk terug.

In de winkel liet ze de helft van de scones vallen zodat ze die aan haar nieuwe schort moest afvegen. Ze wreef met de mouw over haar mond. Achterin was hij begonnen te zingen. Flarden van volksliedjes en wiegeliedjes. Sommige ervan had haar eigen vader gezongen: een mooi meisje innig bemind door een jonge man die ten strijde trok, een zeekapitein die aan zijn laatste reis begon en zijn vrouw bij het tuinhek kuste. Toen ze met de lege plaat terugkeerde, wierp hij haar alleen maar een blik over zijn schouder toe, zijn mond nu vriendelijk geplooid voor zijn deuntje. Hij had een goede stem, zacht en melodieus, hoewel hij wat moeite had met de woorden.

Toen ze die morgen de winkel verliet, was de zon op en rook de pas gewassen straat naar de komende lente. De wereld was weer bevolkt, met mensen die ze te zijner tijd misschien zou leren kennen. Onderweg kwam ze een mollig meisje uit haar klas tegen, Alma, die met plezier de zak warme scones aannam die mevrouw Dixon haar in de hand had gedrukt toen ze de winkel uitging. 'Ik vind ze niet lekker,' zei ze tegen Alma bij wijze van uitleg, 'heb ze nooit lekker gevonden.'

Ze leefde het volgende jaar niet zozeer ín een nachtmerrie als wel op de rand ervan. Omdat ze nooit zeker was. Er gingen dagen voorbij dat hij haar niet aanraakte. Dan kwam er een vrolijke morgen: hij was misschien aan het zingen, een taart aan het glaceren en plotseling had hij haar bij de keel. Of erger, hij bleek chagrijnig als ze binnenkwam, zei vrijwel niets en kwam nauwelijks van zijn kruk. Ze hield hem in de gaten, ontweek hem zo veel mogelijk, haalde zelfs eigenhandig dingen uit de oven – iets wat mevrouw Dixon haar gezegd had nooit te doen – opdat ze hem niet zou hoeven storen. Soms ging het goed en dan glipte ze om acht uur de winkel uit als een vis die in een beek wordt losgelaten. Soms trok hij zijn zware wenkbrauwen op en zei steeds opnieuw haar naam – 'Shee-la, Shee-la' – schuddend met zijn grote hoofd, tot ze zo dicht bij hem in de buurt was dat hij haar pols of haar rok of haar mouw kon grijpen en zijn moordzuchtige gele tanden naar haar borsten kon brengen. Soms dook hij gewoon achter haar op en pakte haar bij haar haren. Duwde haar naar de achterdeur of drukte haar tegen de muur.

('Een smerige vieze ouwe man', zei ze, terwijl ze het verhaal vertelde. Dit zal in hun keuken in Woodside zijn gebeurd, aan de tafel vol kruimels, slechts Dennis en zijn moeder in het appartement. Dennis die net aan zijn carrière bij Con Ed begon. Het was een geluk, zei ze, dat de man een drinker was; wie weet hoe ver hij anders zou zijn gegaan. 'Een man kan het niet, weet je,' zei ze, 'na te veel drank. Dat zal je vader je wel nooit verteld hebben.')

Omdat ze nog maar een kind was, begon ze rituelen te verzinnen die haar zouden kunnen beschermen, of haar tenminste konden voorspellen hoe de ochtend zou verlopen. Als ze van het huis van haar oom naar de bakkerij kon lopen zonder haar ogen op te slaan, zou hij haar die dag niet aanraken. Als ze de kar van de straatveger op de hoek zag, wel.

Toen kwam er een ochtend waarop ze Alma de zak met lekkernijen aanreikte en Alma zei: 'Die zal ik missen.'

Ze had een baan in een kantoorgebouw in het centrum. Haar vader had haar erop attent gemaakt. Ze zou aan het eind van de week van school gaan. Twee uur later zat Sheila zelf voor de man die Alma had beschreven. Het was een kalende man met een snor, een vlinderdasje en een ouderwetse hoge boord. Het kamertje waarin hij haar ontving was klein, met een raam dat wijd openstond om frisse lucht binnen te laten. Hij begon een beetje over de oorlog en het patriottisme van de Amerikaanse jeugd te praten en vroeg of ze een geliefde overzee had die haar foto bij zich droeg.

Ze zei van niet. Had ze nog verder in haar stoel achterover geleund, dan zou ze uit het raam zijn gevallen.

Hij gaf haar de baan, ongetwijfeld omdat hij dacht dat ze een serieuze, evenwichtige jonge vrouw was die vast en zeker een oude vrijster zou worden. Ze ging niet naar de bakkerij terug. Ze maakte haar school ook niet af. Ze wist dat dit gedeelte een slag voor haar ouders zou zijn geweest, die grote voorstanders van onderwijs waren, maar in de bijna zes jaar sinds ze beiden – de een vier maanden na de ander – ziek waren geworden en waren gestorven (haar moeder had er veel minder lang over gedaan dan haar vader, omdat ze zich haastte om bij hem te komen, had iemand gezegd), had ze weinig hulp van hen gekregen en nog minder steun. Op haar twaalfde had ze zich voorgesteld dat ze de rest van haar leven begeleid zou worden door twee zwevende engelen, maar sindsdien had ze te veel eenzame nachten in kamers doorgebracht waar ze niet was gewenst en niet thuishoorde, te veel bittere maaltijden gegeten, iedere hap en iedere slok geteld en met tegenzin verstrekt. Ze had de adem van meneer Dixon geproefd, de scherpe, hardnekkige lucht van zijn speeksel op haar wangen en lippen geroken, op hetzelfde moment dat ze haar hoofd boog en hun vroeg haar te verlossen. Als ze waren blijven leven, wist ze, zou het hun gespeten hebben dat ze van school ging, maar dat waren ze niet en daarmee was de kous af.

('Daarmee was de kous af', had ze in het kleine keukentje in Woodside gezegd, verdiept in haar sombere sprookje. Nog iets wat zijn godvrezende, geesten-horende, heiligen-minnende vader hem niet had verteld: ze waren niet blijven leven en daarmee was de kous af.)

Haar oom stelde niet graag zijn vriend teleur, maar aangezien ze haar salaris aan hem zou overdragen, had hij er vrede mee.

Op een maandagmorgen ging ze net als Alma met de trein. Ze geloofde dat ze op het nippertje aan de hel was ontsnapt en zelfs als zou blijken dat de baan saai was (dat was hij) en Alma ontrouw, zonder haar dagelijkse zoethoudertje uit de bakkerij (dat was ze niet), had ze in ieder geval de luxe van dit kleurloze vagevuur.

Bij Borough Hall liep ze achter het brede achterwerk van haar vriendin het trapje van de tram op. Aan het oog onttrokken door het grote vlak van zwarte gabardine dat Alma was, hoorde ze zijn Ierse accent het eerst, die luide, lachende stem. En toen, terwijl ze instapte, ving ze haar eerste glimp op van zijn alledaagse, vrolijke gezicht.

Wanneer ze weer naar boven ging, had Holtzman het raam geopend en eau de cologne door de badkamer verstoven. Dan gaf ze hem zijn gestreken overhemd en hing dat van Dennis in zijn kamer. (Nog een luxe die haar huwelijk haar had opgeleverd: kasten waar je dingen in op kon bergen, kasten waar je in kon staan.) Als Holtzman aangekleed en klaar was, zocht hij haar weer op om haar een afscheidskus te geven. Hij had altijd de krant onder zijn arm en steevast, leek het, een schoenendoos. Hij vond dagelijks nieuwe schoenen voor haar in haar maat (zo had hij haar tenslotte het hof gemaakt) maar meestal bevielen ze haar niet – als echtgenote moeilijker tevreden te stellen, zei mijn vader, dan ze ooit als klant was geweest.

Holtzman ging in die tijd met de bus naar de winkel en zodra hij de deur uit was, trok ze een huisjapon aan, knoopte een doek om haar hoofd en ging schoonmaken. Je moet goed begrijpen wat dat huis voor haar betekende, een vrouw die zo'n groot deel van haar jongemeisjesjaren als gast in een al overbelast huishouden had doorgebracht, op randjes van bedden slapend, haar kleren bewarend in een kist in de voorraadkamer of op de gang. Die haar eerste huwelijk in twee- en driekamerappartementen had doorgebracht die ook als permanente tussenstations voor een eindeloze stroom arme Ierse immigranten dienstdeden.

Hij was me d'r eentje. Dat zeiden de passagiers in de tram over hem, zo ging het verhaal tenminste: mannen met (in die tijd) strooien hoofddeksels en bolhoeden op, vrouwen met hun donkere mantelpakjes aan. Ze bogen zich op hun bankjes naar elkaar toe, glimlachend om iets wat hij had gezegd of, waarschijnlijker, had uitgeroepen. 'Hij is me d'r eentje, hè?'

'Hebt u vandaag slobkousen aan, meneer Ellsworth?' vroeg hij misschien aan de broze oude heer die net behoedzaam was gaan zitten. 'Wat een prachtdingen, hè? Maar weet u, als u vandaag doodgaat, danst de begrafenisondernemer er morgen in rond.'

Dan grijnsde meneer Ellsworth. 'O, ik ga vandaag niet dood, meneer Lynch', – de passagiers overal om hen heen glimlachten vol verwachting alsof ze een stel variétékomieken gadesloegen – 'niet tot ik gehoord heb wat er met Paddy in Asbury Park is gebeurd.'

Daniel tilde zijn pet op en streek die dikke bos zwart haar naar achteren. 'Jézus,' zei hij dan tegen hen, 'dat is me een verhaal!'

Hij was een legendarische figuur, in dat deel van Brooklyn op dat uur van de dag tenminste. Hij praatte aan één stuk door en wees ondertussen naar een vent op straat, of een agent die hij kende, of een gebouw dat deel uitmaakte van een ander verhaal. Uiteindelijk kwam het gesprek altijd op Paddy – en soms was Paddy een broer en soms een neef en soms een oom of een vriend. Paddy die de oversteek maakte en Paddy op Ellis Island en Paddy die de verkeerde trein naar Pittsburgh of Vermont nam.

'Paddy zit in Philadelphia. Mijn broer heeft hem daar aan een baan geholpen, op een róómkaasfabriek, nota bene. Hij logeert bij familieleden die een kat hebben zo groot als een koffer, en als Paddy die eerste dag van de fabriek thuiskomt, ruikt hij precies als een levensgrote fles melk...'

Er waren passagiers die op straat wachtten en andere trams lieten passeren, zodat ze bij Daniel in konden stappen. Anderen die hun reistijden aanpasten alleen maar om samen met hem te kunnen rijden.

Sheila begon hetzelfde te doen. Niet omdat ze iets om zijn verhalen gaf – te veel ervan waren onmogelijk of absurd, zei ze – en niet omdat hij haar bij haar naam noemde of haar iedere dag met dezelfde plagerige grapjes amuseerde (de oude meneer Ellsworth was weer een nacht doorgekomen en de astmatische mevrouw Timoney, met haar lieve gezicht, die altijd aan het hijgen en puffen was, werd door de politie gezocht en Saul, een kantoorjongen met een bochel, was een kolonel net terug van het front, zelfs dikke Alma, die altijd een paraplu bij zich had – weer of geen weer – was een voorspeller van rampzalige stormen: 'Tornado's vandaag, juffrouw?' 'Is er een tyfoon op komst?'). Ze wachtte op zijn tram omdat ze hem tot zwijgen bracht.

Haar leven was allengs weer een sleur geworden. Bij zonsopgang uit het bed van de zoon (en altijd met een rilling de herinnering aan wat er op andere vroege ochtenden was gebeurd), een kattenwasje en zich aankleden in de kleine ruimte van de provisiekamer. Ontbijt voor haarzelf en haar oom en tante en dan de afwas, de wandeling naar de trein. In de postkamer werd ze als een paard in de kraal gedreven, omringd door een eindeloze hoeveelheid enveloppen en pakjes, twintig minuten om te lunchen, tien voor een kop koffie... als een van de velen. Wéér een.

Maar een of twee keer per dag, als ze de juiste tram haalde, was ze een bijzonderheid, een sfinx. Er werd naar haar uitgekeken. Ze bracht hem tot zwijgen.

Hij die tegen iedereen iets te zeggen had, kon alleen maar stamelen en blozen als zij voorbijliep, kon alleen maar 'goeiendag, juffrouw' zeggen en zelfs dat niet als ze hem recht aankeek. De andere passagiers zagen het, zelfs Alma zag het, en de aanvankelijke verrassing die het had gewekt, maakte plaats voor nieuwsgierigheid en daarna een meewarig ontzag. Hij was verliefd op haar, fluisterden ze, dat moest wel. En zij reageerde helemaal niet, deed net of hij lucht was. In die eigenaardige korte stilte die altijd viel nadat zij was ingestapt, was zij het die ieders aandacht had, niet Daniel.

En juist daarvan kon ze niet genoeg krijgen, na het leven dat zij had geleid. Dat ze opviel, zich onderscheidde. Dat ze herkend werd als iemand die anders was dan anderen.

Het was midden in de zomer, die ochtend dat zijn tram stopte, maar hij zat er niet in. De meesten stapten het trapje weer af. 'Waar is Daniel?' vroeg iemand, overwegend of hij zou doorlopen of wachten.

'Vrij vandaag', zei de vreemde man.

Gelaten stapten ze in en net toen ze waren gaan zitten, sprong Daniel de tram in. Hij zag er belachelijk uit, met een bruin pak en een strooien hoed met groen en geel gestreept lint. Hij had een kleur en was buiten adem.

De andere passagiers begroetten hem alsof hij een terugkerende held was, maar hij boog verlegen zijn hoofd en nam op het bankje achter haar plaats.

'Zijn er nog orkanen?' vroeg hij aan Alma, maar met een onuitsprekelijke droefheid, alsof hij zojuist van al zijn humor en al zijn wilskracht beroofd was. Ze giechelde en drukte haar armen tegen elkaar, terwijl ze zich omdraaide om hem aan te kijken. 'Nog niet', zei ze.

Zijn bruine ogen waren op het achterhoofd van Sheila gericht.

'Je uitgaansdagje, Daniel?' vroeg een passagier aan hem.

'Dat zou je kunnen zeggen.' Maar verder geen woord. Vandaag niet.

'Op stap met Paddy?' vroeg een vrouw aan de overkant van het gangpad.

'Nee', zei hij zacht. 'Ik niet.'

Toen ze opstond om de tram uit te gaan, keerde ze zich naar hem toe – wat een verloren ziel leek hij, met zijn bruine kostuum en zijn goede hoed. Ze zag dat iedere mogelijkheid om te zeggen of te doen wat hij zich had voorgesteld was verdwenen, precies zoals alle kleur uit zijn gezicht was verdwenen.

De volgende dag was hij weer zichzelf, hoewel hij al rood werd voor ze hem passeerde. Zijn neef Paddy ging trouwen, vertelde hij hun. Die geluksvogel. Met een roodharige nog wel. Niet erg groot, maar met een mooi gezicht. Hij had alleen wat moeite met de ring – hij is niet zo snugger, die Paddy – met de maat van de ring, en dus ging hij met een leertje ter grootte van een tweecentsstuk en een hambeen naar de juwelier...'

Alle ogen richtten zich op haar terwijl hij sprak. Zij keek alleen maar naar buiten: een meisje als geen ander.

In september werden de vrouwen op kantoor gewaarschuwd dat ze misschien plaats zouden moeten maken voor de terugkerende militairen. Op een vrijdagavond in oktober kwam ze thuis en trof meneer en mevrouw Dixon in de woonkamer aan, hij met zijn pak aan en zijn haar glad achterover gekamd alsof hij was gekomen om haar het hof te maken, zij dikker dan ze was geweest en met haar vollemaansgezicht dat breder en lager dan gewoonlijk over het kussen van zachte onderkinnen hing.

Toen ze haar slaapkamer in ging om haar hoed af te zetten, zag ze dat de matras was afgehaald en de kussens en dekens op een hoop waren gelegd in het geopende raam.

De zoon kwam thuis (op het gele gezicht van tante Eileen oogde vreugde als een maagstoornis) en ze zou een ander onderkomen voor zichzelf moeten zoeken. De familie Dixon had een extra kamertje in hun woning boven de winkel – klein, zei mevrouw Dixon, maar netjes – en met een kind op komst (mevrouw Dixon legde een hand op haar brede middel) zouden ze iemand nodig hebben die hen fulltime kon helpen. Dus het zou allemaal heel gunstig kunnen uitpakken.

Onder het eten bewoog meneer Dixon zijn kleine, zwarte tanden en zei: 'Je eet niet.'

En oom Robert lachte en zei dat ze doorgaans meer dan genoeg at.

Die maandag in de tram liep ze achter Alma's schommelende achterwerk het trapje op en zei: 'Hallo, Daniel', met een engelachtige glimlach. 'Hoe gaat het vandaag?' Er volgde een stilte (dat wist ze zeker) en toen, van ergens in de wagen, een klein beetje applaus.

'Uitstekend, dank u, juffrouw', zei Daniel. 'Wat een heerlijke dag, hè?'

'Inderdaad', zei ze tegen hem, hoewel het koud en vochtig was, met een lichte regen. 'Heerlijk gewoon.' Toen ze langs meneer Ellsworth op zijn bankje liep, wist ze zeker dat ze een traan in zijn oog zag. Toch nog niet dood.

De rest van het verhaal wilde dat ze op haar tweede ochtend als jonge bruid uit haar slaapkamer stapte en twee personen slapend op de woonkamervloer aantrof. Ze droegen vuile broeken en jasjes die niet bij elkaar pasten en gebruikten hun gehavende reistas als kussen en sliepen, als zwervers, met hun handen tussen hun dijen geklemd. Er hing een warme lucht die naar een boerenerf rook.

Ze deed verrast een stap achteruit en botste tegen Daniel op ('je vader', zei ze in de keuken in Woodside, waar dat woord alleen al voldoende was om Dennis' hart te doen schrijnen door zijn eigen verlies), die vlak achter haar stond. 'Wie zijn dat?' vroeg ze.

'Paddy's', was het antwoord.

Ze beweerde dat ze het huis nooit meer helemaal voor zich alleen had en het niet voor zich alleen zou hebben tot Dennis naar Fort Dix vertrok.

Ze had ook nooit meer zijn aandacht voor zich alleen, zei mijn vader, zelfs niet toen hij op sterven lag en alle verpleegsters zo onder de indruk waren van de stoet Paddy's die de zaal in- en uitliep, dat een van hen had gevraagd – dat had hij tenminste horen vertellen – of hij een politicus was.

Maar nu had ze dit solide huis, helemaal uit baksteen opgetrokken, met drie slaapkamers boven en een hele kelderverdieping en meters plint om te stoffen en vloer om te wrijven. Een kleine garage achter, een stukje tuin met een boom, een heg voor het huis. Je zou kunnen zeggen dat het de invloed van haar ordelijke Duitse man was die haar van de onverschillige huisvrouw die ze was toen Dennis opgroeide in de wervelende schoonmaakster had veranderd toen ze mevrouw Holtzman werd, maar de meer voor de hand liggende verklaring leek te zijn dat het schoonmaken van Holtzmans huis haar manier was om haar grondbezit af te passen, haar rijkdom te berekenen, haar handen door haar stapel gouden dubloenen te halen. Er was een waslijst van redenen waarom ze hertrouwd was en niet een ervan had iets te maken met liefde, maar met genoeg ruimte (als je het goed beschouwde), genoeg plinten, tuin en lege plekken, genoeg warmte in de winter en voldoende ramen om 's zomers tegen elkaar open te zetten, liefde was iets waar je gemakkelijk buiten kon.

Voor sommigen van ons, tenminste.

In die tijd werkte Billy ook op Irving Place en het was niet ongewoon dat Dennis hem 's morgens in de ondergrondse of op straat tegen het lijf liep. Onbekenden die hen in die tijd zagen, zouden gedacht hebben dat het wapenbroeders van lang geleden waren, een stel oud-soldaten, broers misschien, die elkaar al vanaf vóór de invasie niet meer hadden gezien. Dennis ving een sprankje licht van Billy's bril op, drong door de menigte staande reizigers in zijn wagon en riep: 'Hé, Bill!' Of hij hoorde zijn eigen naam op straat en als hij zich dan omdraaide zag hij het hoofd van Billy door het verkeer deinen, op weg naar hem toe. 'Hoe gaat het?' 'Hoe staan de zaken?' Handen schuddend en elkaar joviaal op de rug slaand met hun nieuwe krant. 'Leuk je te zien.'

Het zou veel wilskracht vergen om je hem nu voor te stellen zoals hij toen was: om ieder beeld terzijde te schuiven dat ertussen was gekomen, met inbegrip van dat donkere, stijf opgeblazen overblijfsel van zijn gezicht dat de dode Billy was, en je hem duidelijk te herinneren: slank en knap in die dagen, de lage rand van zijn gleufhoed boven de blauwe ogen en de montuurloze bril, een spoortje opgedroogd bloed op zijn gladde wang, een rode blos van de kou. Aan zijn overjas nog de geur van de kerk waaruit hij net was gekomen en zijn adem nog smakend naar de hostie, terwijl ze samen in de drukke ondergrondse stonden, hand boven hand om dezelfde witte stang, met luide stem nieuwtjes uitwisselend of stilvallend terwijl de trein ratelde en gierde en hen omver probeerde te gooien. Zo blij met elkaars gezelschap dat het leek alsof ze het lang zonder hadden moeten stellen.

('Zoals je broers vroeger waren', zei mijn vader. In hun tienerjaren en kort na hun twintigste, als er een paar vrienden langskwamen en ze allemaal een paar tellen in de woonkamer stonden voor ze uitgingen, grijnzend, elkaar tegen de schouder stompend en lachend om alles, omdat de wereld die even daarvoor nog de bron van niets dan ergernis had geleken opeens simpel en vermakelijk was geworden, klaar om door hen veroverd te worden. '"Ik beklaag de meisjes", zei ik tegen je moeder als ze vertrokken waren', nadat ze met gierende banden van de oprijlaan waren weggereden en de meubels die bij hen in het niet verzonken weer uit hun hoekjes tevoorschijn kropen. '"Ik beklaag die arme meisjes"', terwijl mijn ouders naar hun krant of hun televisieprogramma's op vrijdagavond terugkeerden en de geur van aftershave van de jongens in hun neus probeerden te houden, omdat ze niet, zoals ze het liefst zouden hebben gedaan, op straat konden gaan staan om hun achterlichten na te kijken. '"De meisjes", zei je moeder altijd, "kunnen best voor zichzelf zorgen."')

De dagelijkse missen waren iets nieuws voor Billy en hielden ongetwijfeld verband met Eva, hoewel de familie meende dat het met de oorlog te maken had. Hij zou de eerste in de buurt niet zijn die was teruggekeerd met een nieuwe behoefte aan religie, een nieuw besef dat ze de rest van hun leven alleen konden doorkomen met een dagelijkse, officiële smeekbede om genade.

Maar Billy smeekte in die tijd niet om genade, of misschien was het een ander soort genade. De genade van tijd. Hij had tijd nodig – weken waarin hij werkte en beetjes van zijn salaris wegstopte en opspaarde – maar hij moest de tijd ook stilzetten. De wereld moest een poosje zijn adem inhouden; alle gevoelens, alle verwachtingen, alle toekomstplannen zouden een poosje pas op de plaats moeten maken, onveranderd moeten blijven, door de hele stad. Wij allemaal zouden trouw moeten blijven aan onze eigen voornemens.

De kerk zelf zal hem ter wille zijn geweest: de aangename klank van het vertrouwde Latijn, dezelfde vrouwen iedere morgen die hun rozenkrans baden, de rode lamp van het heilige der heiligen, en de kaarsen voor de beelden van de Maagd Maria en Sint-Jozef, onwankelbaar en trouw.

Zelfs de oude kapelaan Roche, die aan slapeloosheid leed en iedere ochtend de mis van zes uur deed, omdat hij, wist Billy uit zijn tijd als misdienaar, om acht uur diep in slaap zou zijn in de sacristie. Steevast.

Maar toch kwam op elk uur van de nacht de gedempte, boze stem van Kates man uit de slaapkamer van zijn zusje, en wanneer Billy naar de kerk ging lag ze meestal op de bank in de huiskamer met Danny, haar baby, in haar armen, en huilde zachtjes.

'Gaat het goed met je?' fluisterde Billy dan, verlegen, zich schamend voor haar verdriet.

Ze wuifde hem weg. 'Ja, hoor.'

Het arme kindje, bijna twee maar als een baby ingepakt tegen de tocht, sloeg hen beiden met wijdopen ogen gade.

Op het aanrecht in de keuken – schimmen van zijn vader toen deze nog leefde – stonden een fles gin en een leeg glas, zijn moeders remedie voor de lange nachten van een weduwe.

Na de mis, op het perron van het Woodside-station, te midden van de dringende menigte vreemdelingen op weg naar de trein, hoorde Billy dan zijn naam roepen en draaide zich om. Of hij zag, als hij naar kantoor liep, een hoed op een hoofd, boven een paar schouders die hij herkende als die van Dennis. Ze gaven elkaar een joviale klap met hun krant en grijnsden dwaas om het helemaal-niet-onwaarschijnlijke toeval van hun ontmoeting. 'Hoe gaat het?' 'Wat is er voor nieuws?' 'Hoe is het met Mary?' 'Wat heb je van Eva gehoord?' 'Het gaat goed met Eva, heb dinsdag een brief gekregen.' Eindelijk en voor het eerst die dag: 'Het gaat goed met Eva.' Zelfs het noemen van haar naam, het roepen ervan boven het geraas van de ondergrondse, een moedige daad, een herbevestiging van zijn geloof.

Dit was in de tijd dat iedereen die ze kenden ging trouwen of kinderen kreeg. Dat het niet ongebruikelijk was dat er twee à drie keer per dag op kantoor met de pet werd rondgegaan, terwijl er een grote diamanten ring aan de vinger flonkerde van het meisje dat je de kaart en de pen aanreikte.

'Is dit voor jou?' plaagde Dennis haar altijd voor hij zijn naam erop schreef. 'Vooruit, wanneer is het nou voor jou?'

Ze was een mooi blondje, met een rond gezicht en een kleine mond. Een brede, witte glimlach met een soort extraatje erin: het elektrische geklik van klappende kauwgum. Ze was verloofd met haar vriendje van de middelbare school, dat nog bij de marine was.

'Waarom wil je met een zeeman trouwen?' vroeg hij haar terwijl hij zijn naam op de kaart zette. 'Wie is ons zonnetje op kantoor als jij weggaat?'

Dan glimlachte ze (klap, klap) en boog zich voorover om de kaart en de pen van hem aan te pakken. 'Ik wil met een zeeman trouwen,' zei ze, 'zodat ik niet het zonnetje op kantoor ben als ik drieënzestig ben.'

Claire Donavan heette ze. Uit Brooklyn, via stenografie.

Dat najaar en die hele winter en lente bezochten ze meer kerken en synagogen dan Dennis voor mogelijk had gehouden, terwijl ze met de hand getekende kaarten of haastig overgeschreven aanwijzingen volgden en keurig gekleed met de ondergrondse reisden of met de auto, samen met Billy of Danny of Mike, of met zijn moeder en Holtzman in de oude wagen. Of in een taxi gepropt met een groepje van kantoor, met nadorst en lachend om wat ze zich niet meer konden herinneren van de vorige avond. Er hing altijd een geur van pimentawater en Vitalis en Chanel. De kater wegsmeltend als ijzel in de herfstzon of een verkwikkende winterbui, of in hun triomf omdat ze Sint-Charles Borromeo in Brooklyn of de Faith United Methodist in Hastings of Beth El in Little Neck, in Queens, hadden gevonden en nog twintig minuten – tijd voor een snelle kop koffie – overhadden.

En dan gingen ze naar binnen, in de protestantse kerken de neiging onderdrukkend om hun hand naar het wijwatervat te brengen (hoewel ze meestal toch een kruisje sloegen, zodat de ouderlingen in hun colbertkostuum glimlachten als ze het zagen: hoe kon hij ook anders met zo'n gezicht?) en in de synagogen het keppeltje opzettend, verlegen maar bereidwillig (de grapjes met een Jiddisch accent zouden later komen), maar het doel van de ceremonie, van hun bijeenkomen op deze manier, met hun beste kleren en gepoetste schoenen aan, was overal hetzelfde.

Voor Billy was het steun. Zelfs de kerken en synagogen zelf gaven hem steun: ingeklemd tussen flatgebouwen of patriciërshuizen, gelegen tussen bomen of parkeerterreinen, opdoemend als je uit de ondergrondse naar boven klom of de laatste hoek omsloeg na tien keer verkeerd te zijn afgeslagen in straten in een voorstad of de kaart ondersteboven draaide en door de voorruit keek en zei: 'Hier moet het zijn.' Het aantal en de verscheidenheid ervan gaf hem steun. Het besef dat in iedere stad, tot aan de Bronx en Staten Island en zelfs tot ver in New Jersey, de behoefte aan geloof, aan wat onwankelbaar en trouw was, deze heilige plaatsen had doen ontstaan. Deze kathedralen en tempels en kantine-altaren waarvoor Grace van stenografie of Jack van onderhoud of Peggy Lynch, de knappe dochter van oom Mike, of haar zusje Rosemary, die niet de knapste was, of Tommy uit de buurt of neef Ted (kaarsrecht met zijn kostuum aan, geen geringe prestatie als je in aanmerking nam hoe stevig hij de vorige avond was doorgezakt) misschien zou staan. Zou staan en zeggen: 'Dit zal nooit veranderen.'

's Zondagsavonds, terwijl Dennis naar Manhattan ging om Mary te ontmoeten (met de ondergrondse als hij had besloten niet meer te zondigen, met de auto van Holtzman als nog één keertje dan zijn laatste besluit was), schreef Billy aan Eva. Met de broek van zijn kostuum en het schone overhemd nog aan die hij naar de mis had gedragen. Zijn moeder – God sta haar bij, ze kon volstrekt niet koken – bakte dan een stuk vlees in de oven tot het taai was en kookte spruitjes en sperziebonen tot alle kleur eruit was (omdat ze meende dat de groenten zelf geen smaak hadden maar die pas kregen als ze lang hadden gesudderd en in de schaal met boter en zout waren overgoten). Rosie en Mac, haar man, zaten bij zijn moeder of in de bioscoop, Kate met haar baby bij oom Ted zodat haar man kon studeren.

'Lieve Eva', schreef hij, en daarmee zou hij ongetwijfeld een hele bladzijde hebben kunnen vullen, zo graag herhaalde hij haar naam: 'Dag, Eva. Hoe gaat het met je, Eva?'

Hij vertelde haar hoe hij zijn dagen doorbracht, schreef zo goed mogelijk maar paste er ook voor op, zei hij, dat hij niet te lang over gewone dingen bleef doorzagen. Hij wist wel beter dan alles te zeggen wat hij voelde. Maar hij wist ook dat het opsommen van te veel gewone details nog erger was. Als hij zou zeggen wat hij voelde, zou hij met één zin duizend andere smoren. Maar wanneer hij alleen zei wat hij had gedaan, zou het zijn alsof hij een stad beschreef die de zon verduisterde.

Hij moet aan het meisje in Metz hebben gedacht – 'Ik ben er nog' – want dat was toch zeker het enige wat hij aan Eva wilde schrijven, iedere zondag terwijl zijn moeder haar bruidsservies op tafel zette en Mac en Rosemary binnenstoven en Kate met de baby terugkeerde en schuchter op haar eigen slaapkamerdeur klopte. Terwijl een kerk ergens in de verte een klok luidde en een bus op de boulevard uitlaatgassen uitbraakte en Mary de arm van Dennis pakte terwijl ze door het park liepen, op weg naar Lexington, naar een café-restaurant dat eigendom was van een Ier die door zijn vader naar Amerika was gehaald. Terwijl het water op het zand golfde dat naar het geweldige huis op de heuvel voerde dat Billy en Eva weer, samen, zouden bewonderen, zijn idee van de hemel, voor ze naar hun idylle in het huisje van Holtzman terugkeerden, een idylle die zou beginnen wanneer het geld dat hij iedere week opzij legde en dat, zelfs nu, geleidelijk toenam bij de East River Spaarbank, voldoende was om haar terug te halen.

Vast geloof: dit zal niet veranderen. Ik ben er nog.

Maar het geld groeide langzaam.

Er waren tenslotte al die huwelijksgeschenken, de babycadeautjes en vrijgezellenfeestjes, de kantoorcollectes en taxikosten en stomerijrekeningen. Er was het geld dat hij aan Kate gaf als ze een ritje nodig had na een nacht met een huilende baby en Peter, haar studerende man, die tekeerging over het examen dat hij de volgende dag moest doen en al het leren dat hij nog niet had gedaan. Er was het geld dat hij aan zijn neef Ted leende toen deze zijn auto op Queens Boulevard in de soep had gereden – zodat zijn vrouw het niet te weten zou komen – en het geld dat hij aan zijn moeder gaf toen haar brug brak. Er was de speciale collecte voor kapelaan Roches vijftigste jaar als priester.

'Je lijkt meer op mijn vader dan mijn vader zelf', zei Dennis op een avond bij Quinlan tegen hem toen hij boven zijn biertje zat te jammeren dat hij het geld voor de boot tegen de zomer niet zou hebben, al deed hij nog zo zijn best.

'In deze familie', zei Billy met zijn glas tegen zijn hart, 'is dat het aardigste wat je kunt zeggen.'

Danny Lynch hief zijn eigen glas. 'Amen', zei hij, altijd degene die het vuur brandende hield.

In die tijd had Dennis zijn werkterrein in de Lower East Side, van Broadway tot aan de rivier en van Houston tot Canal, winkeltjes vol joodse en Chinese kooplui, straten bezaaid met zwervers. De zwervers hesen zich uit portieken, krabbelden overeind van stoepranden als ze hem zagen aankomen en zeiden: 'We gaan al, agent, we gaan al' – alsof iedere Ier met een rond gezicht, een overjas en een hoed wel een politieman moest zijn. Ze groetten hem als oude soldaten of trokken hun schouders op als horigen in de Middeleeuwen, als mannen die meer dan eens de slag van een politieknuppel op hun rug hadden gevoeld. 'We gaan al, rechercheur.' Dennis schudde zijn vuist tegen hen en klopte op zijn overjas alsof hij inderdaad een pistool en politiepenning had. 'Jullie kunnen maar beter weggaan, jongens. En door blijven lopen.' Dronkaards, zwervers, zuiplappen. Waar je in die tijd aan dacht als iemand alcoholist zei.

Vier treden naar beneden een armoedig winkeltje in waarvan hij zich herinnerde dat het zelfs voor de oorlog al gesloten was. De deur opengehouden met geplette kartonnen dozen, niet voor frisse lucht – het was koud, somber weer – maar voor licht, aangezien er geen elektriciteit was. Er was een smalle toonbank vol met stapels lukraak neergezette overhemddozen en nog eens een stuk of tien grote dozen die bijna de hele winkel vulden op een nauwe doorloop na. Er stond een ton waaruit stro puilde en er hing een lucht van oude vochtige stenen en kakkerlakpoeder. Hij tikte op de toonbank en riep, en er kwam een man uit de achterkamer. Een iel, kort mannetje met een wollen jas aan die te groot en een bonthoed op die te klein voor hem was. Zijn handen waren bloot en hij hield ze tegen elkaar. Ze waren helderwit in de grauwe ruimte en hij wreef ze tegen elkaar omdat het koud was natuurlijk, maar het effect ervan, samen met zijn haakneus en kromme schouders, deed Dennis denken: woekeraar.

'Edison', zei hij, behoedzaam, omdat hij wist dat dit een man was die niets wat hij zei voetstoots zou aannemen. De man bewoog zijn hoofd als een schildpad en bekeek hem nauwkeuriger in het halfduister van de winkel. 'U bent de man van Edison?'

Dennis stak zijn hand uit om zich voor te stellen en zag dat de man de middelste drie vingers van zijn rechterhand miste en de topjes van de laatste drie aan zijn linkerhand. Hij was een Poolse jood, nog niet lang in New York. Kleermaker, zei hij, voor de oorlog, en hij haalde, zonder op zijn handen te wijzen, met een theatraal gebaar zijn schouders op. Nu winkelier, dames- en kinderkleding. Zodra hij elektriciteit had tenminste.

Zoals Dennis had voorzien, wilde de man niets horen van wat hij te zeggen had, en hij kon niet tot eind volgende week wachten. Hij was geen oude man, niet zo oud als hij aanvankelijk had geleken, maar hij leek gekrompen in zijn grote jas en hij had een slecht vals gebit dat onder het praten heen en weer schoof en hem een vieze adem gaf.

'Meneer Lynch,' zei hij – zodra hij de naam van Dennis had opgevangen was hij als een hond met een been – 'denk u mijn situatie eens in.'

'Meneer Leibowitz,' antwoordde Dennis, 'denk eens aan uw bedrading. Denk er eens aan dat uw winkel in rook opgaat.'

De man deed alsof hij berustte. Hij keek de winkel rond alsof zijn hele strijd, om de oorlog, de kampen, de lange oversteek te overleven, nu op deze kille, bedroevende manier geëindigd was. Hij schudde zijn hoofd alsof het niets nieuws voor hem was, deze alledaagse teleurstelling die deze alledaagse, ernstige man met het brede gezicht hem bezorgde, een teleurstelling die net zo diepgaand en verschrikkelijk was als de bekendere kwaden van deze wereld. Hij haalde zijn schouders op, draaide zich toen plotseling om en pakte de hand van Dennis voorzichtig vast, waarbij hij zijn pols in de ruimte tussen zijn pink en duim aan de rechterhand hield. Met zijn linkerhand drukte hij Dennis een opgevouwen bankbiljet in de hand.

'Kijk maar wat u kunt', zei meneer Leibowitz.

Dennis protesteerde en probeerde hem het geld terug te geven, maar de man draaide zich om en zwaaide met zijn gapende hand naast zijn oor, de woorden wegwuivend. 'Het kan geen kwaad', had hij kunnen zeggen.

Het opgevouwen biljet zat nog in zijn zak toen hij weer op kantoor kwam. Hij ging met de lift naar boven, met Claire Donavan en nog drie meisjes, net van hun lunch terug, hun bontkragen geurend naar parfum en sigarettenrook, hun glanzende lippenstift vers en de poeder op hun wangen en neus als een fijn laagje suiker.

'Wat bent u stil, meneer Lynch', zei Claire Donavan in zijn oor terwijl ze de lichtjes achter de nummers voor iedere verdieping zagen verspringen.

'Ik bid dat de stroom uitvalt, juffrouw Donavan', zei hij, alleen zijn ogen bewegend om haar aan te kijken, haar heldere witte glimlach en de kauwgum die erachter knisperde als vonken. Pepermunt. Suiker. Seringenparfum. De oorlog lag nu ver genoeg achter hen: brood was weer brood, geen cake. Hij hunkerde naar cake.

Billy stapte op de twaalfde in. 'Dennis!' zei hij en Dennis zei: 'Hé, Billy', alsof hij de hele morgen naar hem op zoek was geweest. Ze schudden elkaar bijna de hand. Maar de ogen van de vier vrouwen waren op hen gericht, op Billy, om preciezer te zijn. Hij was de enige van hen die geen hoed en jas droeg en hij leek er op de een of andere manier chiquer door, met zijn grijze kostuum en witte overhemd en eenvoudige stropdas, zoals een priester helemaal in het zwart de elegantste kan lijken te midden van bontgekleurde bruiloftsgasten.

'Heb je buiten gewerkt?' vroeg Billy zacht.

'Tot nu net', zei Dennis.

Toen ze bij hun verdieping kwamen, stapten de meisjes uit, maar Dennis greep Billy's mouw en hield hem in de lift.

'Wie is dat?' hoorden ze voor de deur weer dichtging, en Claire Donavan antwoordde: 'Zijn neef.'

Dennis stak zijn hand in zijn zak en haalde er het opgevouwen bankbiljet uit. Hij zag tot zijn verbazing dat het tien dollar was. Hij gaf het aan Billy. 'Stop dit maar in je nog-lang-en-gelukkig-potje.'

Billy keek er schaapachtig naar. 'Waar komt dat vandaan?'

De lift stopte en Dennis drukte op een ander knopje voor een hogere verdieping. Hij vertelde het hem. Hij zei dat hij het in de armenbus bij Sint-Brigitta had willen doen maar dat de deur op slot was. 'Ik denk dat er zwervers binnen zijn geweest die de miswijn hebben gestolen.'

'Katholieke zwervers', zei Billy.

Dennis knikte. 'De ergste soort. Dus pak aan en stop het in je nog-lang-en-gelukkig-potje.'

Billy aarzelde nog. Hij zei tegen Dennis dat hij het zondag in de collecteschaal moest gooien. Dennis zei dat hij het op zondag al zou hebben uitgegeven. Billy zei, geef het dan uit. Dennis zei dat hij een rijke moeder had en het niet hoefde uit te geven. Ten slotte drukte hij Billy het geld in de hand zoals meneer Leibowitz bij hem had gedaan. Hij zei dat als de tijd daar was, als Eva hier zou zijn en ze gezellig in hun huisje in East Hampton woonden, Billy al hun babykleertjes bij meneer Leibowitz kon kopen.

'Zal het ooit zo ver komen?' zei Billy weemoedig, op hetzelfde moment dat hij het geld in zijn zak opborg.

Dennis antwoorde: 'Ik zie niet in waarom niet.' Hoewel hij het eigenlijk wel zag, zij het nog vaag en als vanuit zijn ooghoek. Denk eens aan die geruïneerde, haveloze mannen op straat, Billy een van hen, in de onvoorstelbare toekomst. Denk eens aan de verminkte handen van Leibowitz. Denk eens aan de beloften die hij Mary had gedaan op ogenblikken dat het meisje het volste recht had hem te geloven, wanneer hij erin slaagde zichzelf te geloven, zo lang als het duurde. Wat zou er dwazer kunnen zijn, met zo veel andere krachten aan het werk in de wereld, genadeloze, sluwe, bedrieglijke, onstuitbare krachten, dan je leven afhankelijk te maken van een vluchtig gevoel, niet meer dan een idee eigenlijk, een hersenschim, waarvan het hoogtepunt een onhandig beetje naaktheid is, een paar minuten dierlijk gegrom en gebonk, een kortstondige uitschakeling van gedachten en geweten?

Vaag en als vanuit zijn ooghoek zag hij wat er van Billy's mooie droom, Billy's geloof, terecht zou komen. Maar hij zag ook, in zijn eigen (zijn vaders) romantische hart, dat de vervulling ervan voor hen allen een kleine verlossing zou zijn.

Holtzman had een heel groot hoofd als je van achteren naar hem toe liep, in de schemerige hoek achter in zijn schoenenwinkel, gebogen over zijn inventarislijst en net van de kapper terug, zodat je alleen aan de schijnbaar willekeurige plaats waar een waas van kleine haartjes aan die Germaanse kolom van rood en purper vlees begon te ontspruiten kon zien waar zijn nek ophield en zijn hoofd begon.

Het magazijn rook naar schoenleer en karton en, toen Dennis dichterbij kwam, augurken en mosterd. De plafondlampen waren bijzonder zwak; het enige heldere licht was afkomstig van de enkele leeslamp die op zijn bureau stond. Zijn boterham, in het nestje van vetvrij papier, lag op een hoek van het bureau, net buiten de lichtkring, en toen Dennis zag dat de dikke hand van Holtzman het brood pakte en naar zijn mond bracht, wist hij zeker dat de man hem nog steeds niet had horen binnenkomen en dat als hij kuchte en Holtzmans naam riep of een paar passen dichterbij kwam en hem op de schouder tikte, hij die ouwe mof aan het schrikken zou maken, zodat die pil van roggebrood met ham, boter en mosterd misschien rechtstreeks in zijn slokdarm zou schieten.

Dus wachtte Dennis net zo lang tot Holtzman de boterham weer op het bureau had gelegd, net zo lang tot hij zag dat het brood was gekauwd en doorgeslikt (hij sloeg een bladzijde van de inventarislijst om en zuchtte, stak een vinger in zijn mond om iets los te wurmen dat tussen wang en tandvlees zat). Net zo lang ook om te kunnen heroverwegen wat hij aan het doen was en zich om te keren, weer op de trein te stappen, weer naar zijn werk te gaan. Billy's lieflijke romance op zijn eigen beloop te laten.

Maar de weg naar de hel... en Dennis zei: 'Neem me niet kwalijk, meneer Holtzman. Het spijt me dat ik u moet storen.'

De man keek achterom, zijn grote hoofd als dat van een oude buffel die over zijn flank tuurde. Maar toen hij zag dat het Dennis was, liet hij zijn stoel ronddraaien, veegde zijn mond af en maakte aanstalten om overeind te komen.

Dennis stak zijn hand uit. 'Blijft u toch zitten', zei hij, hoewel Holtzman al stond en al 'Dennis' zei en toen: 'Is alles in orde?', de mollige hand op zijn hart, het hart dat zelfs de moed niet had om hem te laten zeggen: 'Is je moeder in orde?'

Op dat moment wist Dennis dat het een goed idee was geweest om hierheen, naar hem te komen.

Holtzman bood hem de metalen stoel naast zijn bureau aan. 'Ga zitten, alsjeblieft', zei hij nadat Dennis hem had verzekerd dat zijn moeder niets mankeerde, dat hij alleen maar was gekomen om hem een gunst te vragen. Zelfs in dat schemerige licht zag Dennis kort na elkaar twee dingen over het gezicht van de man trekken: het eerste was opluchting omdat er geen slecht nieuws was. Het tweede het plotselinge vermoeden dat de ander hem zo dadelijk om geld zou vragen.

Wat Dennis ook deed, natuurlijk, en zonder er erg lang omheen te draaien. Hij zei dat hij vijfhonderd dollar wilde lenen om aan Billy te geven zodat hij zijn meisje en haar moeder tegen de zomer kon laten overkomen, een woning voor hen allen zou kunnen zoeken en zijn leven zou kunnen hervatten. Hij zei dat Billy met plezier in de weekends in de winkel wilde werken zodat het geld een voorschot op zijn salaris zou zijn en niet zonder meer een lening, en dat hij, Billy, ervoor zou zorgen dat alles tijdig en met rente werd terugbetaald.

Hij zei dat hij zeker wist dat Billy uiteindelijk zelf zou sparen wat hij nodig had, zonder de hulp van iemand anders, maar dat het nog een jaar zou kunnen duren, en een jaar was voor een jong meisje een lange tijd om helemaal alleen aan de andere kant van de oceaan te wachten.

'U hebt haar ontmoet', zei Dennis. 'Afgelopen zomer. Op Long Island. Voor Sint-Filomena.'

Holtzman knikte. 'Een knap meisje', zei hij en Dennis kon al zien dat hij een tegenwerping aan het maken was: knapheid was een deugd. Ze zou wachten tot Billy het geld zelf had verdiend.

Dennis knikte. 'Niet lelijk', zei hij, tegensprekend wat niet was uitgesproken. 'Maar voor Billy wordt haar hoofd omringd door de maan en de sterren. Ik weet niet of hij kan wachten.'

Holtzman haalde licht zijn schouders op en raakte met duim en wijsvinger zijn borst aan. Dennis zag zijn blik verlangend naar zijn dikke boterham gaan.

'Eet, alstublieft', zei hij. 'Ga gerust uw gang.'

Gretig pakte Holtzman de boterham vast en wierp, terwijl hij dat deed, een tweede verlangende blik op zijn inventarislijst. Dennis begon zich af te vragen of hij misschien naar zijn moeder had moeten gaan. Maar hij was er zeker van geweest dat zijn kansen bij Holtzman beter waren. De man had tenslotte een blijkbaar comfortabel en zelfgenoegzaam vrijgezellenbestaan opgegeven om zich over een berooide vrouw en haar volwassen zoon te ontfermen; hij had zijn huis voor hen opengesteld en zijn vakantiehuisje op Long Island; hij had zijn antieke meubels in de kelder gezet of aan haar familieleden rondgedeeld om haar tweedehands rommel een plaatsje te geven. Hij had zijn ochtendroutine aangepast, zijn testament herschreven, in zijn winkel een zogenaamde 'familiereductie' ingesteld (wat in wezen neerkwam op twintig procent korting voor iedereen die als een deel van de groeiende erfenis van Daniel Lynch werd geïdentificeerd) en zijn eigen kruideniersrekening met minstens vijftig procent verhoogd. Hij had zijn leven ingewikkelder gemaakt. Allemaal omdat een klein vrouwtje zijn schoenenwinkel was binnengekomen op zoek naar maat vijfendertig. Allemaal omdat ze haar gekouste voetje in de palm van zijn hand had gelegd.

Hij had, volgens Billy's moeder, die erbij was, overvloedig, dankbaar geweend terwijl hij in de schemerige voorkamer van de pastorie zijn trouwbeloften opzei.

Holtzman nam nog een hap van zijn boterham, streek met zijn tong langs zijn tanden, kauwde en drukte het servetje tegen zijn dunne lippen. Hij was er nooit in geslaagd Dennis recht aan te kijken. *De man van mijn moeder.* Ten slotte zei hij: 'Ik ben geen rijk man.'

Dennis knikte, mompelde als een priester. Dat begreep hij, zei hij.

'Het geld groeit me niet op de rug', zei hij. Dat begreep Dennis ook. 'Het is een heleboel geld', voegde hij eraan toe terwijl Dennis bleef knikken. 'Ik weet niet of ik zelf aan zo veel geld kan komen.'

Dennis tuitte meelevend zijn lippen. Hij werd altijd getroffen door de ironie van de situatie. Zijn vaders rijkdom, die zuiver figuurlijk was, was altijd met veel verve verkondigd. Die van Holtzman, een letterlijk feit, werd gestaag ontkend.

'De zaak heeft zich nog steeds niet helemaal van de oorlogsjaren hersteld', zei hij. 'Oude klanten kwamen me vertellen dat ze hier niet meer zouden kopen om wat er in Europa gebeurde. Leer ging op rantsoen, weet je. Ik moest die ellendige corduroy schoenen verkopen. Ik ben veel handel kwijtgeraakt.'

Hij keek naar de dikke boterham in zijn hand, scheen te overwegen of die strijdig was met zijn verhaal over magere jaren en beet er toch in.

'Dan is Billy misschien een aanwinst', zei Dennis tegen hem terwijl hij kauwde. 'Het maakt misschien indruk op uw klanten als ze horen dat u een oud-soldaat helpt.'

Holtzman nam dit in overweging, scheen het nog niet zo gek te vinden, maar deed het toen met een schouderophalen af voor het geval dat Dennis het idee mocht krijgen dat hij iets op hem voorhad.

'Het is een knappe vent', ging Dennis verder. 'Met een vriendelijke stem. Mensen vinden hem aardig. Vrouwen vinden hem aardig.'

Holtzman haalde zijn schouders weer op alsof hij wilde zeggen dat Dennis niets van de schoenenhandel begreep.

'Als u het eens als een investering beschouwde en niet als een lening.'

'Het is een hoop geld', zei Holtzman.

'Het is wat hij volgens mij echt nodig heeft.'

'En wanneer zou hij hier zijn? Alleen zaterdags?'

'Is zaterdag niet uw drukste dag?'

Holtzman schudde zijn hoofd. 'Hij zal er heel lang over doen om vijfhonderd dollar terug te verdienen als hij alleen op zaterdag werkt.'

'Hij betaalt u ook terug van zijn salaris bij Edison', zei Dennis. 'En ik spring zelf ook bij.'

Holtzman legde de boterham neer, veegde bevallig zijn vingertoppen af en daarna zijn mond. Draaide zich een beetje om in zijn stoel alsof hij, dacht Dennis, op het punt stond hem weg te sturen. Maar toen zei hij, de tong in zijn wangen stekend en zijn papieren bekijkend: 'Ik denk erover donderdagsavonds open te blijven. Gimbel doet het ook.'

'Billy zou hier donderdagsavonds kunnen zijn', zei Dennis. 'Billy zou hier makkelijk om half zes kunnen zijn.'

Holtzman zoog weer aan zijn tanden, ging naar een ander velletje van de inventarislijst op het bureau voor hem. Het was duidelijk dat hij steeds geïnteresseerder werd terwijl hij een toenemende onverschilligheid voorwendde. Lang niet zo slim als hij dacht te zijn. 'Wat weet hij van schoenen af?' vroeg hij.

Dennis lachte. 'Wat valt er helemaal te weten?' en verbeterde zich toen vlug: 'Smitty kan hem vast wel laten zien wat hij nodig heeft.'

Holtzman keek op van zijn bureau. 'En hij is bereid dit te doen?'

Dennis grijnsde. Hij had er nog niets over tegen Billy gezegd.

'Meent u dat nou?' zei hij. 'Hij staat te popelen om het te doen. Hij is dol op dat meisje. Het is al bijna een jaar geleden. Hij snakt ernaar om haar te zien.'

Achteloos boog Holtzman zich omlaag en schoof de onderste la van zijn bureau open. 'Ik betaal hem een dollar per uur om te beginnen. Donderdags tot negen uur. Zaterdags van negen tot zes. Twaalfvijftig per week. Vijftig dollar per maand.' Hij tilde een zwaar chequeboek uit de la en wierp het op zijn bureau. Sloeg het open. 'Hij doet er één keer per maand bij wat hij van zijn gewone salaris kan missen.'

'Hoeveel rente wilt u?' vroeg Dennis.

Holtzman wuifde met de pen die hij had opgepakt. 'Dit is familie', zei hij. En toen voegde hij er onder het schrijven aan toe, een ander soort betaling vorderend: 'Jullie jongens zullen nooit geld hebben als je alles uitgeeft voor je het hebt verdiend.' Hij had het tegen een kind kunnen hebben.

Dennis voelde zijn wangen gloeien. 'Dit is een voorschot, meneer Holtzman', bracht hij hem in herinnering. 'Billy verdient het heus wel.'

Holtzman hief zijn hoofd op en keek Dennis met een sluwe blik aan – een blik die heel oppervlakkig was. 'Maar eerst geeft hij het uit.'

Billy zat aan zijn bureau toen Dennis weer op kantoor kwam. Hij legde de cheque voor hem neer. 'Alsjeblieft', zei hij en hij begreep voor het eerst waarom zijn vader failliet was gegaan en zijn vrouw van zich had vervreemd en hun kleine woning met verre familieleden van overzee had gevuld: gewoon om deze macht, deze euforie te ervaren. Gewoon om te kunnen zeggen, zoals hij die dag op het kantoor aan Irving Place tegen Billy zei: 'Alsjeblieft.' Hier is je leven.

Tevreden over zichzelf en nog vol van Billy's lieve, verlegen dankbaarheid, besloot hij die dag ook dat hij met Mary zou trouwen als Eva kwam. Voor de verandering eens oprecht te biecht zou gaan, ja zou zeggen en het ook zou menen, in plaats van er ogenblikkelijk een nieuwe zonde van te maken als de priester achter het donkere traliewerk vroeg of hij van plan was met dat meisje te trouwen met wie hij gemeenschap had. Hij zou haar een ring geven op de dag dat Billy met Eva trouwde. Een eigen woning voor hen zoeken. Met zijn leven beginnen. Waarom niet? Het was brood wat je op de lange duur wilde, als je het goed beschouwde. Goed beschouwd wilde je niet je leven lang cake. En het zou er een mooie zomer door worden.

Billy maakte het geld in april aan Eva over en in zijn volgende brief vroeg hij haar of ze hem haar schoenmaat en de maten van haar jongere zusjes wilde sturen zodat hij iets voor hen in de winkel zou kunnen oppikken. Dit deed ze en ze sloot bij haar laatste berichtje aan hem een opgevouwen vel pakpapier in waarop de omtrek van haar rechtervoet en die van haar drie jongere zusjes stond. Ze zei dat ze wist dat schoenmaten in de Verenigde Staten anders waren en dacht dat dit de beste manier was om te zorgen dat ze goed zouden passen. Ze zei ook dat dit maar een kort briefje zou worden – ze wilde de eerstvolgende lichting nog halen – en dat ze later meer zou schrijven. Ze zei dat ze druk aan het plannen maken was.

In de schoenenwinkel spreidde Billy die zaterdagmorgen het bruine papier op de toonbank uit zodat Smitty, de winkelbediende van meneer Holtzman, alle maten kon bepalen. Smitty raadde hem molières voor de zusjes aan en tegen lunchtijd had Billy zelf een paar wit met lichtbruine loafers voor Eva uitgekozen. Hij had die morgen een paar aan een vrouw verkocht, een jonge vrouw die alleen maar was binnengekomen om haar oude vader een paar loafers te laten aanmeten. De schoenen hadden zelfs haar dikke enkels elegant en sportief doen lijken.

Hetzelfde meisje kwam die zomer tweemaal terug, een keer opnieuw met haar vader, een keer met een spraakzame vriendin die toen paste en kocht. Dit was de zomer dat Billy iedere avond met ingehouden adem de post doornam die zijn moeder op het dressoir had laten liggen en er niets, zoals hij hun bij Quinlan vertelde, helemaal niets van Eva tussen vond. Dezelfde zomer dat Dennis aantekening was gaan houden van alle eenvoudige dingen die een meisje uit Brooklyn wist maar die een meisje uit Ierland uitgelegd moesten worden.

Zoals het taboe dat een meisje een jongen opbelde. Op een zondagmiddag laat in september van 1946 vertelde Holtzman aan Dennis dat er een jongedame aan de telefoon was en reikte hem de hoorn aan terwijl hij afkeurend zijn hoofd schudde. Dennis ging naast het driepotige telefoontafeltje zitten dat Holtzman ooit uit een hoop oude rommel aan de stoeprand bij iemand anders had gehaald. Een uur later ontmoette hij Mary bij de dienstingang van haar gebouw in Seventieth Street, om de hoek van Park Avenue. Hij dacht dat als ze in verwachting was, hij natuurlijk onmiddellijk met haar zou trouwen en zichzelf zou voorhouden dat het Gods hand was (met zijn vader als adviseur) die hem in de richting van een toekomst bewoog waarvan hij nu pas begreep dat hij die nooit echt had gewild. Een toekomst waarin zijn eigen pech de keerzijde was van Claire Donavans kans om met haar zeeman te trouwen.

Maar wat Mary hem te vertellen had ging allemaal over Eva.

Dit was in dezelfde week dat Maeve, die haar eigen lot probeerde te arrangeren, in haar eentje de winkel binnenkwam. Het was donderdagavond, het begon net donker te worden, en Smitty werkte alleen. Hij vertelde haar, om een praatje te maken, dat hij niet zeker wist of hij zijn jonge assistent kwijt was. Meneer Holtzman had hem die ochtend alleen maar verteld dat Billy die avond niet zou komen. 'We zullen moeten afwachten of hij zaterdagmorgen komt opdagen', zei Smitty tegen haar en hij liet haar hiel los zodat ze de kans had haar voet op de grond te zetten en haar tenen een beetje te bewegen en hem, voorovergebogen om de nieuwe schoenen te bekijken, ten slotte te vertellen dat ze er (geen verrassing) toch niet zo weg van was.

Voorzichtig haar enkel vasthoudend trok hij de nieuwe schoen uit en stopte hem weer in de doos. Om haar verdere gêne te besparen (ze bloosde al tot aan haar haren) bood hij niet eens aan haar een ander paar te laten zien. Hij zei alleen maar, terwijl hij haar voet weer in de bruin met witte loafer liet glijden – helemaal afgedragen nu en ongeschikt voor de tijd van het jaar – dat er voortdurend nieuwe modellen binnenkwamen. Ze moest nog maar eens terugkomen.

Hij schoof zijn krukje opzij en stak zijn hand uit om haar overeind te helpen en schonk haar zo een ogenblik van vorstelijke gratie – een attentie die hij iedere vrouwelijke klant bewees – terwijl ze opstond.

'Probeer het een andere keer nog eens', zei hij vriendelijk.

Hij was een keurig mannetje met dunner wordend haar en een donkere snor. Zij was een jaar of achtentwintig, met een bruine driekwart tweedmantel aan, een grijze rok en schoenen die na Labor Day afgedankt hadden moeten worden. Ze had haar haar in losse krullen gekamd die net op haar schouders hingen, en haar lippenstift was zo vers dat er nog een spoor van op haar voortanden zat. Smitty verkocht al vijfentwintig jaar schoenen, tien bij A&S, vijftien bij Holtzman. Hij was getrouwd, had geen kinderen en in dit stadium van zijn leven weinig liefde, maar hij herinnerde zich nog genoeg om te beseffen hoeveel moeite het haar had gekost om helemaal alleen naar binnen te lopen, zonder een aandacht eisende oude man of brutale vriendin achter wie ze zich kon verstoppen. Hij vroeg later aan Dennis of hij het niet typerend voor het leven vond dat de avond waarop zij besloot het risico te nemen, de teerling te werpen of het rad een duwtje te geven en af te wachten wat ervan zou komen als zij alleen met Billy in de schoenenwinkel was, helemaal alleen met zijn tweeën (als het een beetje meezat), nu net de avond was, de eerste tot nu toe, dat Billy niet kwam opdagen.

Smitty dacht erover om haar te vertellen, terwijl hij met haar naar de deur liep, dat er een meisje in Ierland was dat zijn diamanten ring droeg, maar wie zou iemand zo'n extra vernedering kunnen aandoen? Er was trouwens geen tijd voor, want toen ze zich eenmaal van de verplichting had afgemaakt nog een paar schoenen aan te passen, toen ze eenmaal had ontdekt dat Billy er inderdaad niet was, was ze zó weg. Misschien geloofde ze dat de tijd die ze bespaarde op dit vergeefse bezoek aan het volgende kon worden toegevoegd wanneer ze hem toch zeker niet weer mis zou lopen, al was het alleen maar volgens de wet van het toeval.

Die volgende morgen toen Holtzman binnenkwam hoorde Smitty wat de reden voor Billy's afwezigheid was: zijn verloofde in Ierland was overleden. Longontsteking. Het was echt iets voor die man om het nieuws pas te vertellen nadat het enige invloed op het reilen en zeilen van zijn winkel had gehad. Holtzman zelf, en Billy, wisten het blijkbaar al sinds maandag of dinsdag.

'Dus hij komt hier niet meer werken', zei Smitty. 'Zonder een huwelijk om voor te sparen.'

Maar Holtzman schudde zijn hoofd. 'Hij komt wel terug.' Hij klopte een oprisping weg en raakte daarbij zijn hart aan, een gebaar dat de indruk wekte alsof hij zichzelf troostte, zichzelf geruststelde. Hij was op Billy gesteld, wist dat de dames ook op hem gesteld waren. De zaken gingen goed. 'Hij wilde alleen gisteravond vrij. Hij komt zaterdag weer. Hij blijft hier werken.'

En dat bevestigde wat Smitty was gaan vermoeden, toen hij merkte dat Holtzman Billy's uren zorgvuldig noteerde maar nooit een loonzakje van de een naar de ander zag gaan: Billy werkte om een schuld af te betalen.

'Wat een slag voor hem, die arme kerel', zei Smitty.

Holtzman keerde zijn hand om en om, alsof je de situatie op meer dan een manier kon bekijken. 'Het leven gaat door', zei hij.

Zoals beloofd was Billy die zaterdag weer in de winkel, bleker misschien, dunner misschien. De huid om zijn ogen wellicht dikker dan anders, zijn adem licht ruikend naar alcohol. 'Het spijt me van je meisje', zei Smitty en Billy pakte zijn arm net boven de pols vast en zei: 'Dank u, meneer Smith. Ik wou dat u haar had ontmoet', voordat zijn stem stokte. Er was zo'n volmaakt vertrouwen, zo'n volmaakte hulpeloosheid in Billy's korte aanraking (Smitty had maar een keer eerder zoiets gevoeld toen hij een blinde vrouw op de trap van de ondergrondse een arm had gegeven), dat Smitty, hoewel hij amper tot Billy's schouder kwam, onmiddellijk zijn hand onder Billy's elleboog stak alsof hij hem meer steun wilde geven. 'Hij was ten einde raad', zei Smitty tegen Dennis toen Dennis de volgende keer in de winkel kwam. 'Ik heb altijd gezegd dat degenen die altijd grapjes maken de dingen dieper voelen dan anderen. Dat heb ik altijd gezegd.'

Smitty begon zich in de maanden en jaren daarna terug te trekken wanneer er een jonge vrouw de winkel binnenkwam als Billy er was, ervan overtuigd, omdat het nu eenmaal zo was met de levensdrang (hij knipoogde toen hij dit tegen Dennis zei, de duidelijkste manier waarop hij kon aangeven dat hij het over seks had), dat zijn verdriet vroeg of laat voorbij zou gaan en een van de jonge vrouwen die binnenkwamen zijn aandacht zou trekken.

Toen Maeve in de loop van januari terugkwam, met opnieuw haar sloffende oude vader op sleeptouw, dook Smitty het magazijn in tot Billy klaar was met zijn laatste klant en toen hij de winkelruimte in gluurde, zag hij dat Billy de schoen van de oude man uit had en zijn maat probeerde te nemen – de man aan een stuk door mopperend, het meisje hem zacht overredend. En Billy die geduldig de dikke voet van de man op de houten maatlat tilde en hem er steeds weer zag afglijden.

'Een lastig sujet', zei Smitty toen Billy het magazijn in kwam om de maat van de man te pakken.

'Je kunt ruiken dat hij bier op heeft', zei Billy tegen hem. 'Hij moet een liter bij zijn cornflakes hebben gedronken.'

Er was een beetje een gedoe met de schoenlepel: de oude man die onhandig een rondje door de winkel liep met de zilveren schoenlepel nog achter in de hiel, omhoogstekend onder zijn broekspijp, en Billy die hem met lange sprongen, in gebukte houding achterna draafde en de lepel probeerde terug te pakken. Het meisje keek toe en begon te glimlachen. Billy ving haar blik op en glimlachte ook. Een begin.

Maar natuurlijk sloot hij het eerst vriendschap met de oude man; Maeve stond erbij als een of andere sprookjesprinses die haar lot afwachtte terwijl Billy ontdekte dat de familie van de oude man aan zijn moeders kant ook uit Mallow kwam en dat hijzelf meer dan eens in de tram in Brooklyn had gezeten met die verhalen vertellende Ier op wie iedereen zo gek was – dus dat was je oom, hè? Er was de oorlog om over te praten en de Yankees en de Dodgers. De radiopreken van bisschop Sheen. Het ongemak, voor een man op zijn leeftijd en met zijn maagproblemen, om vanaf middernacht te moeten vasten voor de zondagsmis en de mensen die hij in de loop der jaren had gekend die bij Con Ed hadden gewerkt, voor twee bazen hadden gewerkt zoals Billy deed, bij de NYPD hadden gewerkt zoals hij had gedaan. 'Toen Maeve, mijn dochter hier,' wijzend naar de neergeslagen ogen en het bruine haar met de scheiding, 'acht jaar was, overleed haar moeder' – en je kunt je het grenzeloze medelijden in Billy's blauwe ogen voorstellen, grenzeloos en zonder aarzeling en, vooral, niet afgezwakt door de som van de tussenliggende jaren, de jaren sindsdien, die de oude man van ieder ander die hij kende als een glas aangelengde whisky, een kop slappe thee kreeg aangereikt, alsof de tijd die voorbij was gegaan sinds haar overlijden een soort troost was. Billy begreep natuurlijk dat er geen troost bestond, niet wanneer de liefde die je had gevoeld hevig en oprecht was geweest.

Ze zaten bijna knie aan knie, Billy op zijn krukje, de doos met nieuwe schoenen op zijn schoot. De oude man in de versleten roodleren stoel, zijn handen op het koude staal van de armleuningen, terwijl de tranen hem in de ogen sprongen – altijd roodomrand en waterig – en de zakdoek naar zijn neus ging – altijd gezwollen en rood als een kers – toen hij over het leven van zijn vrouw, zijn eigen veronachtzaming en toewijding vertelde en Billy, met alle geduld, alle tijd van de wereld, naar hem luisterde, met de aandacht van een leergierige leerling, een adorerende aanhanger, luisterde alsof hij onderricht kreeg, zelfs toen nog onderricht nodig had, in de hardnekkigheid van verdriet.

Toekijkend zag Maeve haar vaders toekomst met deze aardige, hoffelijke jongeman voor ze de moed had zich haar eigen toekomst voor te stellen. Of liever gezegd, opgeleid door nonnen en doordrongen van heiligenlevens (de stille, dienstbare heiligen die, hoewel ze niet de beste rol hadden gekozen, nooit een zin, of zelfs een heldere gedachte, hoefden te vormen over hoe ze Hem beminden en waarom, omdat ze te druk met voedsel en drinken in de weer waren), zag ze dat hij alleen via het leven van haar vader, dat het enige leven was dat ze zichzelf had toegedacht, een deel van haar leven zou worden.

Het geval van Maeve was natuurlijk niet ongewoon. 'Ongewoon voor jouw generatie nu', zoals mijn vader het verwoordde, 'maar niet voor de onze.' De dochter gekoppeld aan de vader die weduwnaar was. Over Maeve gesproken, mijn vader had ooit tegen me gezegd dat het grapje wel altijd over de Ier, de Ierse vrijgezel, gaat die zijn lieve moeder eeuwig trouw blijft, maar dat je eens naar de aanhankelijkheid van een ongetrouwde Ierse vrouw aan haar oude vader moest kijken als je echte felheid wilde zien. Ik denk dat dit precies het beeld was waartegen ik me had verzet in de jaren nadat mijn eigen moeder was gestorven, toen ik naar Canisius vertrok in plaats van thuis te blijven en naar St. John's of Queens of Malloy ging, toen ik zomers maar korte vakanties nam opdat mijn vader zou beseffen dat ik een eigen leven had, ondanks hem, ondanks de zware last die op mijn hart maag borstkas drukte wanneer ik eraan dacht dat hij alleen was, alleen liep, naar kantoor ging, boodschappen deed, at, om vier uur 's nachts thuiskwam nadat hij een van Maeves telefoontjes had gekregen, nadat hij Billy van de vloer of uit zijn auto had geholpen of naar het ziekenhuis had gebracht, als dat nodig was. Zelfs toen ik met Matt trouwde en we naar Seattle vertrokken. Ons eigen leven, zeiden we. Omdat men inmiddels had ingezien dat zelfopoffering een waanidee was, geen deugd. Zelfbewustheid meer en vogue.

Maeve was pas acht toen haar moeder overleed – mijn vader hoorde het verhaal in het kleine keukentje, bij al die kopjes thee en plakjes cake die ze hem had geserveerd als ze Billy in bed hadden gekregen, in al die nachten dat ze hem had laten komen. Er was nog een kind geweest, een ouder zusje, dat aan loodvergiftiging was gestorven toen Maeve heel klein was. Als de dochter van een politieman had Maeve al jong een besef gekregen van de onzekerheid van het leven, het risico dat je nam als je alleen maar de deur van je woning uit liep. Haar moeder, een en al valse moed, raakte haar vaders rug, de zoom van zijn jas aan als hij naar buiten ging en ademde pas weer, sloeg een kruisje, op het moment dat ze hem op straat zag lopen. Er kon van alles gebeuren en dat gebeurde ook, en Maeve voelde de zware hand van haar treurende vader op haar schouder. Hij had haar naar vrouwelijke familieleden kunnen sturen, maar in plaats daarvan slaagde hij erin zijn surveillancewerk voor bureauwerk te ruilen zodat hij voor haar kon blijven leven. De nonnen op school namen met plezier het kind onder hun hoede voor zoveel uur als nodig was en Maeve sprak vaak, of zo vaak als ze over iets sprak, over de prettige middagen die ze op de kleine binnenhof van het klooster naast de school had doorgebracht (met klimop begroeide muren, één eikenboom, een beeld van Sint-Franciscus boven een betonnen vogelbadje, een van de Maagd Maria in de holte van de boom) of in de zelden bezochte voorkamer, waar de stilte tastbaar, weelderig was, nog eens benadrukt door de zachte voetstappen van de zusters die de gang door of de trap op liepen of binnenkwamen om haar een glas ginger ale en een paar volkorenbiscuitjes op een schoteltje te brengen. Er stonden ijsbloemen op de ramen, haar huiswerk lag voor haar uitgespreid op een smal, naar citroen geurend bureautje, haar handschrift, de mooie ronde volmaaktheid ervan, haar grootste trots.

Er was geen sprake van dat ze een baan zou moeten zoeken

toen ze van school kwam, iets waarom ze door haar vriendinnen werd benijd, die met stenografie en telefooncentrales worstelden en om acht uur bij de ondergrondse stonden. Er was ook geen sprake van dat ze voorgoed bij de nonnen zou gaan. Ze deed de boodschappen en maakte het huis schoon en kookte zijn eten. Lippenstift was voor het weekend, een bioscoopje met de meiden, een zaterdagmiddag in de winkels langs Jamaica Avenue. Haar vader dronk de meeste avonden, maar dat was een man zijn recht en, met zijn vrouw in het graf, zijn enige troost. En als het uit de hand liep, als hij beschonken tegen haar snauwde of tegen haar vloekte of met zijn armen zwaaide alsof haar liefde en aandacht spinnenwebben waren waarmee ze hem had omwikkeld, kon ze naar de nonnen gaan, die haar zwijgend aanhoorden en aanraadden te bidden, maar er ook voor zorgden dat de pastoor haar vader wenkte wanneer Maeve en hij de volgende keer naar de mis gingen. Dus ze had ook de aandacht van mannen: haar vader als hij lief voor haar was en de priesters als hij lastig deed, en de slager en de knaap van de kiosk en zelfs van tijd tot tijd een paar jongens die ze van school kende, niet de knapste natuurlijk, voornamelijk de lelijke, met pukkels en klamme handen, de zwijgzame (wat voor hen tweeën een lange avond met korte vragen en korte antwoorden betekende) die in haar alledaagsheid, haar gebrek aan vooruitzichten hun eigen voordeel zagen. Billy kreeg ze voor het eerst in het oog toen hij zich vooroverboog om een paar nieuwe schoenen in Holtzmans etalage op Jamaica Avenue te zetten, met zijn hand op zijn hart om zijn stropdas tegen te houden. Hij keek op en glimlachte, maar ze wist zelfs toen al dat hij naar iedereen zou hebben geglimlacht.

Haar vader naar de winkel meenemen was voor haar de manier om Billy in één oogopslag haar leven te tonen. Haar vriendin meenemen was een wanhopige flirtpoging: als hij verliefd werd op haar praatgrage vriendin, zou Maeve hem tenminste tijdens haar leven kennen. Alleen naar binnen lopen was een droom, maar zoals bleek de droom van een ander meisje. Zij was het alledaagse meisje met de vader, het meisje dat zonder hem non zou zijn geworden. Zij was het meisje dat, nu ze deze rol had gekozen, kalm moest toezien terwijl zijn toekomst voor haar werd gevormd.

Ook geen van de aanwezigen in Maeves woonkamer die avond zou het zich hebben kunnen herinneren, niet nauwkeurig tenminste: hoe jong ze toen waren geweest. Hoe belangrijk deze dingen waren.

Mac, de man van Rosemary, die zelf ooit zo jong was geweest (in het volle appartement, in het kinderbed van zijn jonge bruid), zat op de met plastic hoezen afgedekte brokaten bank, zijn hemdsmouwen opgestroopt, zijn broekspijpen netjes opgetrokken boven de knie. Hij had zichzelf de taak toebedeeld de walnoten te kraken die in een porseleinen schaal op de salontafel waren gezet en de gepelde noten uit te spreiden op een papieren servet. Hij zat als een horlogemaker over zijn werk gebogen. Hij was al eenmaal naar de delicatessenwinkel op de hoek geweest om broodjes te halen en nog een keer voor een fles ginger ale. Hij had op een stoel gestaan om in de keuken een nieuwe gloeilamp in te draaien en had met een bezem uit Billy's garage het natte voetpad geveegd en nu kraakte hij walnoten alsof hij aan een niet-aflatende vraag moest voldoen, hoewel de stapel die hij had verzameld al te groot voor het papieren servetje was geworden.

Billy's zusje Rosemary liep heen en weer van de keuken naar de woonkamer en stopte nu en dan om uit de ramen aan de voorkant te kijken, in de hoop bezoekers vóór te zijn – zoals ze ons vóór was geweest – die misschien zouden aanbellen of op de deur kloppen en Maeve zouden storen. Er zat nog een echtpaar in de woonkamer bij Mac, buren uit het huis ernaast, en Kate was er, zij het nog steeds zonder haar rijke echtgenoot. Twee vriendinnen van Maeve uit het Marialegioen hadden zich in de keuken geïnstalleerd.

Een Indiaas echtpaar van de overkant kwam langs met een dekschaal, maar kon niet overgehaald worden te blijven. Twee mannen van Edison en hun echtgenotes gingen net weg toen wij binnenkwamen. Dan Lynch arriveerde met de bus en had een doos banketbakkerskoekjes bij zich. Hij had zijn kostuum uitgedaan maar zag er des te verzorgder uit met een gestreken sporthemd en een geruite broek. Hij ging ook in de woonkamer zitten en zette zijn theekopje en schoteltje op zijn knie.

Het smalle huis was een museum van Billy's leven die avond – die gedachte moest toch wel bij je opkomen? Van de stoeprand waar we de auto parkeerden tot de drie stenen treden naar de koele gang, schemerig als een kerk, die langs de woonkamer liep en de trap naar de keuken en de achtertuin waar Shortchange, Billy's bonte bastaardhond, was gaan te janken zodra hij mijn vaders stem hoorde.

Hoe kon mijn vader er niet aan denken: de aanblik van Billy's auto half op de stoep en half in de berm neergezet, of achtergelaten met de achterkant uitstekend in de straat, aan de diepe snee boven Billy's oog, met de afdruk van bakstenen eromheen, zijn lichte schoenzolen terwijl hij languit in de halfduistere gang lag, of Maeve die in haar roze chenille peignoir naast haar man stond: 'Als jij hem maar onder zijn armen kan pakken, Dennis.'

Hij moest toch wel aan haar gekmakende kalmte denken in die nachten, wanneer ze naar de keuken ging om water op te zetten nadat het hun gelukt was Billy naar bed te slepen – de dronkaard de trap op gesjouwd en uit zijn kleren gehesen, zijn wonden gebet met een watje gedrenkt in peroxide, zijn schoenen schoongewreven met een natte doek en op het stoepje gezet om te drogen, gewoon weer een huisvrouwentaak die volbracht was.

'Lust je daar een plakje cake bij, Dennis?'

(Hij moest toch wel aan mijn moeder denken in die nachten, thuis, nog gezond, diep in slaap in hun bed, terwijl hij bij Maeve zat en een oplossing, een ontwenningskuur besprak. Of aan al die nachten in de afgelopen tien jaar wanneer hij naar ons huis terugkeerde nadat Maeve hem had laten komen, en dan helemaal alleen was.)

Mijn vader had altijd beweerd dat Maeve net zo tevreden was met de schijn van nuchterheid als met de nuchterheid zelf, meer tevreden eigenlijk, omdat echte, blijvende nuchterheid het einde zou hebben betekend van die waanzinnige nachten, die lange dagen van hem verzorgen en op hem wachten, en hoe zou ze dan haar tijd moeten vullen?

Door de telefoon, die aan de muur in het kleine keukentje hing, zei ze tegen mijn vader als hij belde: 'O, Billy is al naar bed, Dennis. Hij slaapt nu vast al...' of: 'Hij is net de deur uitgegaan om Shortchange uit te laten', waarna ze een paar uur of zelfs de rest van de nacht voorbij liet gaan voor ze hem terugbelde om te vragen of hij alsjeblieft wilde komen om Billy van de straat of de vloer te halen, of, een keer, weg van haar slaapkamerdeur, waarachter ze zich voor hem had verschanst.

Of hij hing op, ervan overtuigd dat ze gelogen had (zich tot mijn moeder wendend om haar dit te zeggen) en dan ging de telefoon plotseling, terwijl zijn hand nog boven de hoorn zweefde, en daar was de stem van Billy, een beetje buiten adem maar nog nuchter: 'Ben net binnen', op de achtergrond het geklepper van de riem en het getik van de hondenpootjes op het linoleum. 'Laat me haar even een stukje hondenbrood geven.'

De stem van Billy door de telefoon, deze telefoon: daar moest hij toch wel aan denken?

We waren pas een paar minuten in het huis, hadden alleen maar van de stoeprand naar de gang en de keuken gelopen, toen mijn vader de riem pakte die aan een haakje bij de achterdeur hing en zei dat hij het arme dier even zou uitlaten.

Maeve lag boven te rusten. Rosemary en de twee vrouwen van het Marialegioen maakten duidelijk dat ze erop had gestaan dat niemand om haar weg zou gaan – dat iedereen moest blijven, iets moest drinken, al het eten opmaken. Ze had volgehouden dat het een troost voor haar was mensen in huis te hebben, maar ze moest een uurtje of zo gaan liggen, haar ogen even rust gunnen in een donkere kamer. Bij zichzelf nagaan, misschien, hoe ze zich voelde nu de beproeving eindelijk voorbij was.

Aan de muur boven de keukentafel, die nu volstond met ovenschalen en met folie afgedekte cakevormen en banketbakkersdozen, hingen drie rode appels van vezelplaat, uit één ervan stak een lachende worm van vezelplaat: een overblijfsel van een reclamecampagne rond het begin van het nieuwe schooljaar uit de schoenenwinkel van Holtzman.

In de woonkamer beschreef Dan Lynch een andere begrafenis: de kerk vol, de gangpaden vol, het portaal vol, zelfs de stoep die naar de straat voerde. Het had die dag ook geregend, maar de menigte op het kerkhof was zo dicht dat hun paraplu's een ononderbroken dak vormden. En zelfs als je er niet onder stond, werd je zo beschut door de mensen naast je dat alleen de bovenkant van je hoofd en je schouders nat konden worden. En vanuit die menigte, op een stil ogenblik toen de kist in het graf werd neergelaten, begon de vader van Billy Sheehah volkomen spontaan te zingen. 'Danny Boy', natuurlijk. Een mooie tenor die haast klonk alsof er een grammofoonplaat werd afgepeeld, met de regendruppels op al die paraplu's. Iedereen kreeg het bijna te kwaad, zo'n ontroerend moment was het. En Dan Lynch had toen het voorbij was tegen Dennis gezegd, allebei tieners toen: 'Je vader zou dit prachtig hebben gevonden.' Maar Dennis wees naar de overkant van de weg waar een ander, kleiner groepje rouwenden net van een ander graf wegliep. 'Mijn vader zou zich afvragen waarom we hen niet hadden uitgenodigd', zei hij.

Op straat had een voorbijganger aan de moeder van Dan Lynch gevraagd of ze een politicus hadden begraven – zoveel mensen waren er. 'Mijn moeder zei ja, maar de beste soort politicus die er was, omdat hij zich nergens voor verkiesbaar had gesteld. Hij zou je altijd een hand geven, vragen hoe het met je ging. Hij zou je het hemd van zijn rug hebben gegeven als je zei dat je het nodig had, maar hij stelde zich niet verkiesbaar en had zich nooit verkiesbaar gesteld, dus hij was de beste soort politicus.' Hij knikte om het nog eens te bevestigen. 'Dat zei ze. Ik zal het nooit vergeten. Ik vond het heel goed gezegd.'

'Hij was eigenlijk tramconducteur', zei Kate tegen het echtpaar van het huis ernaast. 'In Brooklyn.' Ze was rijk genoeg om trots te zijn op dat feit, om het aan te voeren als bewijs van hoe ver zij het met haar eigen tak van de familie had gebracht, terwijl het echtpaar zelf (nog twee Ierse Amerikanen, de man blozend, de vrouw mollig) met hun snelle instemmende geknik en hun overvloedig 'aah'-geroep scheen aan te geven dat zij misschien gelogen zouden hebben en gezegd dat hij minstens inspecteur bij het vervoersbedrijf was – voeg een promotie aan zijn geschiedenis toe, ook al had hij er bij zijn leven nooit een gehad, wat school daar voor kwaad in?

'Hij heeft Sheila op die tram ontmoet', zei Kate en tegen de buren: 'De moeder van Dennis, onze tante Sheila. Ik heb horen vertellen dat alle passagiers in de tram klapten toen ze de eerste keer iets tegen hem zei.'

'Dat herinner ik me', zei Dan Lynch.

'Ze kan niet ouder dan zeventien of achttien zijn geweest toen ze met hem trouwde', zei Kate.

De twee dames van het Marialegioen waren naast haar komen staan in de deuropening van de eetkamer. 'Zo ging het vaak in die tijd', zei de langste. Het leek bedoeld als een verontschuldiging. 'Je weet wel, de meisjes heel jong en de mannen van middelbare leeftijd.' Ze was lijkbleek en zelfverzekerd. Zelfs terwijl ze nonchalant tegen de brede deurpost leunde leek ze klaar om het heft in handen te nemen.

Mac klopte weer met een gebroken walnotendop in zijn dikke handpalm. 'Dus er is nog hoop voor je, beste Danny', zei hij. 'Je komt misschien toch nog met een lief jong ding aan je arm opdagen.'

Maar Dan Lynch stak zijn hand op. 'Die kans is voor mij allang verkeken', zei hij en hij lachte en werd rood, en pakte toen vlug de kop en schotel die bijna van zijn knie vielen.

Rosemary keerde zich van ons af en ging de donkere eetkamer achter ons in. 'Ik geloof dat Michael je voorbeeld wil volgen, Danny', zei ze roepend terwijl ze naar het dressoir liep waar de Waterford-karaf en de glazen eromheen bijna aan het oog werden onttrokken door een tiental ingelijste foto's. 'Ik zei een paar dagen geleden nog tegen hem dat zijn vader en ik over twee jaar al naar Florida vertrekken.' Ze keerde in het licht van de woonkamer terug, met een foto in haar hand. 'Dus als hij tot zijn vijftigste wil wachten met kinderen nemen, zal hij twee eersteklas babysitters mislopen.'

Mac koos weer een walnoot uit de blauwe porseleinen schaal. 'Hij hoeft zich niet te haasten', zei hij, over de rand van zijn bril kijkend. 'Er is nog tijd voor al die dingen.'

'Hij is tweeëndertig!' riep Rosemary – het was de echo van een aanhoudende woordenwisseling. 'Dat noem ik niet te vroeg.'

Haar man, die druk uitoefende op de zilveren notenkraker, keek haar niet aan.

Ze wendde zich tot de dames van het Legioen en overhandigde hun de ingelijste foto. 'Dit zijn oom Dan en tante Sheila', zei ze vriendelijk. 'Op hun trouwdag.'

De dames keken en knikten en gaven hem aan Dan Lynch om door te geven aan de buren. Hij keek er ook even naar, hoewel de foto in mijn vaders familie even vertrouwd was als een kruisbeeld of een portret van het Heilige Hart en net zo consequent werd tentoongesteld.

'Het was een fijne vent', zei Dan Lynch terwijl hij de foto doorgaf.

Er volgde een stilte die pijnlijk dreigde te worden; wij glimlachten allemaal een beetje en staarden naar de vloer. 'En waar heeft ze haar tweede man ontmoet?' zei de buurvrouw zacht tijdens die stilte.

Mac knipoogde naar haar man. 'Die vrouwen kunnen er niet genoeg van krijgen, hè?' zei ze.

En de man glimlachte en knikte. 'Romantiek', zei hij terwijl hij met zijn ogen rolde.

Mac kraakte weer een walnoot.

'Nou, het is interessant', protesteerde de buurvrouw, met een klapje op haar mans knie en glimlachend.

'Je moet toch érgens over praten', zei Rosemary, zonder te lachen.

'In de schoenenwinkel.' Kate sprak als een volwassene te midden van kibbelende tieners. 'In Jamaica, de winkel waar Billy vroeger werkte.'

'Ah', zei de vrouw, knikkend. 'Jamaica Avenue. Dat is nu Baker. Niet dat je daar nog heen zou willen gaan.'

'Niet als je blank bent', zei haar man en hij kreeg bijval van Mac.

'Ze heeft hem tijdens de oorlog ontmoet', ging Kate verder, die zich verre wilde houden van iedere uitbarsting van onverdraagzaamheid van de arbeidersklasse, 'toen ze naar binnen ging omdat ze schoenen zocht.'

'Dezelfde plaats waar Maeve Billy heeft ontmoet', voegde Rosemary eraan toe.

'Dat was nog eens een uitgekookt type', zei Dan Lynch tegen de mannen. 'Die Holtzman.' Hij telde op zijn vingers. 'Een Duitser', alsof hij een lijst van klachten samenstelde, 'had zijn eigen zaak, een groot bakstenen huis in Jamaica, nog een op Long Island, een derde in Fort Lauderdale. Dat huis op Long Island heeft hij in de crisistijd van een of andere arme dwaas gekocht die dacht dat Three Mile Harbour daar het volgende Coney Island zou worden. Holtzman heeft er praktisch niets voor betaald. Betaalde het zó uit zijn portemonnee, zei Billy, terwijl hij op de oprijlaan van dat huis stond. Ondertekende de akte op de motorkap van zijn auto. Uitgekookt.'

'Dennis heeft het nu', legde Rosemary uit. 'Het is een leuk huisje.'

'Dennis en Billy hebben het met zijn tweeën opgeknapt', bracht Kate hem in herinnering. 'Vlak na de oorlog.'

In Maeves eigen woonkamer, op haar brokaten sofa en stoelen, onder het warme licht van haar lampen, durfde niemand die het dacht 'Eva' te zeggen. Hoewel Kate niet kon nalaten op te merken dat Billy er door de jaren heen nooit meer naartoe was gegaan. Behalve die ene keer, toen hij uit Ierland terugkwam. In 1975. Ze had een ansichtkaart van hem gehad.

'Maeve ook', zei Rosemary. Ze zei dat Maeve boven een kaart van die reis had, in een hoekje van haar spiegel gestoken. Een foto van Home Sweet Home in East Hampton. Ze wendde zich tot de buren. 'Het huis uit dat oude liedje', zei ze. Billy had iets heel liefs achterop geschreven. Mijn mooie vrouw of lieftallige meisje. Ze kon zich de precieze woorden nu niet herinneren – het was misschien iets uit een van zijn gedichten – maar Maeve had de kaart bewaard en hem een paar dagen geleden aan haar laten zien. Dinsdag, nadat Dennis hun had laten weten dat Billy gestorven was.

'Holtzman was ook een oude vrijgezel', zei Kate, haar onderbrekend. 'Hij moet tegen de zestig zijn geweest toen Sheila met hem trouwde. En hij was nog nooit getrouwd geweest.'

'Voorzover we weten.' Dan Lynch glimlachte vals. 'Billy zei eens dat het hem niet zou verbazen te horen dat er een hele menigte vrouwen in de kelder van Holtzman lag begraven.'

'Nee', zei Rosemary, de tranen bedwingend die haar door het praten over dinsdag in de ogen waren geschoten. 'Billy was op meneer Holtzman gesteld. Hij kon het altijd goed met hem vinden.'

'Dennis niet', zei Kate.

Mac bekeek de laatste drie walnoten in de schaal. Het lamplicht toonde de bleke hoofdhuid onder zijn dunner wordende grijze haar. 'Holtzman trouwde niet met Billy's moeder', zei hij.

Uit de keuken kwam het geluid van de achterdeur die openging. Shortchange die vlug naar binnen dribbelde, mijn vaders stem die tegen haar sprak en zei: 'Rustig aan, vrouwtje', en: 'Brave hond.' Het gerinkel van de riem. Water dat in de gootsteen liep en het bakje voor de hond dat op het linoleum werd gezet.

'Hoe zijn we ooit op die arme meneer Holtzman gekomen?' vroeg Kate en Dan Lynch zei: 'Ik had het over oom Daniel – twee mannen die méér van elkaar verschillen kun je je niet voorstellen.'

We hoorden het gerammel van de koekjespot waarin het hondenbrood werd bewaard en mijn vader die riep: 'Hier, vrouwtje.'

'Nou, ze zijn allebei met tante Sheila getrouwd', zei Rosemary, maar Dan Lynch wuifde met zijn hand: een nietszeggend verband.

'En ze zijn allemaal samen in de hemel', zei Kate lachend. 'Zo is het ook.'

'Daar zou ik niet zo zeker van zijn', mompelde Dan Lynch, met een knipoog naar mij. 'Je weet wat Onze Lieve Heer zegt over het naar de hemel gaan van een rijk man.' Ik zag hem een blik op Kate werpen, die zijn blik handig ontweek door zich naar voren te buigen, een gepelde walnoot te pakken en hem elegant op haar tong te leggen.

Rosemary richtte zich tot het tweetal van het Marialegioen naast haar en zei: 'Ik heb me dikwijls afgevraagd hoe het in de hemel gaat als je voor de tweede keer getrouwd bent. Ik weet dat het mal klinkt, maar je moet het je toch afvragen, je weet wel, wie op de eerste plaats komt.'

'Het eerste huwelijk is bindend', zei de lange dame met een moeiteloze deskundigheid. Mac zei: 'Ha!' tegen zijn vrouw. 'Hoor je dat, je zit vast', op hetzelfde moment dat Shortchange, nog opgewonden van haar wandeling, de eetkamer door kwam en wriemelend de woonkamer binnenliep, een kluwen koel nat haar, een kwispelende staart en een snuivende zwarte neus. Mijn vader kwam achter haar binnen, met nog een half stukje hondenbrood in zijn hand, net op het moment dat Maeve in de andere deuropening verscheen, die op de schemerige gang en de trap uitkwam. Ze had een lichte peignoir aan en liep op kousenvoeten. Ze hield haar hand tegen haar keel.

'O, Dennis', zei ze, met half dichtgeknepen ogen naar hem turend, terwijl de hond snel de kamer rondging en iedereen begroette. Ze legde haar vingertoppen op de rugleuning van de stoel waarin Dan Lynch zat. 'Jij bent het.'

Met de drukte die de hond meebracht – de buurvrouw greep haar stoelleuningen vast en tilde haar voeten op terwijl Shortchange aan haar enkels snuffelde (Ja, ja, lieve hond) en Mac stak hem een walnoot toe en Kate boog zich voorover en zei met getuite lippen: 'Hallo, lieverd' – scheen het een ogenblik te duren voor we allemaal hoorden wat Maeve had gezegd.

Ze zei: 'Ik dacht dat het Billy was die van een ommetje terugkwam.'

Dan Lynch kwam moeizaam overeind, waarbij hij zijn theekopje onhandig in evenwicht hield, het ten slotte op de salontafel zette, boven op de stapel walnoten, ondertussen voortdurend zeggend: 'Ga zitten, Maeve. Toe, ga zitten.'

Shortchange wurmde zich naar haar toe terwijl ze ging zitten en Maeve raakte licht de natte vacht van de hond aan. 'Ik dacht dat het Billy was', zei Maeve tegen mijn vader. 'Je stem leek zo op die van hem.'

Er trok een soort pijn over het gezicht van mijn vader. Hij stond net buiten de deuropening van de eetkamer, nog blozend van de wandeling, op zijn schouders nog een vaag patroon van regendruppels, aan zijn jas nog een vleugje groene-voorjaarslucht. 'Het spijt me', zei hij.

Maeve schudde haar hoofd, haar hand op haar hart nu. 'Ik dacht dat het Billy was', zei ze voor de derde keer. Zelfs het beetje lippenstift dat ze eerder die dag op had gehad was verdwenen en haar eenvoudige peignoir was flets, wit met beige. Ze leek zo kleurloos als een blanco pagina.

Ze keek de kamer rond, haar ogen zwak. 'Ik stond net op', zei ze. 'Ik had het licht nog niet aangedaan.' Nu drukte ze haar vingertoppen tegen haar voorhoofd en sloeg haar ogen neer. 'Ik dacht dat Billy hier beneden was met de hond.'

Naast me klakte de buurvrouw met haar tong en zei: 'Aa-ach', met de klank van het overdreven medelijden dat je misschien een kind zou tonen. De dames van het Marialegioen sloegen beiden hun hand voor hun mond. En toen begon Maeve te huilen.

Dit was duidelijk het moment dat onze aanwezigheid hier eigenlijk had moeten voorkomen. Het moment waarop we hadden gewacht, hopend dat het niet zou komen, terwijl we waren gebleven om nog iets te drinken en al het eten op te maken. Maar toen het kwam waren we een ogenblik verbluft en wisten we niet zeker wat te doen.

Maeve liet haar hoofd in haar opgeheven hand zakken, de vingers nu uitgespreid van haar voorhoofd tot haar kin (de eenvoudige parelring) en slaakte een lange, bevende zucht die misschien bedoeld was om zichzelf te kalmeren maar in plaats daarvan in haar keel stokte en een ander soort zucht vormde, die vreselijk en ongewild was. 'Ik dacht dat hij hier was', zei ze erdoorheen. 'Ik dacht dat hij beneden was.'

We staarden een paar tellen en toen opeens, alsof we allemaal gevangen waren geweest in dat ogenblik van stilte tussen de eerste donderslag en de eerste kletterende regendruppels, kwamen we in beweging, druk heen en weer lopend alsof we ramen moesten sluiten, was van de lijn moesten trekken.

Kate en Rosemary stonden onmiddellijk naast de stoel van Maeve, Kate met een hand op haar schouder, Rosemary haar op de knie kloppend. De twee dames van het Legioen haastten zich naar de keuken terug, de een om water te koken, de ander om een doos tissues te halen. Mijn vader greep Shortchange bij haar halsband en trok haar de kamer uit. De buurvrouw stond op, wat voor de rest van de mannen een teken scheen te zijn om zich te verspreiden, en dat deden ze ook, ze begaven zich naar de keuken net toen mijn vader door de eetkamer terugliep, waar hij even bij het dressoir bleef staan om een glas sherry uit de Waterford-karaf in te schenken.

Hij stapte naar voren, het kristallen sherryglas met twee handen vasthoudend, maar Rosemary wuifde het weg. 'Ze heeft al aardig wat op', fluisterde ze. Kate stak haar hand uit en pakte het glas desondanks van hem aan.

'Ik dacht dat hij hier beneden was met de hond', zei Maeve. 'Ik dacht dat het toch niet was gebeurd. Het was een droom. Hij was hier beneden, kwam net binnen.' Haar stem piepte een beetje, werd bijna helemaal onhoorbaar. 'Ik dacht, ik ga naar beneden om water op te zetten.'

Rosemary zei: 'Toe nou maar', wel op vriendelijke toon, maar ze bedoelde ook: zo is het genoeg. 'Toe nou maar.'

Haar zus boog zich voorover met het glas sherry. 'Neem maar een slokje, Maeve', zei ze.

Maar Maeve sloeg haar ogen op naar de twee zusters en keek van de een naar de ander, misschien op zoek naar een spoor van het gezicht van hun broer, misschien alleen op begrip hopend. En toen keek ze langs hen naar mijn vader. 'Hij is er niet meer', zei ze tegen hem alleen. 'Onze Billy.'

Mijn vader knikte. Zijn ogen stonden somber en hij hield zijn lippen zo stijf op elkaar dat het had kunnen zijn alsof hij haar het nieuws helemaal opnieuw vertelde. 'Ja', zei hij alleen maar, want op hetzelfde moment dat hij het zei drukte Maeve haar vingers tegen haar lippen en fluisterde: 'Ik moet overgeven.'

De buurvrouw greep vlug de blauwe porseleinen schaal, gooide de overgebleven walnoten eruit en gaf hem aan Rosemary, die hem onder Maeves kin hield. 'Het geeft niet', zei ze tegen haar, met een vernietigende blik op haar zuster: ze rook sherry. 'Het geeft niet, lieverd.'

'Arme meid', zei de buurvrouw. De langste Legioendame was teruggekeerd met de tissuedoos en trok er nu tissues uit, de een na de ander, alsof ze een stuk touw uitdeelde waaraan geen einde kwam. Ze gaf ze een voor een aan Kate, die ze onder de schaal hield en er Maeves schoot mee bedekte.

Mijn vader verwijderde zich bescheiden.

Er werd een aluminium pan uit de keuken gehaald, maar Maeve had, zoals Rosemary zei, niets anders dan de sherry in haar maag – had vanaf dinsdag geen hap gegeten – en dus ging de misselijkheid gauw over. Toen het voorbij was, leunde Maeve achterover in de stoel, haar handen vol tissues, haar gezicht en hals rood gevlekt maar daaronder lijkbleek. 'Het spijt me zo', zei ze met haar ogen dicht. 'Ik schaam me zo.'

Te midden van het gekir van de vrouwen haalden de twee zusters haar over op te staan en naar boven te gaan om haar gezicht te wassen en andere kleren aan te trekken, zodat ze zich beter zou voelen. Maeve knikte en verontschuldigde zich, weer tot zichzelf komend, leek het. Kate nam haar bij de hand.

Toen ze allebei weg waren, gingen wij de woonkamer rond, veegden notendoppen op, haalden theekopjes weg en legden kleedjes en kussens recht. We konden de mannen zachtjes in de keuken horen praten.

'De kleurlingen hebben een uitdrukking', begon de kortste dame te zeggen. '"Niemand wordt naar huis geroepen voor hij zo ver is."'

'Ze had iets moeten eten', zei de ander.

'Het is goed voor haar om te huilen', zei de buurvrouw tegen ons. 'Het niet allemaal in te houden. En wat een schok voor haar, te denken dat ze hem zo binnen hoorde komen.'

De kortste zweeg even. Ze was gezet, met een hoge borst als een winterkoninkje. En als een winterkoninkje droeg ze een beige trui met een donkerrood en bruin harlekijnpatroon voorop, een bruine stretchbroek en kleine beige schoentjes. 'Ik heb mijn man drie keer gezien toen hij dood was', zei ze zacht. Ze hield een leeg theekopje en schoteltje met twee handen voor zich uit. Ze leek erdoor op een vrouw die een aria zingt. 'In dromen, bedoel ik. De eerste keer vertelde hij me over die uitdrukking die de kleurlingen hebben. Ik had hem nog nooit gehoord. De tweede keer zat hij vlak naast me, in de kerk. Er waren een heleboel bloemen en we hadden het erover hoe mooi ze waren.

Er was een enorme sneeuwstorm de dag voor zijn begrafenis' – zich tot mij wendend om het uit te leggen – 'dat was in '78. En we hadden er niet erg veel bloemen bij gehad. Dat had me vreselijk dwarsgezeten. Dat hij niet meer bloemen had gehad. Maar de droom stelde me gerust.' Ze zweeg. Haar stem klonk alsof ze dreigde te gaan huilen. 'De derde keer kneep hij alleen maar in mijn hand en liep weg.' Ze haalde diep adem en bukte om een verfrommeld servetje op te rapen. 'En dat was dat', zei ze. 'Ik heb nooit meer zijn gezicht kunnen dromen. Ik droom over hem, maar hij is altijd in de kamer ernaast, of hij heeft zijn rug naar me toegekeerd, of hij is net de deur uit of hij staat op het punt om binnen te komen. Ik zie hem nooit. Er waren die drie keer in het begin en daarna niet meer.'

Ernstig en met gezag, terwijl ze een tissue over het blad van de salontafel haalde, knikte de langste Legioendame en zei: 'Ik geloof dat het altijd drie keer is.'

Rosemary was het met haar eens. 'Dat zegt men.'

Er werd op de voordeur geklopt – drie korte tikken die vanonder de tafel van een geestenbezweerder hadden kunnen komen – en toen mijn vader opendeed, hoorden we zijn zachte stem 'monseigneur' zeggen. De vrouwen in de kamer keken elkaar met één blik aan. Je kon voelen dat het onderwerp veranderde. Rosemary bukte zich en knipte nog een lamp aan.

De priester kwam de woonkamer binnen op hetzelfde moment dat de andere drie mannen door de eetkamer kwamen om hem te begroeten. Hij schudde iedereen de hand. Het was een zwaarlijvige, fris uitziende man, wiens hals tegen zijn witte boord leek te drukken precies zoals zijn schouders en borstkas tegen zijn overhemd en zwarte jasje leken te drukken. Zelfs zijn glanzende hoofdhuid leek strak om zijn schedel te zitten. Maar ondanks dit alles maakte hij een enorm ontspannen indruk terwijl hij als een politicus (hoewel hij zich nooit verkiesbaar had gesteld) iedereen de hand schudde en in de ogen keek, Blij je te zien, met een warme, droge palm die je hand helemaal omsloot. De langste

Legioendame ging een kopje thee voor hem zetten en ik werd door mijn vader naar boven gestuurd om Maeve te waarschuwen.

Er lag tapijt op de trap, dezelfde lichtgrijze pool als in de woonkamer. Er was een smeedijzeren leuning, tot halverwege open naar de gang en daarna afgesloten door een muurtje. Op de overloop stond een ronde tafel met een lichtblauw kleed erop, bedekt met Hummel-beeldjes, waarvan sommige zwarte adertjes over hun benen en schouders en rond hun hals hadden lopen, duidelijk plaatsen waar ze gebroken en toen zorgvuldig gerepareerd waren. Daarboven hing een olieverfportret van het kind Jezus dat voor de oningewijde een portret van een heel jong, mooi meisje met een donkere huid zou lijken. Een ingelijste, met kruissteekjes geborduurde kopie van de Ierse zegen en nog een van het gebed van Sint-Franciscus op de muur tussen de twee slaapkamers. De badkamerdeur boven aan de trap was gesloten en ik hoorde erachter water stromen.

Ik wierp een blik in Maeves slaapkamer. Kate zat op de rand van het bed, op een prachtige ijsblauwe satijnen sprei met daarin nog de indruk van Maeve, waar ze gedoezeld moest hebben toen ze Billy hoorde binnenkomen. Ze had een levensgrote babypop op schoot, in haar armen gehouden.

'Monseigneur is er', zei ik en Kate keek op. 'Goed', zei ze. Ze tilde de pop op, die gekleed was in een wit gehaakt truitje, een mutsje en een lange, vergeelde doopjurk. Op het kraagje ervan was een piepkleine blauwe medaille gespeld op een stukje lichtblauw lint. 'Die is van Maeve geweest', zei ze. 'Die jurk. Ze is erin gedoopt.'

Ze draaide zich om en zette de pop waar hij hoorde, in het midden van het bed , tussen de twee kussens. 'Moet je nu toch horen', zei Kate, terwijl ze de jurk van de pop weer in orde bracht. 'Maeve vertelde me net dat tijdens de lunch vandaag Ted Lynch maar bleef zaniken over een nonnenorde die weduwen opneemt. Hij zei dat hij haar de naam van de abdij zou geven als ze geïnteresseerd was.' Kate rolde met haar ogen, blauwe ogen net als Billy. Ze schenen opmerkelijk levendig onder het gewicht van haar dure oogschaduw. Haar mond had de zuinigheid van Billy's smalle lippen. 'Is dat niet onvoorstelbaar?' zei ze. 'Een uur nadat een vrouw haar man heeft begraven, heeft hij het erover dat ze in een klooster kan gaan? Is dat geen onvoorstelbare brutaliteit?'

Ik schudde mijn hoofd. Het was voor mij helemaal niet onvoorstelbaar. 'Wat vond Maeve ervan?' vroeg ik.

Kate gebaarde met haar hand. Een gedeelte van haar make-up was in de vouwtjes rond haar ogen, de lijnen die haar mond omringden, gaan zitten. 'Ach, je weet hoe Maeve is, ze zei tegen hem dat ze erover na zou denken.' Ze stak haar hand uit en trok de doopjurk glad over de sokjes van de pop. 'Het idee dat ze nu alleen is, daar heeft ze het natuurlijk moeilijk mee, maar ik zei: "Toe zeg, wanneer is Ted Lynch zo'n fanatieke katholiek geworden?"' Ze keek even naar de deur en liet haar stem dalen. 'Dat is een van de problemen met die ex-alcoholisten', zei ze. 'Ze moeten ergens fanatiek in zijn.'

Ze tilde de pop weer op. Ze scheen deze niet met rust te kunnen laten. 'Ze hadden kinderen moeten hebben', zei ze opeens. 'Billy en Maeve. Ze waren allebei zo dol op kinderen.'

Achter haar stond de kastdeur open en toonde de lege armen en schouders van Billy's kostuums en overhemden, zijn schoenen die op een rij op de grond stonden. Er waren twee ramen in de muur aan het andere eind, beide met lichtblauwe chintz ervoor over witte vitrage. Op de toilettafel ertussen stond een foto van Maeve en Billy die van het altaar liepen op hun trouwdag – Billy opzij kijkend terwijl hij iemand in een kerkbank leek te groeten, Maeve met haar hoofd omlaag, haar eigen glimlach bijna verborgen. Er was nog een andere, ouderwetse foto van een knappe jonge vrouw met een hoge kanten kraag, de moeder van Maeve vast en zeker, en nog een ingelijst kiekje – in pre-Kodachroom kleuren, de tinten enigszins onnatuurlijk – van Maeves roodharige vader die er geschrokken, roerloos uitzag, in een van de woonkamerstoelen. Billy's ansichtkaart van Long Island zat in de linker onderhoek van de spiegel geklemd – Home Sweet Home.

'Niet dat het zou hebben veranderd wat er is gebeurd, maar het zou iets voor Maeve zijn, nu', zei Kate. 'Om een paar kinderen om zich heen te hebben.' Ze streek de poppenjurk glad, aaide over het mutsje, hield hem in haar armen met kennelijk maar half haar aandacht erbij, een oude gewoonte van het moederschap. 'Je moet je wel afvragen: wat heeft ze nu nog?'

We hoorden de badkamerdeur opengaan aan het eind van de gang. 'Dat moet ik nodig zeggen', fluisterde Kate. En toen zette ze de pop weer op het kussen. Ze zei dat zij tegen Maeve zou zeggen dat de monseigneur er was.

Beneden had de priester iedereen in de woonkamer zachtjes aan het lachen gekregen, theekopjes en schoteltjes op hun knieën. Op de salontafel stond nu een schaal met de banketbakkerskoekjes van Dan Lynch en nog een met kleine sandwiches voor bij de thee, sommige met ham, andere met kaas. Hoewel hij in een hoek van de bank zat, benen nonchalant over elkaar geslagen, dijen strak tegen de zwarte stof van zijn broek gedrukt, elleboog omhoog over de met plastic bedekte armleuning, was de monseigneur het middelpunt van ieders aandacht. Hij had herinneringen aan Billy opgehaald. Een bijeenkomst van het Heilige-Naamgenootschap en de spreker die zo lang was doorgegaan over de betekenis van het paasfeest dat Billy zich opzij had gebogen en in het oor van monseigneur had gefluisterd dat een achterbout van het lam Gods met een beetje mint jelly hem wel zou smaken.

Toen Maeve een paar minuten later de trap afkwam, haar schoonzuster achter haar als een dienstmaagd, ging iedereen staan alsof het een samenkomst met hoogwaardigheidsbekleders betrof. Maeve strekte allebei haar handen naar de priester uit en de priester liep ontspannen, zelfverzekerd, op haar af, als een expert, een vakman, als een slagman die zich naar de plaat of een chirurg die zich naar de operatietafel begeeft, een beroemd advocaat die opstaat om zijn slotbetoog te houden. We voelden het allemaal, de enorme opluchting dat we eindelijk iemand in ons midden hadden die wist wat hij deed.

Ze had nu een bruine lange broek aan en een witte trui, maar heel keurig, slechts iets eenvoudiger dan haar begrafenisjapon. Er nog niet aan toe, misschien, om haar alledaagse kleren aan te trekken en Billy's dood te reduceren tot iets wat minder was dan een grote gebeurtenis.

'Hoe gaat het ermee, beste Maeve?' zei de priester, terwijl hij met onvervalste vriendelijkheid en medeleven haar handen pakte (in een ervan had ze nog steeds een zakdoekje geklemd) en met een begrip dat geschraagd werd – je zag het aan de ontspannen houding van zijn lichaam, de glimlach die op zijn lippen bleef – door zijn absolute vertrouwen dat de dood volstrekt niet was wat we vanavond dachten. Hij verontschuldigde zich dat hij die morgen niet bij de begrafenis had kunnen zijn, hij was naar het ziekenhuis geroepen (een andere ziel die naar de hemel ging, liet hij doorschemeren), maar ze was de hele dag in zijn gebeden geweest. 'Hoe gaat het met je?' vroeg hij, en Maeve drukte opnieuw een zakdoekje tegen haar ogen en begon te huilen.

Ditmaal verroerde niemand van ons zich. We bleven gewoon staan kijken, terwijl hij een arm om haar schouder sloeg, haar naar de bank leidde en naast haar ging zitten, haar beide handen met zijn grote hand bedekkend. Langzaam namen we allemaal plaats. Het viel me in dat we net een verslagen blusbrigade waren; onze natte, lege emmers bungelden aan onze armen terwijl we toekeken hoe de brandweercommandant een vlammenzee doofde waar wij slechts enkele ogenblikken daarvoor maar een beetje water op hadden gespat.

'Ik dacht dat ik hem hoorde binnenkomen', zei ze. 'Eerder op de avond.' En hij, deskundig in deze zaken, knikte, liet haar praten en hem vertellen wat ze had gevoeld, toen ze in hun donkere kamer lag, een beetje doezelend, en de achterdeur hoorde opengaan en de hond hoorde binnenkomen, de klank van zijn stem hoorde, en was opgestaan, naar beneden was gekomen alsof hun leven gewoon verderging. En toen besefte dat hij dood was. 'Dood, eerwaarde', zei ze. Op dat moment was de verschrikking ervan tot haar doorgedrongen. Zijn leven was voorbij. Het hare niet.

De priester knikte terwijl ze sprak. Alles in zijn gezicht en houding zei dat hij het wist. Hij wist wat ze zei, wilde zeggen, zo dadelijk zou zeggen. Hij had zo vaak eerder, bij zoveel andere weduwen op deze manier gezeten, gaf zijn houding te kennen. Toen hij ten slotte antwoordde, gebeurde dat met een gezag dat al onze kennis van Billy verdrong, zelfs de lange jaren van Maeve, mijn vader, zijn zusters verdrong. Hij was als een dokter die verslag uitbracht aan een wachtende familie, plotseling beter bekend met de stervende man dan zij. Beter bekend, scheen alles in de minzame houding van de priester te zeggen, omdat alleen hij begreep dat de dood volstrekt niet was wat hij ons vanavond toescheen.

'Niet voorbij, Maeve', zei hij zacht, vermanend, maar op een liefhebbende, vriendelijke manier. 'We worden niet in de steek gelaten, Maeve', zei hij. 'Dat weet je toch.'

Ze boog haar hoofd. Haar tranen, die nu de vrije loop hadden, vielen op haar schoot, zijn hand.

'Billy's leven gaat verder, in Christus.'

Met haar hoofd nog gebogen zei ze weer: 'Ik dacht dat ik hem binnen hoorde komen.'

De priester knikte beleefd. 'Ik begrijp het', zei hij.

'Ik dacht dat hij hier was', herhaalde ze.

Hij tuitte zijn lippen, zijn tijd afwachtend, leek het. 'Dat was weer een schok', zei hij. 'Maar denk eens aan de vreugde die hij vandaag heeft gevonden, Maeve', voegde hij er zacht, glimlachend aan toe. 'Die oude onverlaat. Denk aan de vrede. Hij heeft zich te ruste gelegd', zei hij, 'in de hoop dat hij weer zou verrijzen. De verwachting dat hij weer zou verrijzen, Maeve, in de voleinding der eeuwen. Denk daaraan, als je kunt.'

Maeve hief haar hoofd op, maar sloeg haar ogen niet op. Je kon in de koppige trek om haar mond zien dat ze op dit ogenblik geen figuurlijk leven voor Billy wilde, maar een letterlijk leven, zijn letterlijke aanwezigheid, dat hij met de hond binnenkwam terwijl zij een dutje deed, de koekjespot opende waarin ze het hondenbrood bewaarden, de ketting aan het haakje bij de achterdeur hing. Dat hun leven samen, ook al was het niet volmaakt, gewoon verderging. Het was dezelfde letterlijke aanwezigheid waarvan de dame van het Legioen eerder had gesproken, de letterlijke aanwezigheid, al was het maar in een droom, met de werkelijke klank van zijn stem in haar oor ('De kleurlingen hebben een uitdrukking...') en het werkelijke gewicht van hem naast haar, terwijl hij de bloemen bewonderde, haar geruststelde. Ze wilde de echte druk van zijn hand tegen de hare voelen.

'Het is een vreselijk iets, eerwaarde', zei Maeve zacht, haar kin geheven, haar ogen neergeslagen, 'om zo lang te leven en dan tot de ontdekking te komen dat niets wat je gevoeld hebt ook maar iets heeft uitgemaakt.'

Een zucht, die snel onderdrukt werd, scheen van de vrouwen in het vertrek te komen. De priester hief zijn handen alsof hij hen tot stilte wilde manen.

'Luister naar me,' zei hij geduldig, 'luister nou.' Hij wachtte tot ze haar ogen had opgeslagen, maar haar blik toonde hem, toonde ons allen, dat ze zich niet zou laten overtuigen. 'We kunnen vanavond allemaal tegen onszelf zeggen dat we niet genoeg hebben gedaan, Maeve. Ik had die gedachte zelf toen Dennis me een paar dagen geleden opbelde en me vertelde dat Billy dood was en hoe ze hem hadden gevonden. Ik dacht: Lieve God, wat had ik kunnen doen? We zouden vandaag allemaal kunnen zeggen dat als we van hem hielden, het een armzalig soort liefde was, omdat zijn leven anders niet zo geëindigd zou zijn. Maar weet je, als ik dat tegen jou zei, Maeve, als ik zei dat ik hem in de steek heb gelaten, of als Dennis het zei, of kapelaan Jim, of Danny of Rose of Kate, als een van Billy's vrienden het zei, zou jij de eerste zijn om tegen ons te zeggen dat het niet waar was. En je zou het gemeend hebben. En je zou gelijk hebben. Billy is aan een ziekte bezweken die we niet op tijd hebben kunnen genezen. Het waren niet jouw gevoelens die te kort zijn geschoten, het was de ziekte die een overwinning heeft behaald. Dat is precies wat je tegen ieder van ons zou zeggen en dat is wat je zelf moet geloven. Natuurlijk is het wel van belang geweest. Alles wat je voelde, alles wat je voor Billy hebt gedaan is van belang geweest, ook al is het zo afgelopen.' Hij boog zijn hoofd een beetje om haar in de ogen te kunnen zien. 'Ik hou je niet voor de gek, Maeve', zei hij. 'Ik zuig dit niet uit mijn duim.' Hij nam allebei haar handen in de zijne en tilde ze een beetje op. 'Dit moet je geloven', fluisterde hij.

Ze beantwoordde zijn blik niet. 'Dat doe ik ook wel', zei ze.

Rosemary stond naast haar man in de deuropening, hun schouders bijna tegen elkaar aan, beiden met een vertrokken gezicht, alsof ze naar een berisping luisterden. Kate zat met gebogen hoofd op de stoel naast de buurvrouw en bestudeerde haar gelakte nagels, haar diamanten trouwring. De man van de buurvrouw had zijn hand op de schouder van zijn vrouw gelegd en was, evenals de twee dames van het Legioen, vol bewondering voor de man die zijn goede werk verrichtte, terwijl Dan Lynch in zijn zakken tastte, er toen een grote zakdoek uithaalde en daarmee allebei zijn ogen droogde. Hij vouwde het ding op een uitgebreide, ingewikkelde manier weer op waardoor het tot het formaat van een speelkaart werd gereduceerd en veegde toen opnieuw zijn tranen af. Ik draaide me om en wierp een blik op mijn vader, die vlak achter me stond, en zag een spoor van dezelfde uitdrukking die hij vandaag in de auto had gehad: die oude ergernis, haast onbelangrijk geworden door het verstrijken van de tijd. Of misschien iets hinderlijks, wat bijna over was. Het was óf het geloof dat bijna zegevierde óf het geloof dat op een haast bevrijdende manier werd losgelaten. Hij keek naar me en knikte, alsof ik moest luisteren naar wat de monseigneur zei, alsof zijn eigen ervaring, of leeftijd, hem vrijstelde van de preek, maar dat ik moest luisteren.

Abrupt, voor Maeve nog een woord kon uitbrengen, vroeg de priester ons allen de rozenkrans met hem te bidden, omdat hij (natuurlijk) begreep dat er niet veel meer te zeggen viel, dat de monotonie van de gebeden, het zacht opdreunen van herhaalde en, door die verdovende herhaling, bijna woordloze smeekbeden, vanavond de enige remedie voor Maeves wanhoop was. Rosemary begon zich op haar knieën neer te laten en hij zei haar vriendelijk dat hij zelf niet van plan was te knielen en zich veel meer op zijn gemak zou voelen als ze gewoon zou gaan zitten. Er werden stoelen uit de eetkamer gehaald en min of meer in een kring gezet, hoewel dit niet het soort katholieke bijeenkomst was waarbij men erover dacht elkaars hand vast te houden.

In de lente van 1950 kwam Billy voor het eerst op zondag eten – de uitnodiging was van de oude man uitgegaan en Maeve liet in haar zenuwen de hele schaal gestoomde spinazie op de keukenvloer vallen vlak voordat ze allemaal aan de eettafel zouden plaatsnemen. Ze schepte alles terug in de schaal – wat kon ze anders doen, zonder de spinazie waren er alleen gekookte aardappelen en gestampte rapen – de hele tijd worstelend met de hond (Lucky heette hij, zijn vader moest altijd een hond in huis hebben, een terriër van gemengd ras die altijd en eeuwig in de weg liep en dol op boter was), niet in staat de snelle tong van het dier weg te houden van de lepel en de schaal en de spinazie zelf.

Ze zette de schaal op tafel, de spinazie nog dampend, en keek toe terwijl Billy en haar vader zich bedienden en zei er nooit iets over tot jaren, werkelijk jaren later, toen ze bij het avondmaal Billy een schaal gekookte spinazie serveerde en opeens moest lachen en alles bekende en Billy er ook mee aan het lachen maakte. Op een avond, onder het eten, nog niet zo lang geleden. Billy nuchter omdat het middag was (ze hadden het prettig gevonden om zondags rond een uur of drie, vier warm te eten en dan alleen nog een boterham of zo om een uur of zeven) en fris geschoren omdat hij die morgen met haar naar de mis was geweest, en hoewel hij pas een week of twee uit het ziekenhuis was en de val die hij had gemaakt en waardoor hij die keer in het ziekenhuis was beland nog te zien was aan de langzaam wegtrekkende gele buil op zijn voorhoofd, hoewel zijn gezicht met de jaren dikker was geworden, vooral rond zijn ogen en zijn kin, en zijn huid was gaan uitdrogen en schilferen en rauw was geschuurd bij zijn middel en polsen; hoewel ze in die tijd meer zwegen dan met elkaar spraken, en zij inmiddels duizend-en-een dingen in haar geheugen bewaarde die ze nooit aan iemand zou vertellen, dingen die hij tegen haar gezegd had, vreselijke dingen die hij had gedaan, manieren waarop ze hem had gezien (tandeloos, verward, half aangekleed, bebloed, vuil, huilend) die ze onmogelijk zou kunnen vertellen, omdat het haar kapot zou maken als ze het zelfs maar onder woorden bracht – die keer bijvoorbeeld (ze zal het alleen deze ene keer zeggen), vlak voordat hij naar de AA terugging in '72, misschien juist de reden waarom hij weer naar die bijeenkomsten ging, toen ze midden in de nacht in de keuken kwam en hem vroeg of hij wilde zorgen dat hij naar bed ging; ze zag dat hij op het punt stond bewusteloos te raken en hoopte dat hij zich voor die tijd de trap op zou kunnen krijgen. Ze boog zich naar hem toe aan tafel en zei 'Billy' in zijn oor (ze wist dat ze streng tegen hem moest zijn, dat wist ze in ieder geval), 'Billy!' (luider), en toen hij zich niet verroerde, keerde ze zich van hem af en begon naar de trap te lopen. 'Dennis komt niet, hoor', zei ze vanuit de gang, in zichzelf pratend, wat haar betrof. 'Hij heeft genoeg aan zijn hoofd met Claire, hij komt zelfs niet als je hem belt, Billy. Zelfs Dennis heeft genoeg van je. Zelfs Dennis heeft zijn eigen zorgen.' En vóór ze goed en wel wist wat er gebeurde had hij haar bij de keel vast. Hij was zoveel groter dan zij en hij was zo dik geworden tegen die tijd. Hij had zijn bril niet op. Zijn gezicht – nou, het had een volslagen vreemde kunnen zijn die hun huis was binnengedrongen. 'Billy, je vermoordt me nog', zei ze, klauwend naar zijn hand. En het volgende ogenblik lag hij aan haar voeten te huilen. En toen lag hij bewusteloos op de vloer en moest ze het echtpaar van ernaast roepen omdat Dennis in die tijd zijn eigen zorgen had.

Er kwam een diepe, kabbelende lach van de mannen in de woonkamer, maar de vrouwen in de keuken waren stil.

Hoewel ze, zei Maeve zacht, die middag op een zondag niet lang geleden, zo hartelijk om het verhaal over de gemorste spinazie hadden gelachen, dat ze weer even zag (ach, je weet hoe dat gaat) hoe aantrekkelijk hij was. Weer dat knappe uiterlijk zag waarvan ze vanaf het begin zo gecharmeerd was geweest. Ze herinnerde zich weer wat voor effect het op haar, haar zenuwen, haar bonzende hart had gehad om Billy Lynch, de jongen uit de schoenenwinkel, daar in levenden lijve aan haar eigen tafel te hebben, die eerste avond dat haar vader hem te eten had gevraagd.

'Het was een knappe man', zei Bridie uit de oude buurt zacht.

In de keuken van Maeve, in Bayside, de dag ten einde lopend, de monseigneur weg om een ander bezoek af te leggen en de vrouwen druk in de weer om een aardige maaltijd samen te stellen van de voorraad uiteenlopende gerechten en taarten, zat Maeve glimlachend over haar kopje slappe thee zonder melk gebogen en zei met haar zachte, geduldige stem dat hij pas toen hij die avond bij hen wegging, toen hij vlak bij de deur stond met zijn jas aan en zijn hoed in zijn handen, aan haar vroeg of ze op zaterdag met hem naar de bioscoop wilde. Natuurlijk zei ze ja, ondertussen voortdurend denkend – je weet hoe dat gaat – Wat moet ik aan? Ze had haar beste jurk al aan, een grijze wollen japon met een schuine baan zwart fluweel in de rok.

Toen ze de woonkamer weer binnenging, zat haar vader al in zijn stoel te slapen, en je begrijpt dat ze hem daarom de schuld gaf van het lichte slingeren dat ze in Billy's loop had opgemerkt toen hij de deur uitging en door de gang naar de trap liep die avond – haar vader met zijn Jameson die hij voor speciale gelegenheden bewaarde, zoals bezoek van landgenoten zoals jullie... Dus er was niemand om het aan te vertellen, want ze wist dat als ze het aan hem vertelde, terwijl ze zijn schoenen en zijn broek uittrok en hem in zijn bed liet duikelen, ze net zo goed tegen de muur kon praten. Dus het nieuws brandde haar op de lippen de volgende morgen. Maar toen ze hem eindelijk vertelde dat Billy Lynch haar had uitgenodigd om zaterdag met hem naar de bioscoop te gaan, snoof haar vader alleen maar en zei: 'Hij voelt zich zeker verplicht.' Hij zei dat Billy ooit verloofd was geweest, weet je, nog maar enkele jaren geleden, met een Iers meisje dat was gestorven.

Rosemary wendde zich vlug van het fornuis af en zei omkijkend tegen ons: 'O, zijn mannen niet wreed?'

Maar Bridie uit de oude buurt, die met haar beroemde roombotercake was gekomen net toen de rozenkrans klaar was, glimlachte vriendelijk naar Maeve en zei: 'Je vader bedoelde het vast niet kwaad.'

Maeve scheen het onderwerp open te willen laten voor discussie. Ze had erover gedacht, zei ze, iets nieuws voor zaterdag te kopen, maar toen haar vader dat had gezegd, besloot ze: waarom ook? Een oude rok en trui zou waarschijnlijk goed genoeg zijn. Ze zagen *All About Eve* en gingen naar Horn & Hardart. Ze stak die zondagmorgen een kaars in de kerk op, maar koesterde niet veel hoop. En toch – dat was de kracht van het gebed – een week of twee later was ze in de winkel en vroeg hij haar weer mee uit. En toen vroeg haar vader hem weer te eten en het duurde niet lang of ze zagen elkaar regelmatig. Maar ze wist zeker dat Billy en zij een stel waren toen ze op een avond naar Dennis en Claire gingen om te eten – die zelf pas een jaar of zo getrouwd waren – in een leuk appartementje vlak bij Prospect Park. Hun eerste kind ('je broer Danny') was nog maar een paar maanden oud en Billy hield het slapende kind de hele maaltijd tegen zijn borst, zodat hij met één hand moest eten. Zodat hij aan haar moest vragen of ze zich even naar hem toe wilde buigen om hem te helpen zijn vlees te snijden, wat ze natuurlijk deed, terwijl ze voelde dat hij haar gadesloeg. Zelfs haar vader moest toegeven dat er daarna iets meer tussen hen was dan verplichting, Iers meisje of niet.

'Bij gebrek aan een schoen', zei de kleinste Legioendame zacht. Iedereen draaide zich naar haar om. 'Hoe gaat het ook weer?' Ze raakte het harlekijnpatroon op haar borst aan. 'Bij gebrek aan een schoen werd het paard verloren, bij gebrek aan een paard, werd de ruiter verloren… Hoe gaat 't ook weer?'

Er werd even verbaasd gezwegen.

'Bij gebrek aan een ruiter,' zei Bridie behulpzaam, 'werd de strijd verloren…'

Wij, de anderen, keken nog steeds verwonderd.

'Ik bedoel, voor Maeve', zei de Legioendame ten slotte, met haar hand uitgestoken, en hoewel we er allemaal min of meer van overtuigd waren dat ze niet bedoelde te zeggen dat voor Maeve de strijd, het koninkrijk verloren was – hoewel dat met recht gezegd zou kunnen worden – had niemand van ons al begrepen wat ze precies bedoelde. 'Voor Maeve was het juist het tegenovergestelde', legde ze uit. 'Bij gebrek aan een schoen werd een vriendje gevonden…'

Het gelach was abrupt en kort, kruimels die uit een theedoek worden geschud. 'O, nu begrijp ik het', zei iemand. 'Nou, dat is waar.'

Glimlachend, knikkend, het grapje snappend (dit is goed voor haar, dit soort conversatie – kon je alle vrouwen zien denken – dit is precies wat ze nodig heeft) raakte Maeve haar theekopje aan, de thee nu vast en zeker koud, en zei, zich vooroverbuigend: 'Ik zal jullie vertellen wat ik deed.'

We glimlachten allemaal tegen haar.

'Ik gooide mijn vaders schoen in de verbrandingsoven.' Er was weer wat kleur op haar wangen gekomen, of kwam misschien net terug terwijl ze sprak. 'Niet één keer maar twee keer, eerlijk waar. Ik zei: "Nou pa, ik weet niet wat er met je andere goeie schoen is gebeurd, maar we moesten zaterdag maar naar Holtzman gaan, anders heb je zondagmorgen niets om naar de kerk aan te trekken."'

'Waarom in 's hemelsnaam?' vroeg Kate. Ze was net terug nadat ze het goede bestek op de eettafel had klaargelegd.

'Gewoon om naar binnen te kunnen gaan', riep Bridie. 'Gewoon om een excuus te hebben om de schoenenwinkel binnen te gaan.'

Maeve knikte. 'Gewoon om Billy te zien.' Er gleed weer even een huilerige blik over haar gezicht – het was als de schaduw van een wolkje dat over de aarde dreef – maar die was snel verdwenen. 'Ik deed het in het begin een keer, voor Billy en ik ooit meer dan een paar woorden met elkaar gewisseld hadden, en toen deed ik het nog eens na ons eerste afspraakje, omdat het alweer een paar maanden geleden was sinds mijn arme pa met maar één schoen was thuisgekomen – wat hij heus vaak genoeg deed – en ik een beetje ongeduldig werd. Dus gooide ik nog een schoen in de verbrandingsoven, en goeie God, wat denk je, we kwamen die middag van Holtzmans winkel terug en daar stond de schoen van pa boven op de leuning in de hal. De conciërge moest hem hebben gevonden. Hij was nog vrij nieuw, dus hij moest gedacht hebben dat hij per ongeluk in de verbrandingsoven was gevallen en hij had hem daar neergezet zodat iemand hem kon weghalen. Ik wist zeker dat mijn vader rechtsomkeert zou maken om het nieuwe paar naar Billy terug te brengen, maar toen ik zei: "Pa, je schoen", keek hij me aan en zei heel verontwaardigd: "Helemaal niet." Hij keek er niet eens naar. Hij liep met vastberaden tred de trap op alsof hij hem niet zag en weigerde ook maar iets toe te geven. Daar stond die schoen uit de as herrezen en hij wilde er niets mee te maken hebben. Het ding stond daar ruim twee weken en verdween toen voorgoed.'

Alle vrouwen grinnikten nu terwijl ze daaraan dachten en hoe Maeves ogen onder het vertellen van dat verhaal waren gaan stralen en dat allemaal zonder een druppel sherry in haar lichaam.

Dit was goed voor haar. Goede herinneringen. En ook al had ze het noodlot een paar zetjes gegeven, was het uiteindelijk niet Billy's geluk geweest dat ze was komen opdagen, daar in die schoenenwinkel, zo gek op hem, zo bereid om haar hart aan hem te schenken, dat het toch zeker een soort compensatie was voor wat hij had verloren, voor dat Ierse meisje. Je kon het Kate en Rosemary zien denken, hun vraag beantwoord: Maeve had aldoor van het Ierse meisje geweten en toch had ze haar hart aan

Billy geschonken. Wat stond er ook weer op die ansichtkaart? Mijn lieftallige vrouw?

'Maar was het niet vreselijk?' vroeg ze aan ons. 'Dat ik zo zijn schoenen weggooide?'

'Je wist wat je wilde', zei de buurvrouw.

'De dingen die we doen als we jong zijn', zei Rosemary hoofdschuddend.

'Als we verliefd zijn', voegde de langste Legioendame eraan toe, hoewel zelfs ik niet zoveel fantasie had dat ik me deze magere en eigenzinnige vrome oude vrouw als een verliefd meisje kon voorstellen.

'Ik heb Ted Lynch erover verteld,' ging Maeve verder, 'jaren geleden, toen hij zei dat het beste wat ik voor Billy kon doen was hem verlaten. Ik vertelde hem dat ik die schoenen had weggegooid. Ik wilde dat hij zou begrijpen wat voor moeite ik had gedaan om hem te krijgen.'

De vrouwen knikten allemaal. Met zoveel vastbeslotenheid zou zelfs een alledaags meisje genoeg compensatie zijn voor de mooie Eva.

Opeens zei Bridie, die servetten aan het vouwen was, zacht dat, nou ja, nu we toch geheimpjes aan het vertellen waren: o, wat was ze verliefd geweest op Billy Lynch toen ze jong was. Hoeveel uren ze niet voor haar raam had gezeten om te wachten tot hij langsliep. Zelfs tot ze met Tim Schmidt uitging, zelfs daarna zou ze iedereen die ze kende hebben laten vallen om verkering met Billy te hebben. 'Behalve Jim natuurlijk.' Jim was haar man.

'O, Bridie', zei Rosemary, zwaaiend met een gehaakte pannenlap. 'Dat wisten we toch allang.'

'Echt waar?' zei Bridie zacht. 'Dat meen je niet', maar Kate had de ovenschaal die het Indiase echtpaar had gebracht opengedaan en rook eraan en fronste haar voorhoofd alsof ze wilde zeggen dat het niet zo slecht was als ze verwachtte. Ze hield hem onder de neus van de lange Legioendame. 'Moeten we dit een beetje opwarmen?' vroeg ze en de lange Legioendame snuffelde er op dezelfde keurende manier aan. 'Ja, doe maar', zei ze.

'Het is een soort kip-met-rijst', zei Kate tegen Maeve en ze hield het ook onder haar neus. 'Ik was bang dat het iets heel gekruids zou zijn.'

'O, nee', zei Maeve. 'Lili kan heerlijk koken.' Ze wendde zich tot de buurvrouw. 'Het zijn beste mensen, hè?' En de vrouw beaamde het. 'Ik heb fantastische buren', zei Maeve tegen ons allen. 'Daar heb ik geluk mee gehad.'

Er volgde een ogenblik van stilzwijgende instemming en toen boog de buurvrouw, die naast haar aan het keukentafeltje vlak onder de appels van vezelplaat zat, zich opzij en klopte Maeve op haar hand. Maeve legde haar hand op die van de vrouw.

'Maandagavond,' zei Maeve en verbeterde zichzelf toen, 'nee, dinsdagmorgen belde ik Dorothy hier. Hoe laat? Eén, twee uur 's morgens?'

'Het was ongeveer tien voor half drie', zei Dorothy zacht.

'Dat wist ik niet', zei Maeve. 'Ik had niet geslapen. Het waaide. Lenteweer dat in aantocht was, zei Dorothy. Maar de wind rukte aan de ramen. Ik lag meestal te dommelen terwijl ik wachtte tot Billy er was. Ik bad meestal een rozenkrans en dommelde, maar die nacht niet. Ik belde Dorothy rond twee uur 's morgens. Mijn handen trilden, echt, trilden als een espenblad, en ik vroeg haar of ze een jas wilde aanschieten en naar me toe komen.'

'Ze leek zichzelf niet', zei Dorothy tegen ons. 'Ze was bang.'

'En jij zei ook dat je bang was toen je binnenkwam. Ja toch?'

Dorothy knikte. 'Toen ik alleen maar van het ene huis naar het andere liep', zei ze. 'De nacht had iets griezeligs. Die wind en die warme lucht.'

'Het was ongetwijfeld ook het tijdstip', zei Kate, die blijkbaar nuchter bleef.

'Het was alles bij elkaar', zei Dorothy.

'We zaten hier tot hoe laat... een uur of zeven?'

'Tot John belde.'

'Tot haar man belde, tegen zevenen. En toen ben ik met haar

teruggelopen. Het regende toen, nietwaar, Dorothy? Al die wind en daarna toch een bewolkte ochtend. Natuurlijk was Billy niet thuisgekomen. John bood aan om een paar telefoontjes voor me te plegen. Zei zelfs dat hij de ochtend vrij zou nemen om een beetje rond te rijden, maar ik wilde niet dat hij moeite zou doen. Het was tenslotte niet de eerste keer dat Billy niet thuis was gekomen.'

'Je zei dat je de politie zou inlichten', zei Dorothy en tegen ons: 'John liet haar beloven dat ze dat tenminste zou doen. En dat ze Dennis zou bellen. John zei: toe, Maeve, Billy is een erg ziek mens. Hij bood aan zelf het Veteranenhospitaal bellen om te zien of hij daar was. "Hij is een erg ziek mens", dat zei John.'

'Ik zei dat ik zou bellen', zei Maeve tegen ons. 'Dat was ik van plan. Maar toen ik weer in huis was deed ik eerst een paar dingen. Ik nam even een bad. Ik waste een paar dingen uit.'

'Billy's goede overhemd', zei Dorothy.

Maeve knikte. 'Billy's goede witte overhemd.'

'Toen ze me vertelde dat ze zijn goede witte overhemd had uitgewassen,' zei Dorothy tegen ons, 'wist ik dat ze het wist. Ze wist dat hij dood was. Ze had het de hele nacht geweten.'

'En toen belde het ziekenhuis', zei Maeve. 'Rond negen uur of zo. En ik belde Dennis bij Edison om te vragen of hij ernaartoe kon gaan. Dat kwam doordat hij niet was opgenomen, begrijp je. Hij was op straat gevonden, dus iemand moest hem identificeren.' Ze keek naar mij. 'Je arme vader moest dat doen.'

Kate zei: 'Alles is klaar', en we gingen allemaal naar de eetkamer, waar de mannen al wachtten. Twee, drie van de vrouwen begonnen Maeve onmiddellijk aan te sporen iets te eten. Misschien wat van dat kip-met-rijst-spul, niet te gekruid. Misschien wat van deze ham. Ze volgden haar om de met kant gedekte tafel in de helder verlichte eetkamer. Iets stevigs nu, zeiden ze. Maar ook iets wat licht verteerbaar was. Bridies roombotercake natuurlijk. Met een pond boter erin, zoals die gemaakt hoorde te worden. Ouderwetse ingrediënten waren toch het beste, als je het goed beschouwde, want in de oude tijd moest je wel een beetje zwaar zijn, vrouwen vooral, om te kunnen overleven. Zoals pioniersvrouwen in die huifkarren, of onze eigen moeders die de oversteek maakten, hoewel onze moeder geen dikke vrouw was en drieëntachtig is geworden en de moeder van Dennis was ook maar een spichtig ding en de vrouw van oom Ted, tante M.J. – de jongens van Lynch vielen blijkbaar op kleinere meisjes, en Rosemary's dochter Jill met haar smalle middeltje en jij (ik) ook, al zie ik wel wat voor kleine porties jij opschept, goed zo, wie zou denken dat jij twee kinderen hebt gehad als je jou ziet, je doet zeker oefeningen, Kate ook, je moet de toestellen zien die ze in de kelder heeft, van Jack La Lanne; dus je man is thuis met de kleintjes? – da's goed voor hem, kan hij eens zien hoe het is met kinderen de hele dag, ja toch? Mannen begrijpen dat nooit tot je ze vraagt om het te doen en dan zeggen ze, nou ja, de kinderen gedragen zich alleen bij mij zo, het is vast veel makkelijker als ze bij jóú zijn, waar of niet? Ze denken echt: dit kun je onmogelijk dag in dag uit volhouden, hè? Maar het was zo lief van je om hier te zijn. Kevin en Daniel zijn gisteravond voor de wake gekomen, maar de meisjes zijn allebei in New England, weet je – allebei advocate, heb ik je dat verteld? Heb je de bloemen gezien die ze gestuurd hebben? Ze waren gek op Billy, allebei. Ik weet dat je vader het waardeert, dat je hier bij hem bent. Billy en hij waren zo dik bevriend, net broers eigenlijk – ze hadden tenslotte geen van beiden zelf een broer. En dat Dennis naar het ziekenhuis moest om Billy op die manier te identificeren. Wat had Maeve door de jaren heen moeten beginnen zonder je vader om een beroep op te doen? Hij was in dat opzicht het evenbeeld van zijn eigen vader, van oom Daniel. Die stond altijd klaar voor wie hem nodig had – hoe noemde je hem ook weer, Dan? Een politicus? Nou, dat zou ik niet weten, maar hij heeft alles voor mijn ouders gedaan toen ze hier pas waren. Voor mij is hij een heilige en dat zeg ik niet zomaar. Geen knappe man, je vader boft dat hij op zijn moeders kant van de familie lijkt, maar hij liep over van goedheid. Ik heb nooit iemand anders gekend die was zoals hij. Je zou denken dat hij op deze wereld was gezet om de rest van ons een handje te helpen, ons een beetje troost te geven – is dat niet precies wat een heilige is? Ik herinner me lachende mensen als ik aan hem denk, en ik was zestien toen hij doodging. Waar hij ook was kreeg hij mensen aan het lachen, zoals Billy in zekere zin, denk ik. Billy zonder zijn narigheid. Je arme vader heeft zijn eigen vader op zijn achttiende verloren, en zijn moeder en zijn vrouw een paar jaar na elkaar en nu Billy ook nog. Ik weet zeker dat hij blij is dat je gekomen bent. En morgen ga je met hem naar Long Island? Goed zo. Je man redt het best, zit daar maar niet over in. Alle jonge moeders denken dat hun kinderen niet zonder hen kunnen, hè? Dacht jij dat niet? Je zult het binnenkort wel zien. Voor je het weet, zijn ze allemaal groot en de deur uit – dat is toch zo. Voor je het weet, is je huis weer leeg. Neem ons nou, Bridie, Rose, Dorothy, Kate, hoeveel kinderen in totaal? Vijftien, goeie God, zestien kinderen in totaal en niet een ervan nog thuis, toch? God zij dank natuurlijk, maar begrijp je wat ik bedoel, zie je hoe snel het gaat? Maar Kate gaat vanavond niet naar huis. Het heeft geen zin voor haar om dat hele eind naar Rye in het donker terug te rijden. Dan heeft Maeve ook wat gezelschap, het is tenslotte de eerste nacht. Hoe is het buiten? Kun jij het zien? Het regent al vanaf dinsdag, hè? Ze zeggen dat regen op de dag van een begrafenis betekent dat een ziel rechtstreeks naar de hemel gaat. Heeft iemand de hond binnengelaten? We moesten maar eens gaan zodat Maeve een beetje kan rusten. Heeft ze een hapje gegeten? Heeft ze wel iets gegeten? Ze krijgt in ieder geval weer wat kleur. Het was gewoon de sherry op een lege maag. En ook de vermoeidheid, die arme meid. Het komt wel goed met haar. De tijd heelt alle wonden en ze heeft het niet makkelijk gehad. In veel opzichten zal het een opluchting zijn. God vergeef me dat ik het zeg, maar nu zal ze wat rust hebben.

Terwijl Rosemary en de dames van het Legioen in de keuken opruimden, pakte Dorothy Maeves handen en vroeg of ze alsjeblieft niet wilde vergeten dat zij er was, dat John en zij er waren, vlak naast haar, ieder uur van de dag of de nacht, zoals altijd. 'Dank je,' zei Maeve zacht, 'dank je, lieverd', maar op een manier die scheen aan te geven dat ook zij zich ervan bewust was hoe weinig behoefte ze nu zou hebben aan hulp en bijstand midden in de nacht.

'Zelfs al is het maar een nachtmerrie', zei Dorothy.

Ze keek even naar haar man. 'Zelfs al is het maar een vreemd geluid of iets wat je onmiddellijk nodig hebt uit de winkel. Een middeltje tegen maagzuur of zo. Bel ons maar. Voor wat dan ook.' Ze keek weer naar haar man. 'Zelfs al ben je alleen maar eenzaam', zei ze en toen barstte ze in snotterende tranen uit – net zozeer om zichzelf, scheen het, en de mogelijkheid, waarschijnlijkheid van haar eigen lange nachten als weduwe, als om die van Maeve. Haar gezette man, die ze net in zijn graf had gezien, legde zijn vingers op haar elleboog en zei: 'Toe, mam', en Dorothy vond een verfrommelde tissue in haar zak en wuifde ermee voor haar gezicht. 'Ik had mezelf beloofd dat ik dit niet zou doen', snikte ze.

Maar Maeve glimlachte goedig. Ze zag er moe uit. De huid over haar jukbeenderen en onder haar hals scheen dunner geworden en toch scheen ze ook een nieuwe bron van kracht, van zelfbeheersing te hebben gevonden, een overgebleven voorraad die haar door de laatste plichtplegingen van de dag zou helpen. 'Het geeft niet', zei ze. Ze nam de vrouw even in haar armen. 'Het geeft niet', zei ze weer terwijl ze zich van elkaar losmaakten.

'Het was een goed mens', zei Dorothy door haar tranen heen. 'Zonder de drank. Nuchter was het een brave ziel, Maeve. Een van de besten. Als je met hem sprak was het alsof je naar poëzie luisterde, hè, John? Zelfs als hij dronk, was het de moeite waard om naar hem te luisteren. Een slimme man op zijn manier. Een gevoelige man, Maeve, als je het goed beschouwt. Misschien te gevoelig voor deze wereld, als je begrijpt wat ik bedoel. Een man met zijn edele gevoelens. De Heer heeft hem gemaakt zoals hij was. Niemand kon er iets aan doen. Je hebt je goede jaren met hem gehad en daar gaat het om, waar of niet? Denk aan wat je ons vanavond verteld hebt over die spinazie. En dat je die schoenen weggooide. Denk aan dat soort dingen.'

Haar man trok haar langzaam de kamer uit, iedereen die hij passeerde gedag knikkend. 'Maeve is moe nu', zei hij tegen zijn vrouw. 'Gun Maeve haar rust.'

'Het was een lieve man', zei Dorothy, de gang in lopend. 'Als hij maar niet was gaan drinken. Wat jammer dat hij ooit een borrel heeft genomen.'

Toen ze weg waren, kwamen de Legioendames de keuken uit, droogden hun handen aan theedoeken af en schoten hun jas aan. Ze vertelden Maeve wat ze nog aan eten in de keuken had. Ze zouden morgenochtend vroeg langskomen, zeiden ze, en ze waren nauwelijks de deur uit (bedrijvig, met hun plastic regenkapjes op en korte canvas regenjassen aan, hun behoedzaamheid waarmee ze zijwaarts de drie natte stenen treden afstapten het enige lichamelijke teken van hun leeftijd) of Maeve richtte zich tot ons allen en vroeg: 'Heeft niet een van die vrome dames zelf een huis of een man?'

Dan Lynch zei: 'Blijkbaar niet.'

Bridie zei: 'Ha, maar ik wel', en ze hing haar tas over haar mollige, sproetige arm en nam haar jas van het bankje in de gang, die zich was gaan vullen met de geur van de natte avond en de parfumluchtjes die nog aan de hoofddoeken en voorjaarsjasjes van de vrouwen hingen. 'En de dame die voor hem zorgt zal overuren rekenen omdat ik tegen haar heb gezegd dat ik hier maar een uurtje of zo zou blijven', ze keek op haar horloge. 'En nu zijn het er al drie.'

'Hoe gaat het met Jim?' vroeg Mac ernstig. Bridie wuifde met haar hand alsof ze hem duidelijk wilde maken dat een dergelijke ernst niet nodig was. 'Het gaat goed met hem, dank je', zei ze. 'Hij herkent me niet altijd, dat is het moeilijke ervan. Maar zolang ik hem thuis kan houden en hij tevreden is – het had erger kunnen zijn. Hij is min of meer in zijn eigen wereldje.' Ze haalde haar schouders op. 'Soms benijd ik hem.' Ze boog zich voorover en kuste Maeve en daarna Rosemary en Kate. 'God zegene je', zei ze tegen ieder van hen en toen richtte ze zich tot ons allemaal: 'Ik ga geen toespraak houden. Dat was Billy's sterke zijde. Het moeilijkste zal worden iedere dag naar de brievenbus te lopen zonder de hoop dat er een briefje van hem zal zijn.' Daar was iedereen het mee eens en ze ademden diep in terwijl ze knikten, alsof ze hier nog niet aan gedacht hadden maar dit wel hadden moeten doen en het vroeg of laat ook gedaan zouden hebben. Bridie kuste mij en mijn vader en Mac en met een 'Jij ook, Danny', Dan Lynch.

'Kun je wel alleen naar huis rijden?' vroeg mijn vader met een hand op haar rug.

'Ja, hoor.' Ze schudde haar dikke sleutelbos. 'Ik heb mijn sirene en mijn traangas. Ik ben gewapend en op alles voorbereid. En het is nog niet zo laat.' Mijn vader zei dat hij tenminste met haar mee zou lopen naar haar auto.

'Ze is me er een', zei Rosemary toen Bridie weg was, duidelijk iets anders bedoelend.

'Ze heeft het niet gemakkelijk gehad', zei Kate, haar zuster in de goede richting sturend. 'Haar dochter met die drugs en Jim met Alzheimer. En die baby's die ze heeft verloren.'

'En Tim Schmidt,' zei Rosemary, 'in de oorlog.'

'Ze is een wonder', zei Maeve, en Kate raakte haar schouder aan en zei: 'Jij ook, meid.'

Maeve lachte een beetje. 'Een wonder van wat?' zei ze. Haar schouders leken slap.

'Van uithoudingsvermogen', zei Kate.

'Van geduld', voegde Rosemary eraan toe. 'En trouw.'

Maeve glimlachte en boog haar hoofd even. Het was duidelijk dat ze het prettig vond dat dit tenminste werd ingezien en erkend. Haar uithoudingsvermogen, haar geduld, haar lange lijdensweg. Dezelfde vastbeslotenheid die haar er ooit toe gebracht had haar vaders goede schoenen in de verbrandingsoven te gooien, had haar ook hierin een kei gemaakt, een kei in het getrouwd zijn met Billy.

Toen Maeve zelf afscheid van ons nam, bleef ze even op de trap staan, haar hand op de eenvoudige leuning, en zei tegen mijn vader: 'Vooral jij bedankt, Dennis. Ik weet hoe moeilijk dit voor je is geweest.' (Dan Lynch glimlachte meelevend naast hem en bewaarde zijn eigen huilerige 'En ik dan?' voor een andere keer, voor morgenavond bij Quinlan misschien, met zijn maatjes en een borrel.) Mijn vader knikte. 'Bel als je me nodig hebt', zei hij, dezelfde vergissing makend als Dorothy, net als zij vergetend dat die krankzinnige nachten voorbij waren.

Heel even voelde ik de druk van die bekende last: ik vroeg me af hoeveel eenzamer mijn vaders nachten zouden zijn nu ze niet meer door een crisis werden onderbroken.

Billy's zusters, dienstmaagden nog steeds, volgden haar de trap op en een paar minuten later kwam Rosemary weer naar beneden om haar jas aan te trekken en haar man te halen. Toen Kate op kousenvoeten naar beneden kwam om de deur achter ons op slot te doen, liepen we achter Mac en Rosemary aan naar buiten. Dan Lynch, de kraag van zijn colbert opgezet en gekwetst door de laatste opmerking van Maeve, begon in de lichte regen naar de bushalte te lopen, onder de oranje straatlantaarns, met in zijn hand het plastic boodschappentasje dat Rosemary hem had opgedrongen, genoeg restjes voor een paar maaltijden. Maar mijn vader riep hem terug en zei, bijna ongeduldig, dat hij hem natuurlijk zou thuisbrengen. Wat dacht hij dan?

In de auto deed Dan zijn kraag recht en kreeg snel zijn goede humeur terug door ons te vragen: was de monseigneur geen geweldig mens? Was hij niet ongelooflijk? De belichaming van al het goede aan het priesterschap. Hij zei ervan overtuigd te zijn dat er genoeg prima rabbijnen en dominees waren, maar een priester, een goede priester had iets wat die anderen niet konden evenaren. Iets heiligs. Een verbondenheid met God.

'Voel je dat niet zodra hij de kamer inloopt?' Mijn vader gaf het toe. Dan draaide zich op zijn zitting om zodat hij mij aan kon kijken. Ik gaf toe dat ik het ook voelde.

Tevreden zei hij: 'Het is een leven dat op een ander niveau wordt geleefd, begrijp je. Een leven dat alleen om God draait en niets anders.' Hij zweeg even, maar de manier waarop hij dat deed had iets gemaakts, iets theatraals. Het leek duidelijk dat alles wat hij zou gaan zeggen weldoordacht was, vanbuiten geleerd misschien, een toespraak die hij al tot in de details had uitgewerkt en waarvoor hij, tot nu toe, alleen geen publiek had gehad. 'Denk er eens over na', zei hij. 'Een rabbijn of dominee sluit na de dienst zijn kerk of synagoge en gaat naar huis om met zijn vrouw en kinderen te eten. Hij betaalt zijn rekeningen,' hij tikte met zijn vinger op het dashboard van de auto, het ritme van een denkbeeldige dag trommelend, 'doet boodschappen, gooit een balletje met zijn zoon, niet? Waarin onderscheidt hij zich van andere mensen, wat is het verschil met iedere andere baan? Maar een priester kan zijn boord afdoen, een rondje golf spelen, naar een wedstrijd gaan en toch zal hij altijd anders zijn. Het is een gewijd leven, snap je, niet alleen een gewijd beroep. Ik bedoel, neem de paus nou, bijvoorbeeld, zelfs niet-katholieken vinden het opwindend om hem te ontmoeten, ja toch? Ze weten dat hij iets bijzonders is. Heilig.' Hij schudde zijn hoofd. 'Nu hebben ze het over veranderingen, maar ik hoop dat ze er nooit komen. Het zou een vergissing zijn. We zullen dat verliezen, Dennis. De kerk zal juist datgene verliezen waardoor haar priesters met kop en schouders boven de rest uitsteken.'

Ik vroeg me af of hij het celibaat bedoelde.

'Je hebt gelijk', zei mijn vader. 'Absoluut.'

'Ik wil niet zeggen dat het geen offer is.' Waarschijnlijk bedoelde hij dat dus. 'Het is een enorm offer. Een paar jaar geleden hadden we een jonge vent, net van het seminarie, die naar onze parochie kwam, reuze aardig hoor, maar hij hield het niet vol. Hij kon er niet tegen. Ten slotte is hij vertrokken en hij is getrouwd.

Dus ik weet dat het een offer is. Maar schaf het af en de priesters worden precies zoals iedereen, let maar op. Dan kun je net zo goed bij je kapper gaan biechten.'

Mijn vader knikte, glimlachend, zich ongetwijfeld afvragend, net als ik, hoe het met Dan Lynch zelf zat, die ook niet getrouwd was. 'Natuurlijk', zei hij.

'Je kunt niet allebei je ogen op de hemel gericht houden als er een vrouw en een hypotheek zijn en kleintjes voor wie je nieuwe schoenen moet kopen. Het spreekt gewoon vanzelf dat je dat niet kunt.'

'Je hebt gelijk', zei mijn vader. 'Zo was het met mij.'

'Het spreekt vanzelf', zei Dan Lynch weer. En toen draaide hij zich een beetje om, in de richting van mijn vader, en begon iets zachter te praten, niet zo zacht dat ik hem niet meer kon verstaan maar als erkenning van het feit, misschien, dat hij zich in gemengd gezelschap bevond. 'Maar ik moet zeggen, het zit me vreselijk dwars zoals ik de mensen erover hoor praten. Het ergert me. Weet je, je kunt vandaag de dag van alles opgeven, allerlei soorten voedsel om gezond te blijven, je weet wel, zout, eieren. Of nachtrust misschien, zodat je om zes uur 's morgens over straat kunt joggen. Je kunt je vrouw opgeven voor een nieuwe, of je huiselijke leven zodat je de hele wereld kunt rondhollen zoals Henry Kissinger – o, ja hoor, als je zoiets opgeeft is het prima. Maar laat het gesprek op katholieke priesters komen en iedereen begint stiekem te lachen. Te gniffelen. Ze willen er allemaal iets pervers van maken. Een man wijdt zich zo volkomen aan zijn geloof dat het de fundamentele structuur van zijn leven verandert, de fundamentele structuur, Dennis, begrijp je wat ik zeg, en deze maatschappij kan dat niet verdragen. Ze willen het als iets slechts zien. Onze Lieve Heer is oké als een verhaaltje, weet je, Kerstmis, Pasen, iets om over te praten op een zondagmorgen, maar neem het ter harte, neem Hem ter harte, laat je geloof de fundamentele structuur van je leven veranderen en ho ho' – hij stak zijn opgeheven hand naar het dashboard uit, schudde hem –

'dat gaat te ver voor ze. Dan willen ze er iets smerigs in zien, niet iets prachtigs. Dan zeggen ze: het is onnatuurlijk om dat op te geven, een man kan dát niet opgeven, niet omwille van wat eigenlijk alleen maar een mooi verhaal is.'

'Niemand zegt dat over de paus', zei mijn vader, hem opstokend, dacht ik.

'Nee, niet over de paus', zei Dan Lynch, nog altijd ernstig. 'Niet in de krant tenminste. Daar passen ze wel voor op. Hij is tenslotte een beroemdheid. En het is een robuuste man. Hij skiet, weet je.'

'Ja', zei mijn vader.

'Maar ze zeggen het gauw genoeg over een gewone priester, hè? Ze voelen de heiligheid wel aan, maar ze begrijpen het niet, dus het eerste wat ze willen doen is het een beetje smerig maken, er wat vuil op schoppen, wat zand op het vuur gooien. Natuurlijk, het is een hele opluchting, een hele troost voor ons als we erachter komen dat niemand beter is dan wij, niet dan? Een man als de monseigneur loopt een kamer binnen en je weet dat sommige mensen zich bedreigd voelen.'

'Natuurlijk', zei mijn vader, met iets van vermoeidheid in zijn stem. Hij had genoeg van Dan Lynch, dat kon ik merken.

Dan Lynch had het door maar stoorde zich er niet echt aan. Hij sloeg zijn armen over elkaar en ging gemakkelijker zitten. Hij draaide zijn hoofd om en keek uit het raam, naar de natte donkere straten verlicht door oranje fosfor. Je zag aan de manier waarop hij zich weer tot mijn vader wendde en zweeg en keek, dat de gedachte enkele seconden voor hij hem uitsprak bij hem was opgekomen. 'Billy had zoiets over zich, hè?' vroeg hij zacht. 'Dat heilige, als hij een kamer binnenliep. Vind je niet?'

'Een beetje wel', zei mijn vader en toen: 'Kijk nou eens.' Er was een lege parkeerplaats vlak voor het gebouw van Dan Lynch. 'Da's mazzel', zei hij terwijl hij erin reed.

Dan Lynch boog zich om zijn plastic tasje op te rapen. Hij was een paar tellen de kluts kwijt door zijn gezoek naar de deurknop en opnieuw door het losmaken van zijn veiligheidsgordel, maar toen hij helemaal klaar was om uit te stappen, wachtte hij even en zei met een zucht: 'Dit is de moeilijkste avond voor Maeve, hè? De eerste avond met Billy in zijn graf.' Hij keerde zich naar het raam. 'Het is eigenlijk maar goed ook dat het regent.' Naast ons leek zijn flatgebouw, uit het vooroorlogse Queens, met zes verdiepingen van donker baksteen, zonder koepel of luifel of versiering van enige soort, net zo verlaten en hopeloos als een gevangenis.

Dan Lynch schraapte zijn keel. 'Wil je binnenkomen voor een slaapmutsje?' vroeg hij. Zonder aarzelen zette mijn vader de motor af en reikte achter de bank naar het stuurslot.

'Vind je het niet erg?' fluisterde hij tegen me terwijl we achter Dan Lynch aan de stoep over en het kale pad op liepen. 'Nee', zei ik, mijn vaders dochter, en bleef naast hem staan terwijl we Dan Lynch gadesloegen die zich met zijn eigen sleutel binnenliet in het gebouw.

'In mijn boek van Ierse namen', zei Dan Lynch, 'betekent Maeve "de bedwelmende".'

Mijn vader knikte. 'Da's nog eens ironisch', zei hij.

'En Eva,' ging Dan verder, 'Eva is Eva. De eerste vrouw.'

Mijn vader knikte weer, langzaam, zijn mond een beetje vertrokken alsof Dan Lynch de spijker op zijn kop had geslagen. En alsof hij reageerde op een opmerking die de spijker op zijn kop sloeg, zei mijn vader: 'Alsjeblieft!'

Ze nipten beiden van hun borrels: twee vingers Schotse whisky in korte, dikke glazen, met veel ijs. Dan had drie glazen ingeschonken en scheen verrast toen mijn vader het eerste oppakte en aan mij gaf. Het was misschien de verbazing van een ouder wordende vrijgezel die niet verwachtte dat een vrouw – vooral een die hij als kind had gekend – iets sterkers dan sherry zou accepteren. ('Wil je liever een ginger ale?' had hij gevraagd), maar het liet bij mij het gevoel achter dat het glas voor iemand anders was bedoeld. Voor Billy, misschien. Dat ik Billy's borrel opdronk.

Het was schemerig in de woonkamer van Dan Lynch, zo schemerig dat het dubbele tweetal met regen bespatte ruiten helder leek. De meubels waren heel ouderwets: een bureau met lederwerk, waarop hij onze borrels had ingeschonken, stoelen met klauwpoten, een brede bank. Sommige ervan waren van zijn eigen moeder geweest, zei hij. Een versleten pers. Er lagen keurige stapels *National Geographic* en *Time* en *U.S. News & World Report* opgehoopt tegen de gebogen poten van ieder bijzettafeltje en op de tafeltjes zelf lagen stapels boeken, historische werken en biografieën, merendeels uit de openbare bibliotheek van Queensborough. Winston Churchill en de Desert Fox, de oorlog in de Pacific, D-Day, Guadalcanal, de Enola Gay, F.D. Roosevelt, en Truman. Er stond een rotan tijdschriftenrekje vol met zorgvuldig gevouwen kranten van twee weken. De *Daily News* van vandaag en ook een *St. Anthony Messenger* – met een hoofdartikel over het celibaat en het priesterschap – lagen op de salontafel tussen ons in.

Er hing een lucht, vooral toen we pas binnenkwamen, van aftershave en de zeep die hij had gebruikt toen hij zich tussen de begrafenislunch en het bezoek aan Maeve moest hebben gedoucht, maar die maakte nu plaats, terwijl we daar zaten, voor de verschillende geurtjes – kerrie, ui, knoflook – van het late avondmaal van een van zijn buitenlandse buren.

'Niet dat ik er te veel belang aan wil hechten', ging Dan verder, die plotseling scheen te denken dat mijn vader en ik juist dat misschien zouden doen. 'Het kwam gewoon vandaag bij me op, toen Kate de naam van dat meisje weer ter sprake bracht: Eva. En toen ik thuiskwam, heb ik Maeve opgezocht.'

Mijn vader knikte weer, haalde ook licht zijn schouders op, alsof hij wilde zeggen dat hij zou oppassen. Dat hij er niet te veel belang aan zou hechten.

'Je merkt gewoon dat je op een dag als vandaag', zei Dan Lynch, 'alles bekijkt. Met andere ogen, als je snapt wat ik bedoel. Je wilt het allemaal kunnen begrijpen.'

'Dat is waar', zei mijn vader.

De twee mannen bleven een ogenblik zwijgend zitten, op hun hoede, leek het, hun woorden wegend. Ze wilden geen van beiden de indruk wekken dat ze iets diepzinnigs probeerden te zeggen – dat was uiteraard aan de priester voorbehouden – en ze waren allebei even bang om sentimenteel te worden. En toch moest er iets worden gezegd, op een avond als deze. Er was het gekletter van regen – als vingers die tegen de ruiten tikten. De whisky was zacht maar prikkelend. Met ieder slokje werd een soort sluier opgetrokken die zowel een gloed over je wangen als een floers voor je ogen was. Een manier van zien, misschien. Precies datgene misschien wat Billy zo aantrekkelijk zou hebben gevonden, als het zijn borrel was geweest.

Niet dat ik er te veel belang aan wilde hechten.

'Ik heb haar nooit ontmoet', zei Dan. 'Dat Ierse meisje. Ze was allang weer naar huis tegen de tijd dat ik uit dienst kwam. Voor mij was ze altijd alleen maar een verhaal. Billy en jij daar op Long Island die zomer terwijl ik nog steeds opgevreten werd in de Pacific. Een insectenbestendig werktenue, zeiden ze tegen ons.' Hij glimlachte. 'Wat een tijd was dat.' Hij wendde zich tot mij. 'Die atoombommen hebben de levens van een hoop soldaten gered, weet je. Een hoop Japanners gedood, natuurlijk. Ook een hoop onschuldige mensen. Maar laat die liberalen je niet voor de gek houden, ze hebben geen van allen ooit snuivend door een jungle gelopen op zoek naar Jappen. Dat deden we, weet je, snuiven of we ze roken. Om te zien of je sigarettenrook kon ruiken of, je weet wel, uitwerpselen. Daaraan merkte je dat ze er waren. Want je zag niets anders dan die rotjungle. Die bommen hebben ervoor gezorgd dat een hele hoop soldaten niet in die jungles zijn gecrepeerd, weet je. Door die bommen zijn een hoop jonge jongens heelhuids thuisgekomen.'

Ik knikte. Ik herinnerde me dat Dan Lynch ook ooit als een verwoed brievenschrijver bekend had gestaan, hoewel zijn brieven altijd aan de redacteuren van *Time* en *Newsweek* of de hoofden van omroeporganisaties waren geadresseerd. Ik herinnerde me dat hij vooral was gespitst op smadelijke uitlatingen jegens Ierse Amerikanen en ooit een persoonlijk ondertekende verontschuldiging van Danny Kaye had ontvangen voor een sketch die hij op tv had gedaan over een dronken Ierse kabouter. Een Iers-Amerikaanse eenmansbond tegen laster, had mijn grootmoeder Dan Lynch indertijd genoemd, op Long Island die laatste zomer toen hij een dagje was gekomen en de brief had meegebracht. Als andere Ieren een smadelijke opmerking over hen horen, had ze gezegd, zijn ze niet beledigd maar schamen ze zich diep omdat ze denken dat het waar is. Geef een jood in New York een schop, had ze gezegd, en een in Tel Aviv zegt 'au'. Maar geef een Ier een schop en de rest houdt zijn mond en bedekt zijn achterste omdat ze denken dat zij die schop meer verdienen. Had Danny Lynch (als je het goed beschouwde) de brief waarin Danny Kaye toegaf dat niet alle Ieren dronkelappen waren tenslotte niet mee naar Quinlan genomen? Had hij hem daar niet op de bar uitgespreid?

Dan verschoof in zijn stoel, sloeg zijn benen opnieuw over elkaar. 'Ik herinner me wel mijn ontmoeting met Maeve', ging hij verder. 'Ik herinner me de eerste keer dat Billy haar meenam naar Quinlan. Ze waren naar een van die thé dansants geweest die ze vroeger bij de Knights of Columbus hadden. Dat moet in het begin van de jaren vijftig zijn geweest. Het stortregende echt en er kwamen ik weet niet hoeveel mensen van de dans binnen.'

Ik nipte van Billy's borrel. Nog een regenbui in Queens dus: de regendruppels zelf die zwart en zilver in de lucht schitterden en het trottoir en de grijze straat donker kleurden en de rokerige, vieze stank van nat asfalt en nat staal deden opstijgen, de duisternis van de middag die de neonverlichting in de verschillende winkelruiten, de drogisterij en het Chinese eethuis en café-restaurant Quinlan, helderder dan gewoonlijk, romantisch zelfs deed lijken en de straten onder en rond de luchtspoorweg een stad op zich, in plaats van alleen maar een uitstroom – zoals ze mij altijd hadden toegeschenen – van Manhattans overvloed. Billy en Maeve, er nog jonger uitziend dan iemand zich hen herinnerde, die haastig voortliepen.

'Ik herinner me dat ik Billy naar de bar zag lopen met een meisje vóór hem, en mijn eerste gedachte was dat ze iemand was die hij buiten op straat of net binnen had ontmoet. Ik dacht dat ze misschien een onbekende was die een telefoon nodig had en dat hij haar alleen maar hielp. Je was er niet aan gewend om Billy met een meisje te zien. Het kostte me een paar tellen om te begrijpen hoe het zat: dat hij haar werkelijk naar de dans had meegenomen, haar thuis had opgehaald en de orchidee voor haar had meegebracht die ze op had. Ik moet nogal dom hebben geleken, maar het kwam als een verrassing voor me. Je was er in die tijd niet aan gewend. Niet bij Billy. Je was er bijna zeker van dat hij een vent was die vrijgezel zou blijven.'

Precies zoals Billy er zelf zeker van moest zijn geweest tegen die tijd, vijf, zes jaar na zijn zomer op Long Island. En toch was daar Maeves heel tastbare elleboog tegen zijn hand, toegevend aan de geringste druk van hem. Laat me je aan mijn neef voorstellen. Hier was weer een meisje dat iets in zijn oor zei – ze wilde alleen maar een ginger ale, alsjeblieft – haar adem vermengd met de geur van de gekweekte orchidee op haar schouder, de bloem die hij voor haar had gekocht. Haar gezicht zou mat lijken in het nieuwe licht van de drukke caféruimte, hij zou zich bewust zijn van de donzige bleekheid ervan, haar onopvallende blauwe ogen. Dank je, Billy – een licht trillen misschien terwijl ze het glas hief en aan haar lippen zette, een trillen van verlegenheid terwijl ze haar ogen naar hem opsloeg over de rand ervan.

Dan Lynch boog zich een beetje voorover, met beide handen het korte glas omvattend. 'Ze was geen schoonheid, hè? Maeve. Een onopvallend meisje. Ik ging toen met Carol Wilson, weet je wel. Het zusje van Butch Wilson, herinner je je haar?'

Mijn vader zei van ja. Dat was nog eens een schoonheid.

Dan snoof lichtelijk. Haar mond was een beetje te breed, zei hij. Ook niet het meest snuggere type. Hij keek even naar me alsof hij wilde zeggen dat hij dáár een verhaal over zou kunnen vertellen, als mijn vader alleen was geweest. Ik vermoedde dat het een verhaal was dat mijn vader al kende.

'Maar Maeve leek een aardige meid', zei Dan Lynch. 'Je kon goed zien dat ze helemaal weg was van Billy. Ik weet niet wat Billy toen van haar vond, maar zij vond hem in ieder geval geweldig.'

Met zijn glas tegen het hare stotend in het café waar de

bezoekers, net als de andere paren bij de thé dansant die middag, steeds jonger werden dan zij. De tijd ging voorbij. De doopplechtigheden begonnen talrijker te worden dan de bruiloften bij zijn familie en vrienden, de kinderen die na de oorlog waren geboren, de neefjes en nichtjes, achterneefjes en -nichtjes werden al kleuters, schoolkinderen, en verrasten hem met hun gewicht, hun taal, hun leven dat zich ontwikkelde. Hij stootte tegen haar glas en nipte van zijn whisky en voelde de waterige sluier voor zijn ogen komen. Wat had hij van Maeve kunnen vinden, na het Ierse meisje, nadat die andere toekomst, de mooiste van de twee, voor zijn ogen in scherven was gevallen: hier was veiligheid, hier was compensatie, hier was nog een ander leven, het leven dat al die tijd op hem had gewacht, zelfs toen hij druk bezig was zich zijn leven met Eva voor te stellen. *'Pale brows, still hands and dim hair'* – hij zou de regels bij Yeats hebben gevonden. *'I had a beautiful friend/ And dreamed that the old despair/ Would end in love in the end...'*

'Ik moet zeggen dat het een nieuwe verrassing voor me was toen ze ten slotte besloten te trouwen. Ik had nooit gedacht dat het zover was gekomen. Billy had zelfs nooit gezegd dat hij over trouwen dacht. Maar ik denk dat hij bijgelovig was geworden. Ik denk dat hij bang was om te veel over zijn plannen te zeggen tegen iemand. Na wat er was gebeurd.'

'Dat is mogelijk', zei mijn vader.

Dan Lynch knikte en zei: 'Ik weet zeker dat het zo is.'

Of dacht hij, toen hij zich naar haar bleke gezicht toe boog, de lippenstift bijna van haar droge lippen verdwenen, dat hier de wil om te leven was, of de wil om zich voort te planten, of gewoon de wil om met een ander verbonden te zijn, die zich volkomen ongevraagd aandiende. Dat hier het bekende verlangen naar rust, naar zin, naar een of ander geluk was, dat weer opdoemde in de vorm van deze zachtaardige vrouw. Hier was het en het noodde hem verder te gaan, plannen te maken, te trouwen – terwijl het zijn vastbeslotenheid ondermijnde. Zijn vastbeslotenheid om trouw te blijven aan zijn eerste voornemens.

'Het enige wat Billy tegen me zei was: "Wil jij getuige zijn?" en ik zei: "Ja, natuurlijk. Wie is de bruid?"' Dan Lynch lachte bij de herinnering eraan. 'Ik neem aan dat hij jou zou hebben gevraagd als Claire niet in verwachting was geweest.'

Hij zei het een beetje slinks en scheen verheugd toen mijn vader antwoordde: 'Dat denk ik niet. Jij was de geschikte man ervoor.'

Dan knikte instemmend. 'Hij liet me de ring zien. Gewoon een eenvoudige parel, geen diamant deze keer, wat nog wel meer bijgelovigheid zal zijn geweest.' Hij maakte een onderkin terwijl hij in zijn glas tuurde. 'Ik herinner me hoe ze haar ouweheer ondersteunde toen ze naar het altaar liep.'

Mijn vader glimlachte, knikkend, te kennen gevend dat hij het zich ook herinnerde.

'Ze deed hetzelfde voor Billy toen dat nodig werd. Leidde hem als hij er zelf niet toe in staat was.'

'Ze was er goed in', zei mijn vader.

Dan Lynch dacht even na. Een windvlaagje nam enkele regendruppels op en sloeg ze tegen de ruit, als steentjes gegooid door een halsstarrige minnaar. 'Ik was het die tegen Billy zei dat hij niet met hen in het appartement moest blijven', zei Dan zacht, verder vertellend. 'Nadat Maeve en hij waren getrouwd. Ik wist dat hij wat geld had gespaard. Met werken voor Holtzman enzovoort. Ik zei: koop je eigen huis en laat Maeve en haar oude vader daar wonen, anders zul je altijd een bezoeker in hun woning zijn. We zaten achterin, aan een van die tafeltjes die Quinlan daar een tijdje had staan, met die lampjes waarvan de kapjes geschroeid waren. Billy zei dat Quinlan de hele verzameling, samen met de nieuwe serveerster, ergens op een veiling na een brand op de kop had getikt. June heette ze, die serveerster. Ik ben een paar keer met haar uit geweest. Ze leek inderdaad een beetje verzengd.' Hij keek mijn vader met opgetrokken wenkbrauwen aan en schudde zijn hoofd weer: nog een verhaal dat niet geschikt was voor een gemengd gezelschap. 'Ik zei tegen Billy', ging hij verder, 'denk bij jezelf dat het Ierse meisje je op deze manier iets teruggeeft. Je hebt om haar die baan bij Holtzman genomen, gebruik het geld dat je daarmee hebt verdiend nu om een leven met Maeve te beginnen. Ik weet het niet, misschien was het verkeerd van me om haar ter sprake te brengen, dat Ierse meisje, bedoel ik. Billy sprak zelf nooit over haar.' Hij haalde zijn schouders op. 'Maar dat zei ik. En Billy volgde mijn raad op. Die keer wel tenminste.'

Het geld van Holtzman leverde dus weer een aanbetaling, ditmaal voor het huis in Bayside. Een smal huis van lichte baksteen in een straat met een tiental andere huizen, een klein huis met drie hoge stenen stoeptreden en een gietijzeren leuning en een lange witte oprijlaan die naar een smalle tuin voerde. Ze gaven haar oude vader zijn eigen kamer boven en zetten er hetzelfde bed en dressoir en nachtkastje in dat hij ooit voor zijn eigen jonge bruid had gekocht. De oude zwarte politie-scanner die op het kleedje stond dat het nachtkastje bedekte murmelde en knarste gedurende de meeste uren van de dag die Maeve doorbracht met schoonmaken en boodschappen doen en kletsen met de buren terwijl Billy vijf dagen per week bij Con Ed en donderdagsavonds en zaterdags bij Holtzman was, en zelfs de twee weken van zijn zomervakantie, omdat hij dáár niet meer naartoe wilde.

('Maeve en jij moeten 'ns een weekend komen', zei Dennis als ze elkaar op straat of in de hal of in de lift bij Edison tegenkwamen, of als Billy en Maeve kwamen eten of Dennis en Claire op visite hadden. 'Kom midden in de week', bood Dennis aan. 'Neem een paar dagen vakantie. Wij zijn er met de kinderen de eerste twee weken van juli, kom ook met Maeve. Neem haar ouweheer mee, we maken wel plaats.'

Maar Billy zei nee en schudde zijn hoofd. 'Dank je, Dennis, maar nee', zei hij dan zacht. 'Ik ga daar niet naartoe.' Je hoefde hem niet te vragen waarom.)

Dan Lynch zei: 'De echte boosdoener was volgens mij haar

ouweheer. Een doodgewone dronkelap. En Billy die vanaf het begin zo met hem meevoelde, omdat hij zijn vrouw en een kind op die manier had verloren enzovoort. Voor Billy was dat reden genoeg dat die man dronk. Reden genoeg dat niemand hem zijn whisky mocht onthouden, ook al maakte het hem kapot.' Tegen mij: 'Je hoefde maar één blik op Maeves ouweheer te werpen om te zien dat de drank hem kapotmaakte.' Tegen mijn vader: 'Weet je nog hoe hij was, op zijn oude pantoffels, zijn huid helemaal vlekkerig. Die neus. Straalbezopen om vier uur 's middags.' Hij schudde zijn hoofd, huiverde een beetje. 'Maeve die dag in dag uit voor hem zorgde. Niet het beste gezelschap voor een pasgetrouwd stel.'

En toch konden de gewone dagen van Maeve alleen met haar vader in het huis in Bayside niet veel verschild hebben van hoe ze in het appartement waren, voor Billy er was, zo'n groot deel van de dag, nu net als toen, draaiend om de hond. Haar vader die de keuken in kwam om 's morgens de hond naar buiten te laten en zich dan moeizaam uit de woonkamerstoel en in zijn kleren hees om zijn eerste ommetje van de dag met hem te maken; die het dier zijn versnapering gaf en de krant en het blikje bier opzij zette om Trixie of Teddy of Joker eens lekker op zijn buik te krabben of de plek eens goed te bekijken waar de hond zelf aan krabde. Die om vijf uur het hondenvoer in de bak deed en de kippenlevertjes en pens sneed die hij erbovenop zou strooien, terwijl Maeve naar boven ging om een andere jurk aan te trekken en haar haren te kammen voor wanneer Billy thuiskwam.

Als ze weer beneden kwam zat de oude man in zijn leunstoel in de woonkamer, met de hond die zijn bek likte aan zijn voeten. Hij keek naar haar op, zag de veranderingen, de lippenstift en het vleugje rouge. Hij zal toch van zijn dochter hebben gehouden. Als het hem werd gevraagd, zou hij toch geantwoord hebben dat hij haar gelukkig wilde zien. Maar hij had er ook een beetje belang bij te geloven dat die eerste liefde, de beloften aan de doden gedaan, onveranderbaar was. Hij voerde ongetwijfeld een zekere strijd met zichzelf voor hij (geen toonbeeld van zelfbeheersing) zei: 'Heeft Billy het ooit over dat andere meisje, die Ierse?' of 'Wist je dat ze rood haar had?'

Terwijl ze in de spiegel van de kleine badkamer keek, zou Maeve met recht hebben kunnen denken: waar doe ik het eigenlijk voor?

Om zeven uur had haar ouweheer misschien al een stuk of zes biertjes op of meer dan één hartversterking genomen, en Billy was na zijn werk misschien bij Quinlan binnengewipt, of had zijn lunch in een of ander café-restaurant in de stad gebruikt, maar desondanks was er het ritueel van een cocktailuur vóór Maeve de karbonades of de lapjes of de stoofschotel opdiende, en dan hieven ze alledrie hun glas, proost, proost, voor ze aan tafel gingen – in de keuken gedurende de winter, aan de met kant gedekte eetkamertafel als het zomer werd – terwijl de borrel hen naar het eind van weer een dag voerde en Billy het meest aan het woord was omdat hij buitenshuis had gewerkt, anekdotes en moppen verzamelde en oude vrienden tegen het lijf liep in de donkere, glinsterende ruimten waar hij zijn pauzes doorbracht. Als je Maeve en haar vader gadesloeg die hem gadesloegen, zou het moeilijk te zeggen zijn waar ze het meest van genoten: van Billy zelf die al zijn charme alleen aan hun tweeën wijdde, of van hun eigen voldoening dat de een de ander dit vermaak had weten te bezorgen. Het zou moeilijk te zeggen zijn, als je Billy gadesloeg aan het eind van de tafel tegenover zijn kleine familie, honderduit pratend, hen aan het lachen makend, dat er diep in zijn hart nog teleurstelling leefde, teleurstelling en ongeloof, ongeloof dat de trouw die hij aan een onvervulde toekomst had gezworen zo eenvoudig, zo gemakkelijk werd verraden. *'She looked into my heart one day/ And saw your image was there/ She has gone weeping away.'*

Dan volgde het ommetje van tien uur – de oude man die een paar blikjes in de diepe zakken van zijn jas liet glijden, Billy die meeging voor de frisse lucht en daarna, toen de benen van de oude man niet meer wilden, alleen ging, een koud bierblikje in de kom van zijn hand verborgen.

Terwijl Billy en zijn schoonvader samen door de buurt liepen, zouden de lichten in andere woonkamers of de klank van andere stemmen, het geschreeuw van een ruzie, het snikken van een kind, weinig belangstelling bij hen hebben gewekt omdat ze uiteindelijk alleen maar over het verleden spraken, over de tijd in het leven van de oude man toen hij een robuuste, roodharige agent was, vader van twee kleine meisjes, toen de stad was zoals ze vroeger was en de vrouw die zijn leven maakte tot wat het was nog op aarde rondliep. En Billy die zijn eigen herinneringen toevoegde aan wat ooit was geweest maar nu niet meer bestond. Billy die met de oude man meeleefde en hem dat ook zei.

Haar vaders lichamelijke verval – de trager wordende bloedsomloop, het water dat hij vasthield, de valpartijen met de daarmee gepaard gaande hersenschuddingen en verstuikingen, de ingeklapte long, de lekkende haarvaten – zou meer dan genoeg voor Maeve zijn geweest om haar bezig te houden, terwijl ze dokters raadpleegde zoals ze ooit naar de nonnen was gegaan die naar de priester gingen, en ze ervoor zorgde dat de dokters hem waarschuwden en berispten zoals de priester had gedaan. Met zijn rode haar en lichte huid maakte de vader van Maeve geen geheim van zijn losbandigheid, precies zoals hij nooit van zijn mening een geheim had gemaakt, zei mijn vader nu tegen Dan Lynch.

Maar Billy noemde hem meneer Kehoe en nam de taak op zich hem 's avonds de trap op en in bed te helpen. Maeve luisterde vanuit haar eigen slaapkamer met de kleuren van de Heilige Maagd en de babypop, met de stijve armpjes en beentjes, die een hardnekkig vasthouden aan haar eigen kinderlijkheid was of een troost voor het feit dat ze geen kind kon baren; een geruststellende blik op het verleden of compensatie voor wat de toekomst haar niet had geschonken. Op de toilettafel vóór haar de trouwfoto die maar enkele ogenblikken nadat ze hun beloften hadden gedaan was genomen. Dit zal niet veranderen. Ze luisterde nog terwijl Billy weer naar beneden liep om een nieuwe borrel voor zichzelf in te schenken en de telefoon aan de muur op te nemen, of (terwijl Maeve nog steeds luisterde) zijn autosleuteltjes te pakken en de deur uit te gaan.

Het drinken, bij Quinlan, tijdens zijn wandelingen met haar vader, beneden in de keuken nadat ze naar bed was gegaan, zou voor haar evenzeer een deel van Billy's persoonlijkheid zijn geweest als zijn trage glimlach, zijn grote aantal neven, nichten en vrienden, de brieven en ansichtkaarten die onder zijn hand leken te verschijnen, uit zijn vingers leken voort te vloeien, als een welhaast ongewilde goochelkunst. Het lag nu eenmaal in Billy's aard, die behoefte om contact te houden, aan het woord te blijven, bij zijn naam te worden genoemd, op de schouder te worden geklopt, blij je te zien, ga zitten, als hij een drukke gelagkamer binnenstapte. De borrel een gloed over de wangen, een waterige sluier die de glans op de toog, het licht in de spiegel, de fonkeling van een fles, met zilveren dop en amberkleurige inhoud, des te helderder deed uitkomen, terwijl deze van zijn plaats tussen de rijen en rijen blinkende flessen met zilveren dop werd gepakt en nog eens werd uitgeschonken. De veelzeggende nasmaak achter in zijn keel die alleen maar kon betekenen dat die ene borrel gevolgd zou moeten worden door een andere terwijl het gepraat en gelach over en weer ging, niet tot het de kern van zijn eenzaamheid raakte – hij sprak niet meer over haar nu hij getrouwd was, zo loyaal was hij – maar zich op de wereld richtte waarin die eenzaamheid bestond, de wereld waarin verandering en wreedheid, scheiding en verlies, medelijden en verdriet weigerden te worden vergeten, of vergeven, de wereld gezien zoals ze gezien moest worden, door een sluier van tranen, waarin het leven van oom Daniel, of de zorgen van Bridie, de eenzaamheid van zijn moeder en het leed van zijn schoonvader nader beschouwd kon worden, waarin het verstrijken van de tijd, de wreedheid van de oorlog, het falen van hoop, de dood van wie jong was besproken en nader beschouwd konden worden (een jonge president en met de jaren de jonge zoons van neven en nichten, buren en vrienden, jonge kinderen hier in Kew Gardens, uit hun bed gehaald). Een wereld waarin over liefde (nog moeilijker) gesproken kon worden door een hand op de schouder, een nieuwe borrel op de bar geplaatst, fijn je te zien, door opwellende tranen heen, echte nu. Ah, Billy, het is altijd fijn jou te zien. Donker, fonkelend, met verstrooide ogenblikken waarop de geluiden en de geur en de aanblik van de ruimte, de smaak achter in zijn keel, hem, hoe kort ook, naar een zomeravond van lang geleden terugvoerden toen hij jong was en het leven vol belofte en zij er was om toe te spreken, in te drinken; dit was ook de wereld waarin zijn geloof op hem wachtte, werkelijk werd, niet slechts meer als een belofte of mogelijkheid maar als onvermijdelijk en waar. In niet mindere mate dan de kathedralen en kerken en synagogen die verspreid lagen door de hele stad en die hem ooit gesterkt en verbaasd hadden, waren het nu de verschillende cafés die hij tijdens zijn lunch, na zijn werk, tussen dienstbezoeken voor Con Ed en op de meeste avonden als de dag afliep binnenstapte, die hem eraan herinnerden dat wat hij zocht, waarnaar hij verlangde, universeel en constant was. Quinlan was natuurlijk het beste, maar elk café dat hij binnenging bood dezelfde vertrouwde verlichting en geur, hetzelfde gezelschap, dezelfde gesprekken. En in elk ervan werd de kracht van zijn geloof, van zijn kerk – een kracht die hij maar even kon zien als hij nuchter was, een paar tellen misschien na de communie wanneer hij knielde en zijn hoofd boog, of dat korte ogenblik waarop hij het zware gordijn opzijschoof en de donkere biechtstoel binnenstapte, of tijdens die eerste opstijgende geur van wierook bij de benedictie – helder en onwankelbaar en net zo waarachtig als het levendige verleden of de nog onzichtbare maar onvermijdelijke toekomst. Een echte verzoening – het was een lievelingswoord van hem, daarover waren Dan Lynch en mijn vader het eens, een favoriet onderwerp – een verzoening die niet alleen maar een mooi verhaal was, ontstaan rond een goede man, maar een feit dat het wezenlijke karakter van de dag, van het ogenblik veranderde. Als Billy dronken zijn blik op de hemel richtte, bestond de hemel. (Dan Lynch zelf had het in Billy's ogen gezien, zei hij weer, jaren geleden, op 15 augustus, Maria Hemelvaart, toen ze op een holletje naar de mis gingen.) De hemel bestond, volstrekt noodzakelijk, volstrekt aanvaardbaar, de enig mogelijke vergoeding voor de manier waarop hij dag in dag uit moest leven en de zekerheid die hij had gevoeld dat het leven een diepere betekenis had. De enige verzoening, de enige compensatie voor de teleurstelling, de wreedheid en pijn waardoor de levenden geteisterd werden, voor de liefde zelf, want als hij zijn blik op de hemel richtte, bestond de hemel, met Eva erin.

Terwijl Maeve wachtte tot hij thuis was, bad ze een rozenkrans en dacht aan het liedje van Bing Crosby, telde haar zegeningen in plaats van schaapjes: ze had geen geldgebrek en het huis en de tuin waren meer dan waarvan ze ooit had gedroomd; hij verzuimde nooit een dag werk bij geen van zijn twee bazen en hief zelfs aangeschoten nooit een hand tegen haar op (jarenlang niet, tenminste), verhief amper zijn stem en gaf haar altijd een arm als ze uitgingen. Hij was goed voor haar vader. Hij was een knappe man. En al was het misschien laat en al kon hij misschien niet op eigen kracht de trap op komen, en al moest ze Dennis misschien bellen om haar te helpen hem naar binnen te brengen van het gazon of overeind te hijsen van de vloer, hij kwam uiteindelijk toch iedere nacht thuis en slaagde er altijd in – alsof hij het zo plande – bij bewustzijn te blijven tot hij de auto in ieder geval ergens in de buurt van de oprijlaan of de stoep tot stilstand had gebracht.

Zij kon zijn benen wel optillen als Dennis hem maar onder zijn armen kon pakken. Zij kon tussen zijn knieën gaan staan, met haar ellebogen onder zijn kuiten gehaakt en met haar heupen het gewicht torsend dat te zwaar voor haar onderarmen was, en hem zo de trap op manoeuvreren; de overloop het lastigste gedeelte, het ronde tafeltje met de Hummeltjes meer dan eens omgestoten (mijn vader, die de trap weer afliep en mompelde: 'Kun je daar geen ander plekje voor vinden, Maeve?' en mijn moeder de volgende morgen vertelde over 'die verdomde beeldjes van haar' waaraan hij Dan Lynch nu herinnerde). Ze was buiten adem tegen de tijd dat ze hem in bed had, de achterkant van haar benen bont en blauw waar hij haar misschien met zijn hielen had geraakt, haar armen moe, rood geschuurd door de ruwe gabardine van zijn broekspijpen. Samen kleedden ze hem zo goed mogelijk uit, Maeve het meest bedreven erin, omdat ze zo lang voor haar oude vader had gezorgd. Dennis vermoedde soms dat Billy's hardnekkige bewusteloosheid moedwillig, zelfs gepland was, een deur die hij had gezocht en was binnengegaan en achter zich had dichtgetrokken.

Zijn lichaam bleef mager, dezelfde lange, magere benen en onbehaarde borst, dezelfde bleke huid, krijtwit op de rauwe psoriasisplekken en de bijna onnatuurlijk blozende wangen na, zodat hij op dat ene ogenblik voordat Maeve het laken over hem heen trok het evenbeeld was van een gebroken martelaar, een gefolterde heilige die spoedig in de hemel zou zijn. Billy Lynch in eigen persoon, in haar eigen huis.

Kalm ging ze dan naar de keuken en zette water op. Een plakje cake erbij, Dennis? Dennis die hoe laat het ook was bij haar in het kleine keukentje ging zitten om haar een beetje gezelschap te houden, een kuur te bespreken (de AA, een ontwenningskliniek, een pil waarover hij had gelezen die het onmogelijk maakt alcohol binnen te houden), om de warme vloeistof het verdriet in zijn keel te laten verzachten dat hem zei dat Billy, net als haar oude vader, vastbesloten was vóór hen dood te gaan. En dat Maeve vastbesloten was aan wat voor leven dan ook vast te houden zolang Billy er deel van uitmaakte. De schijn van nuchterheid op zich al goed genoeg. Goed genoeg.

'Vanaf het allereerste begin', ging Dan Lynch verder, 'geloofde Billy niet in dat AA-gedoe, zelfs niet voor die ouwe. Hij geloofde niet in dat opstaan en toegeven dat iedere dronkaard, stuk voor stuk, precies hetzelfde is. Hij geloofde ook niet dat je mensen moest proberen uit te sluiten om ze te dwingen te stoppen. "Billy moet met zijn rug tegen de muur staan voor hij ermee stopt", zei Ted Lynch tegen me.' Hij schudde zijn hoofd. 'Jezus,' zei hij zacht, 'fijn idee. Maar kijk eens wat Billy deed: Billy ging bij die ouwe zitten en schonk zijn borrels in en luisterde naar zijn trieste verhaal omdat hij wist dat die ouwe daar behoefte aan had. Hij leefde met hem mee.' Dan zweeg even, tuurde in zijn glas. 'Ik wou alleen maar dat we zo verstandig waren geweest om hetzelfde voor Billy te doen', zei hij. 'Misschien zou hij dan niet op straat zijn gestorven zoals nu gebeurd is.'

Mijn vader zei: 'Hij is niet op straat gestorven. Hij is in het ziekenhuis gestorven.'

'Op straat gevonden dan', zei Dan Lynch, maar het was duidelijk dat iedere keer als hij het verhaal voortaan zou vertellen het zou blijven dat hij op straat gestórven was. 'Op straat gevonden als een of andere zwerver in plaats van in zijn bed te sterven zoals Maeves vader, omdat Billy zo verstandig was geweest hem zijn whisky thuis te geven en hem te laten praten.' Dan staarde in zijn glas. 'Ik moet zeggen, Dennis, dat ik me vanavond een beetje schuldig voel over die hele kwestie. Ik geloof dat we hetzelfde voor Billy hadden moeten doen. Vergeet die foefjes, die dwangmiddelen maar waarmee we hem nuchter probeerden te houden. Jij die zei dat hij niet bij je thuis mocht komen om de kinderen te zien en ik die Quinlan overhaalde hem niet meer te bedienen. Jezus, dat was nog eens een vernedering voor die arme kerel. En dan Ted die zijn maatjes van de AA als een stormtroep op hem af stuurde. Er bestaat geen ergere dronkaard dan een die bekeerd is, zei Billy. Hij maakte er een grapje van natuurlijk, maar ze maakten hem gek, terwijl ze maar zaten te paffen, met glazige ogen van alle koffie die ze bij die bijeenkomsten slobberden. Ze achtervolgden hem. En dan kapelaan Jim – die zelf ook een alcoholprobleem had, weet je – die hem naar Ierland meesleepte. Zijn zusters die hun vinger naar hem opstaken, en die mannen van hen ook, al kun je mij niet wijsmaken dat Peter Sullivan niet in hetzelfde schuitje zit. En Maeve met haar novenen. Wat bezielde ons eigenlijk?' Hij keek op naar mijn vader. 'We hadden hem daar moeten neerzetten' – hij wees naar de lege plek op de bank naast hem – 'en hem zijn whisky moeten geven en hem moeten laten praten. Hij had een pijn vanbinnen die alleen door alcohol werd verzacht. Wie waren wij dan wel, dat we hem konden vertellen de drank op te geven en met die pijn te leven?'

Mijn vader stak zijn hand uit, met de palm naar boven, een gebaar dat voor mij mijn hele levenservaring met hem opriep en behelsde: een verzoek om redelijkheid. 'Dat hebben we niet tegen hem gezegd, Dan', zei hij.

'Daar kwam het wel op neer', antwoordde Dan Lynch. Koppig.

'Dat is niet waar', zei mijn vader. 'Hij had misschien nog twintig jaar geleefd als we hem hadden kunnen laten stoppen.'

'Dat wilde hij misschien niet', zei Dan Lynch.

Ze zwegen weer, ieder naar een andere hoek van de kamer kijkend, opnieuw hun woorden wegend. Ik begreep dat dit een debat was waarvoor ze geen van beiden de moed hadden om het voort te zetten, of om het te winnen. Dan Lynch zou uiteindelijk niet willen bewijzen dat ze werkloos hadden moeten toezien, klaar om in te schenken, terwijl Billy zich dood dronk. Mijn vader zou niet willen horen dat Dan Lynch toegaf dat Billy – hun Billy, met zijn brieven en grappen, zijn trouw en zijn gebroken hart – domweg van zijn kwaal genezen had kunnen worden en zijn leven had kunnen hervatten door de simpele toepassing van een of andere formule die voor iedereen was bedoeld. Ik liet het ijs in Billy's borrel ronddraaien. Geef de man die eer tenminste.

Dan Lynch zei: 'Weet je, Billy sprak nooit meer over haar toen hij met Maeve was getrouwd.' Hij trok een wenkbrauw op. 'Niet tegen mij tenminste', voegde hij eraan toe. 'Op al die avonden dat we bij elkaar kwamen en samen een paar borrels dronken, je weet wel, voor het zo erg met hem werd, hoorde je hem nooit iets over dat meisje zeggen, ondanks alles wat hij over haar had gezegd voor hij Maeve ontmoette.'

Maar mijn vader nipte van zijn borrel en gaf niets toe.

Dan Lynch ging abrupt achterover zitten. 'Zijn zusters vroegen me vandaag of Maeve iets van haar af wist, van dat Ierse meisje. Ik zei dat ik het niet zou kunnen zeggen.' Hij keek een beetje schaapachtig, alsof hij niet graag afstand deed van zijn gezag – híj was tenslotte getuige geweest. 'Ik zei dat ze wel iets moest hebben geweten.'

Mijn vader haalde zijn schouders op. 'Haar ouweheer had haar iets verteld. Billy had het hem in het begin al verteld.'

'Veel?' vroeg Dan, één gladde wenkbrauw nog opgetrokken. Met zijn kale hoofd en het dikke glas in zijn vuist zag hij eruit als een bokser in een cartoon.

'Zoveel als er te vertellen viel, neem ik aan', zei mijn vader.

'Dat zal ze niet leuk hebben gevonden.'

Mijn vader glimlachte. 'Claire was ook ooit verloofd, weet je nog wel. Met een van die jongens die misschien niet terug zou zijn gekomen als we de bom niet hadden gegooid. Ik kan niet zeggen dat het ons ooit heeft gehinderd.'

'Maar Billy heeft dat meisje niet opgegeven. Ze werd van hem weggenomen', zei Dan. 'Dat maakt een groot verschil voor een vrouw.'

Mijn vader haalde zijn schouders op, bracht zijn glas omhoog. Ik vroeg me even af of hij zou zeggen dat Eva nooit was gestorven. Het licht in Dans woninkje hoger zou draaien en het zou overspoelen met de ironie van het geval. Het was alleen maar een leugen. Als je het waarom zoekt, zul je het hier niet vinden. Maar in plaats daarvan zei hij: 'Ach, het zijn ouwe koeien, Danny. Billy gaf Maeve iedere dag genoeg om over na te denken. Ze hoefde niet zo ver terug te gaan om iets te vinden om zich zorgen over te maken.'

Ze zwegen weer, hun glazen bijna leeg. Ik dronk uit het mijne en luisterde naar de regen, naar een verre sirene ergens, naar een paar geschreeuwde woorden beneden op straat, Spaans, Farsi. De twee mannen staarden in hun borrel, alles negerend, zich concentrerend, kwam het me voor, zich concentrerend op het oproepen van iets waarvan ze beiden beseften dat het vluchtig, tijdelijk zou zijn, iets wat ze maar éven zouden zien als ze het al konden zien. Een manier om het te begrijpen. Of anders een manier om het verhaal te vertellen waardoor ze geloofden dat het begrijpelijk was.

'Waren ze gelukkig?' vroeg Dan ten slotte. 'Billy en Maeve? Denk je? Hadden ze ooit een hechte band?' Hij keek ons geen van beiden recht aan, alsof de vraag hem in verlegenheid bracht.

'Ze tolereerde hem', zei mijn vader, wetend dat dat geen antwoord was.

'Dat was haar eigen keus', zei Dan Lynch. Nu tilde hij zijn hoofd op. 'Ze koos hem en voorzover ik het kan bekijken paste hij precies bij haar. Haar ouweheer weer van voren af aan. Iemand die ze kon leiden, kon ondersteunen. Een alcoholist met een schaduw over zijn hart. Een alcoholist omdat er een schaduw over zijn hart lag, volgens mij.' Hij schudde zijn hoofd en tuurde in de halfduistere kamer. 'Ik misgun haar natuurlijk haar tranen niet, maar ik vraag me toch ook af of ze geweten zou hebben wat ze met een nuchtere man had moeten beginnen, met het volle gewicht van de genegenheid van een nuchtere man die nooit van een ander had gehouden.'

Nu was het mijn vaders beurt om zijn ogen neer te slaan. 'Wie zal het zeggen?' vroeg hij.

'Ik geloof van niet', zei Dan Lynch, achterover leunend met een beslissend knikje. 'Ik geloof niet dat ze het geweten zou hebben, Dennis. Ik geloof niet dat Billy gewoon als zichzelf, zonder dat meisje eerst, die Eva, ik geloof niet dat hij zich zo gemakkelijk door Maeve zou hebben laten leiden. Hij verloor zelf ook de helft van zijn leven toen dat meisje doodging en dat kan precies datgene zijn geweest wat hem geschikt maakte voor

Maeve. Natuurlijk,' zei hij – hij tilde zijn hand van zijn dijbeen en legde hem toen weer neer – 'natuurlijk, ze heeft hem al die jaren getolereerd, maar in andere opzichten vroeg Billy heel weinig van haar.' Hij keek snel naar mij, terwijl hij zich schijnbaar probeerde te herinneren of ik achtentwintig of twaalf was. 'Er waren geen kinderen', zei hij. Hij fluisterde het bijna, alsof dat feit een geheim was geweest. 'En Billy was gek op kinderen.'

Mijn vader schudde ongeduldig zijn hoofd. Hij leek geërgerd. Het was misschien zijn natuurlijke afkeer om het roerend met Dan Lynch eens te zijn over wat dan ook. Het was misschien zijn weerzin om de mogelijkheid te overwegen dat de leugen die hij Billy al die jaren geleden had verteld niet alleen de oorzaak was van dertig jaar zinloos verdriet maar precies datgene wat Billy's leven met Maeve mogelijk, en vruchteloos, had gemaakt.

'Billy wilde te veel', zei mijn vader ten slotte. Hij boog zich voorover om zijn glas op de salontafel, boven op de *St. Anthony Messenger*, te zetten. Het was zowel een manier om zich van het gesprek af te maken als om aan te geven dat hij op het punt stond weg te gaan. 'Hij had vreemde ideeën over de wereld, Danny, dat weet je. Over hoe de wereld zou moeten zijn. Van de meeste andere mensen zou je het niet geduld hebben. Dan zou je gezegd hebben: "Ach, toe nou."'

Hij stond op. Ik stond ook op, Billy's borrel nog in mijn hand. De stem van mijn vader zei dat zijn geduld bijna op was. Zijn stem zei: 'Laten we de feiten goed beschouwen.'

'Maeve maakte dezelfde fout die we allemaal maakten, Dan. Ze tolereerde hem niet alleen, ze hoopte dat hij gelijk had, met al zijn vreemde opvattingen. Ze hoopte dat de wereld op de een of andere manier precies zo zou blijken te zijn als hij dacht dat die was. Ze hoopte op de een of andere manier dat hij uiteindelijk gelijk zou blijken te hebben, met al zijn vasthouden aan het verleden. Al zijn trouw aan de doden. Zelfs als dat betekende dat ze zelf geen leven zou hebben.' Hij gebaarde in de lucht.

'Billy had niet iemand nodig die zijn borrels voor hem inschonk, hij had iemand nodig die hem vertelde dat het leven geen poëzie is. Geen gebed is. Die hem dat vertelde en hem ervan overtuigde. En dat konden wij geen van allen, Danny, omdat we stuk voor stuk dachten dat zolang Billy het zelf geloofde, zolang hij het zichzelf liet geloven, het misschien nog steeds waar kon zijn. Jezus Christus, Danny', zei hij en toen stopte hij. In de stilte die volgde, verwachtte ik zeker dat hij zou zeggen: *het was een leugen.* Het was een leugen en Billy wist dat.

Dan Lynch zat op zijn plaats, het lege glas op de Schotse ruit van zijn knie, zijn stapels boeken en tijdschriften, de meubels die nog van zijn moeder waren geweest. Hij keek mijn vader aan, zijn mond dicht, zijn blik verbaasd en misschien een beetje gekwetst, maar hem zijn uitbarsting al vergevend, omdat, weet je (zou hij bij Quinlan tegen hen zeggen), het moeilijk voor Dennis was, dat hij Billy had moeten identificeren enzovoort, het was in alle opzichten een moeilijke week geweest.

Mijn vader zou Dan Lynch niet de waarheid vertellen. Door alleen maar van de een naar de ander te kijken wist ik dat hij Dan Lynch nooit de waarheid zou vertellen. Ook dit was tenslotte weer een mooie romance die hij in stand moest houden.

'Jezus Christus', zei mijn vader weer, maar zacht nu, met die oude, langzaam verdwijnende ergernis op zijn gezicht. 'Soms is het beter maar zo weinig mogelijk te zeggen, weet je wat ik bedoel?'

Dan knikte, duidelijk teleurgesteld dat het gesprek zo abrupt werd afgebroken (ik had het gevoel dat hij graag de hele avond was blijven praten), maar hij vergaf het mijn vader al.

'Natuurlijk', zei hij. 'Laten we het voor vanavond maar laten rusten. Billy's oren moeten gloeien.'

Mijn vader glimlachte. 'Heengegaan maar niet vergeten', zei hij.

Hij had het kantoor in Flushing halverwege de ochtend verlaten en was door de regen naar het Veteranenhospitaal gereden, waar het meisje aan de informatiebalie 'tot uw dienst agent' had gezegd nadat ze hem de weg naar het mortuarium had gewezen. 'Een prettige dag verder, rechercheur', had ze geroepen toen hij wegging (de beproeving eindelijk voorbij). Ze glimlachte, zei hij, maar met iets van bitterheid. Een jonge vrouw, van Latijns-Amerikaanse afkomst of zo. Ongetwijfeld met een vriendje op Rikers Island.

Die ochtend waren de straten rond Maeves huis doordrenkt van de regen, de muren en daken stellig een tint donkerder dan ze bij droog weer zouden zijn geweest. Zilveren plassen in ieder kuil. Een riviertje dat langs de afbrokkelende stoeprand stroomde. Hier en daar waren kartonnen haasjes en paaseieren voor de dubbele ramen gehangen, de huizen markerend waar kinderen woonden of op bezoek waren. Dorothy, de buurvrouw, was er al. Maeve was aan het telefoneren en een van Billy's witte overhemden was al gewassen en hing op een hangertje boven de gootsteen uit te druipen. Het nummer van de begrafenisondernemer was al genoteerd en ook het nummer van de pastorie. Ze had nachten genoeg gehad, veronderstelde hij, om iedere stap door te nemen voor als ergste mocht gebeuren, zodat het voor Maeve, nu het eindelijk zover was, allemaal deel uitmaakte van een bekende routine. 'Ze wist het', fluisterde Dorothy, alsof er in Billy's geval enige vooruitziendheid nodig was om het te weten.

Aan de keukentafel gezeten stelde Dennis, op de achterkant

van een lege vensterenvelop geschreven, een lijst op van de vrienden en familieleden die hij zelf zou bellen en kopieerde hem toen zodat Maeve zou weten dat zij al waren ingelicht. Hij belde Kate en Rosemary met de telefoon in de keuken. En een stuk of vijf neven en nichten van de Lynch-kant. Hij bracht Billy's beste blauwe pak naar de stomerij op de hoek. En toen scheen er voorlopig niets anders voor hem te doen dan naar zijn werk terug te gaan.

Billy was eigenlijk door een shock gestorven en niet aan de levercirrose, hoewel die zeker in een vergevorderd stadium was. Een shock, naar Dennis begreep, omdat zijn maag met bloed volliep. Hij was ineengezakt op straat gevonden, in Flushing, vlak bij Main Street. Nadat hij uit een of andere goedkope kroeg was gekomen met zijn autosleuteltjes in zijn hand – nog steeds in zijn hand toen ze hem vonden, hoewel zijn portemonnee was verdwenen. Een patrouillewagen had hem gevonden (We gaan al, agent), niet dood maar stervende. Dood drie uur nadat ze hem naar de eerste hulp hadden gebracht, waar een van de verpleegsters hem eindelijk had herkend en hem een naam had kunnen geven. Niet Billy, was Dennis' eerste gedachte toen hij hem zag. Een kleurling, godzijdank.

Toen hij bij Maeve wegging, nam hij even de tijd om bij Bridie langs te gaan; hij hoefde er niet ver voor om te rijden. Toen hij boven aan haar smalle stoep stond, zag hij het gordijntje dat voor het ruitje van de deur hing bewegen en hij moest door het hout roepen. Bridie was weg, boodschappen doen – het was de dame die soms voor Jim zorgde en ze had de strikte opdracht gekregen niemand binnen te laten. Hij zei dat ze tegen Bridie moest zeggen dat hij haar later zou bellen, hij wilde daar niet in de regen staan en het nieuws schreeuwen. Maar natuurlijk kon Bridie tegen de tijd dat hij haar belde zeggen: 'O, Dennis, ik heb het gehoord. Ik heb Maeve gebeld. Ik had al zo'n idee dat je daarom was langsgekomen.' Terwijl hij in werkelijkheid voornamelijk was langsgekomen om de geschoktheid, het ongeloof, op Bridies gezicht te zien wanneer hij haar vertelde dat Billy dood was. Toen hij in die koude kamer bij Billy stond (de dikke, niet-blanke man die ze hem hadden getoond was algauw in Billy veranderd door de bekende welving van zijn haargrens, de vorm van een oor, de gladde lippen), had hij gevoeld dat zijn handen zich tot vuisten balden en hij had zich tot de jonge broeder gewend en woedend gezegd: 'Is dit niet godgeklaagd?' Maar hoe kon die arme man daarop reageren? Hij zag zulke dingen vast iedere dag – het stoffelijk omhulsel van ieder soort leven binnengereden en weggereden. Details, zoals wie hij was, hoe hij was doodgegaan, hoe het fijne poederlaagje van de psoriasis op zijn blote been aan een beetje zeezout deed denken dat daar ooit, lang geleden, had gezeten, nu niet belangrijk meer en nauwelijks interessant. Wat kon die arme man zeggen? Dennis was naar het huis van Bridie gegaan omdat hij in Bridies ogen de erkenning, de geschoktheid – niet afgezwakt door enig voorgevoel – hoopte te zien dat het Billy was over wie ze het hadden, Billy die op straat ineen was gezakt (je kon de afdruk van het trottoir op zijn donkere wang zien, een van die gespikkelde blauwe plekken die Dennis voor het laatst op de knieën van zijn kinderen had gezien), Billy wiens leven op deze manier was geëindigd. Billy Lynch. Googenheimer. Onze Billy die ons op deze vreselijke en moedwillige manier had verlaten.

Dennis moest een dienstbezoek afleggen in Sint-Alban, een doopsgezinde kerk met een hele rits adjectieven voor zijn naam: Eerste Ethiopische Afro-Aziatische Pinkster- en wat het verder nog mocht wezen – zoveel exclusiviteit dat je zou kunnen verwachten dat de deur van de kapel niet groter was dan het oog van een naald. De dominee was het intellectuele type. Een lange, knappe zwarte man van begin dertig, zeer met zichzelf en zijn roeping ingenomen, die zijn blik steeds op een plek vijf tot tien centimeter boven het hoofd van Dennis liet rusten en zijn eigen hoofd onder het praten steeds een beetje naar achteren hield, alsof racisme een luchtje was dat Dennis verspreidde. (Alsof het nooit bij de man opkwam dat de meeste klanten van Dennis tegenwoordig, jarenlang al, sinds hij van Irving Place naar het kantoor in Queens was gegaan, kleurlingen waren.) En Dennis die zich, eerlijk gezegd, de hele tijd dat ze met elkaar praatten, een van Billy's verhalen herinnerde over toen hij met de zuster van zijn moeder, die pas van de boot was gekomen, door een straat in New York liep en een kleurling hen passeerde en een paar minuten later nog een, die stevig doorstapte. Billy's tante had achterom gekeken naar de tweede man terwijl deze voorbijliep en zich naar Billy toe gebogen, nog een jongen toen, en gezegd: 'Hij moet wel een beetje sneller lopen als hij zijn vriend wil inhalen.'

De dominee wilde een nieuwe, aparte leiding voor de peuterklas laten aanleggen en meer ampères hebben (heette dat zo?) in de sacristie en op het koor voor een nieuwe geluidsinstallatie en synthesizer. Het eerste had geen haast, maar het tweede zou 'optimaal' begin mei klaar moeten zijn, wanneer er een of andere gedenkdag was. Dennis zei wat hij gewoonlijk zei – we zullen ons best doen – en liet onder het praten nog een 'Eerwaarde' vallen om te laten blijken dat hij de man en zijn diploma's en zijn goede werk respecteerde ondanks het feit dat hij zelf blank en authentiek christelijk (dat wil zeggen rooms-katholiek) en oud genoeg was om de vader van deze geestelijke te zijn.

Hij was verbaasd toen de man helemaal met hem meeliep naar de deur van het kerkje en dacht dat hij hem, met zijn opzettelijke eerbied, misschien voor zich had gewonnen. De regen kwam nog steeds in stromen naar beneden. De grijze dag nog steeds de dag waarop Billy Lynch gestorven was. Dennis zette zijn hoed op en draaide zich om om de dominee de hand te schudden en voelde onmiddellijk het puntje van een keurig opgevouwen bankbiljet in zijn hand prikken. 'De eerste week van mei', zei de geestelijke. 'Dat is echt noodzakelijk.' Nu richtte hij zijn donkere ogen eindelijk op die van Dennis. Hij glimlachte, maar niet vriendelijk, meer alsof hij (als je je dat kunt voorstellen) een blik in de oppervlakkige ziel van Dennis had geworpen, iedere 'rotnikker' had gehoord die hij ooit – achter zijn krant, achter het stuur van zijn auto – had gemompeld, alsof hij de bekrompen, middelmatige, vruchteloze loop van zijn leven, van Billy's leven, van het leven van iedereen die zoals hij was, kende. De superieure glimlach van iemand die gelouterd was door waarachtig lijden, gerechtvaardigde woede. Iemand wiens pijn iets te betekenen had. Wiens liefde levens redde. Dennis knikte. Hij merkte dat hij een grapje probeerde te verzinnen, alsof een grapje misschien zou bewijzen dat hij meer was dan de som van de dingen die deze man met zekerheid over hem dacht te weten. 'We maken er werk van', zei hij. Maar die rotvent was al weg.

Terwijl hij op het trottoir naast zijn auto stond, vouwde Dennis het biljet open. Een tientje. Alsjeblieft, Billy. En toen liet hij het op het trottoir vallen zodat een of ander kind het zou kunnen vinden.

De kwestie is deze, zei hij (toen we op weg naar huis waren, in het donker, in de nu gestage, dichte regen) : in de jaren zestig toen het nog We Maken Er Werk Van was, toen het zeker leek dat hij tot manager bevorderd zou worden, werd er een bijna twintig jaar oude brief uit zijn personeelsdossier tevoorschijn gehaald. Een brief van een meneer Jacob R. Leibowitz, Jake – van wie hij, tegen die tijd, vier babyuitzetten had gekocht en misschien twintig slobpakjes, goede wollen zondagse mantels en minstens vijf verjaardagsbloezen voor je moeder. In de brief stond dat er drie weken geleden geld was uitgewisseld tussen hem en een zekere jongeman die bij u in dienst is, een zekere meneer Lynch, met dien verstande dat als resultaat van voornoemde betaling op korte termijn elektriciteit zou worden geleverd, maar desondanks was de stroom pas vanmorgen weer aangesloten.

Dennis veronderstelde dat hij er destijds niet voor op het matje was geroepen omdat hij in die dagen een heleboel vrienden bij personeelszaken had – Mary Casey zat er en zijn neef Mal, de zoon van oom Jim – maar met het vooruitzicht van een promotie namen de hoge pieten nog eens een kijkje en vonden de brief die Jake in 1946 had geschreven en dus sloegen ze hem over.

'We slaan je deze keer over', zeiden ze verontschuldigend, maar er bestond maar weinig twijfel voor hem dat het voorgoed was.

Die avond ging hij zoals gewoonlijk met de ondergrondse naar huis, haalde zoals gewoonlijk de auto bij Lefferts Boulevard op en reed de rest van de afstand naar Rosedale. De kinderen verdrongen zich zoals gewoonlijk in de keuken, terwijl hun moeder aan het fornuis vis bakte, met de hond op de grond. Huiswerk, in bad en gebedjes, om nog maar niet te spreken van een oorveeg voor deze of gene, en daarna het avondblad en een sigaretje voor hij de wekker weer aan het opwinden was. Claire zei: ach, trek het je niet aan, maar er was het extra geld en ook de stimulans die het zijn gevoel van eigenwaarde had kunnen geven, en collegegeld voor vier kinderen waarmee rekening moest worden gehouden. Om nog maar te zwijgen van het feit dat de brief zijn goede naam, zijn eerlijkheid bezoedelde en een smet zou kunnen werpen op zijn vriendschap met Jake, die hij het uiteindelijk niet kwalijk kon nemen omdat hij de brief had geschreven toen Dennis nog een vreemde voor hem was en de bittere smaak van alles wat hij in de oorlog had meegemaakt nog op zijn tong lag.

'Hoeveel was het?' vroeg Claire.

'Tien dollar', zei Dennis.

'Gierigaard', zei Claire, er een grapje van makend. 'Hij had je best twintig kunnen geven.'

En dan de telefoon die midden in zijn dromen om twee, drie uur 's morgens, op dat godsgruwelijke tijdstip, overging. Claire die niet eens de moeite nam om haar ogen ervoor te openen. Hij strompelde de gang in waar de telefoon stond, het enige licht afkomstig van de zwakke lampjes die de hele nacht in de twee kamers van de kinderen werden aan gelaten. Billy's onduidelijke stem, midden in een zin leek het, ongetwijfeld omdat Dennis zelf nog niet wakker genoeg was om de eerste paar woorden te kunnen verstaan, maar waardoor hij op dat moment, om twee of drie uur 's morgens, in het donker, de indruk kreeg dat zijn neef voortdurend had gesproken, de hele dag en nacht door, zijn gestage woordenvloed een onderstroom bij ieder ogenblik van hun bestaan.

Hij dacht, zei Billy, aan het leven dat ze niet had. Aan alles wat haar was ontzegd.

Dennis luisterde of hij een geluid op de achtergrond hoorde, een aanwijzing van waar hij vandaan belde. Er was alleen stilte.

Nachten in de armen van een echtgenoot, kinderen, de wisseling van de seizoenen. De veranderingen, droevig of niet, die met de ouderdom kwamen, met het hebben van een flink aantal jaren waarop je kon terugkijken.

'Waar ben je, Billy?'

Billy zei dat hij nadacht over hoe kort dat leven was geweest. De kortheid ervan had hun toen niet kunnen opvallen, ze waren zelf nog zo jong, maar werd het nu, terwijl ze zelf ouder werden, niet duidelijk dat haar maar een handvol jaren was gegund, niet meer dan een oogwenk dat haar leven genoemd kon worden? Was het niet opmerkelijk dat naarmate ze zelf ouder werden, de wreedheid, de oneerlijkheid ervan onmiskenbaarder, duidelijker werd?

'Ben je thuis?' vroeg Dennis.

Billy zei van wel, maar Dennis was er pas zeker van toen hij de hond op de keukenvloer hoorde rondscharrelen – dat zou Trixie zijn geweest – die zich in de nek krabde en haar halsband schudde.

'En waar is die ouwe?' vroeg Dennis.

'In bed', antwoordde Billy ongeduldig. Buiten westen, was wat Dennis ervan dacht.

Dat hij haar had verloren was één ding, zei Billy. Hij dacht in dat opzicht allang niet meer aan zichzelf. Hij had zelf een behoorlijk leven gehad, nietwaar? Hier was hij, een getrouwd man met een eigen huis en twee banen en vrienden genoeg. Zijn leven was verdergegaan, niet waar? Maar hij dacht niet aan zichzelf, begrijp je. Vanavond dacht hij alleen maar aan haar, aan alles waarvan ze was beroofd.

'Ga naar bed, Billy', zei Dennis.

Vanavond was de wreedheid ervan hem opgevallen. Zo'n jong meisje, haar kindertijd achter de rug en haar leven – het huwelijk, moederschap – dat net op het punt stond te beginnen. Was ze alleen maar geboren om die paar korte jaren te leven en dan dood te gaan? Was alles wat ze had gevoeld en gedacht zo volkomen nietszeggend voor haar Schepper? Wat had het voor zin? Het had geen zin.

'Doe die fles nu dicht, Billy', zei Dennis. 'Ga naar boven, naar je vrouw.'

Er viel een stilte. Dennis kende deze telefoontjes goed genoeg om te weten dat het kon betekenen dat Billy de hoorn gewoon had neergelegd om nog een borrel te pakken of dat hij bewusteloos was geraakt of, als hij ver genoeg heen was, gewoon was vergeten waar hij het over had. Hij had misschien zelfs de verbinding verbroken. Dennis wachtte; hij hoorde het gedempte tikken van de klok, zag in het halfduister de bekende vorm van Claires heup en schouder onder de donkere deken, voelde de adem van zijn kinderen in de warme bedompte lucht van het kleine huis, in het holst van de nacht. Er was de druk van indigestie in zijn ingewanden, dezelfde indigestie waar hij sinds vanmorgen vroeg last van had gehad, toen hij bij zijn baas was geroepen en men hem had verteld dat er een brief in zijn personeelsdossier was gevonden, wel enige tijd geleden geschreven maar toch verontrustend...

'We moeten ertegen protesteren', zei Billy schor.

'Ga naar bed, Billy.'

'Tegen de onrechtvaardigheid ervan', zei Billy. 'Zoals ze is bedrogen.'

Dennis hoorde het geluid van Billy's glas dat tegen de hoorn aankwam, de grote slok. Hij kon bijna zijn drankadem ruiken.

'Ons stilzwijgen is niet te koop omdat we zelf lang hebben

geleefd. We moeten ons herinneren wat haar is ontnomen.'

'Ik blijf niet aan de lijn met je, Billy', zei Dennis geduldig, hoewel hij heel goed wist dat zodra hij ophing Billy iemand anders zou bellen, Danny of Ted of een van zijn priesters, en ook hen tot diep in de nacht op zou houden. 'We moeten morgen allebei op ons werk zijn, Billy, da's het enige waaraan je moet denken. Je wordt op je werk verwacht. Je bent straks zo ziek als een hond als je die fles nu niet dichtdoet en naar je bed gaat.'

'De dood is iets vreselijks', zei Billy.

'De dood staat ons allemaal te wachten', zei Dennis tegen hem. 'Maar eerst wordt het zeven uur.'

'Onze Lieve Heer wist het', ging Billy verder. 'Onze Lieve Heer wist dat het vreselijk was. Waarom zou Hij Zijn eigen bloed hebben vergoten als de dood niet vreselijk was?' Er volgde weer een korte stilte, een slok whisky. 'Weet je wat de spot drijft met de kruisiging?' zei Billy. 'Weet je wat de kruisiging zinloos maakt? Als iemand zegt dat de dood iets gewoons is, een gewoon deel van het leven. Het gebeurt, je legt je erbij neer, je gaat verder. Wie dat zegt, zegt dat de komst van Onze Lieve Heer voor niets is geweest.'

Dennis hoorde het geklik van het glas weer. 'Ik blijf niet aan de lijn', zei hij.

'Waar hebben we de verlossing voor nodig?' vroeg Billy hem. 'Als de dood niet vreselijk is. Als we ons erbij hebben neergelegd. Waarom hebben we hemel of hel nodig? Het maakt niets uit. Als de dood, de onrechtvaardigheid ervan, ons niet verontrust, dan hebben we geen hemel of hel nodig, waar of niet? Dat kan dus net zo goed een leugen zijn.'

Als Dennis ooit de kans en de neiging had om te zeggen: 'Billy, het was een leugen', dan had hij die nu. Maar het was drie uur in de morgen en de indigestie prikte achter in zijn keel. En hij had zijn werk morgen, wanneer hij naar zijn oude bureau en zijn oude routine moest terugkeren, terwijl die luidruchtige McCauley met zijn ranjakleurige haar opklom tot management, dat enkele vonkje bescheiden ambitie dat ooit in hem was opgeflakkerd nu gedoofd. Vrouw kinderen huis nu de omvang van zijn succes.

'Daarom ga ik ook niet meer naar Long Island', zei Billy. Zijn stem had iets ingeboet aan felheid: zelfs hij, aangeschoten, wist dat dit een afgezaagd onderwerp was.

'Jezus', fluisterde Dennis om Billy te laten blijken dat hij het ook wist.

'Ik laat me niet door die schoonheid inpalmen', zei Billy. 'Zoveel heb ik wel voor haar over.'

'Ga naar bed, Billy', zei Dennis.

Er viel weer een stilte. 'Is het nog hetzelfde, Dennis?' vroeg hij, zijn stem doortrokken van nostalgie. 'Het huis van Holtzman? East Hampton? Three Mile Harbor?'

'Het is nog hetzelfde.'

'Ga je er van de zomer weer naartoe?'

'Wie weet? Ze heeft het erover dat ze het wil verhuren.'

'Ik ga er niet heen', zei Billy.

'Niemand van ons gaat erheen als ze het verhuurt.'

'Ik wil het niet meer zien.'

'Ze vindt het geldverspilling om het het hele jaar leeg te laten staan. Nu Holtzman er niet meer is.'

'Zoveel heb ik wel voor haar over, Dennis. Ik blijf ervandaan. Zij is nooit teruggegaan en ik ga ook niet.'

Dennis zweeg en probeerde, zo goed als hij kon, door zijn zwijgen duidelijk te maken dat zijn geduld op was. 'Doe de fles nu dicht, Billy', zei hij zacht. 'Straks ben je zelf dood als je zo blijft drinken.'

Als antwoord hoorde hij meer stilte. Weer een grote slok. En toen: 'Slapen de kinderen, Dennis?'

'Natuurlijk', zei Dennis.

'God zegene hen, je hebt er je handen vol aan, hè?'

Gelaten, klaarwakker nu, liet Dennis zich in de stoel bij het oude telefoontafeltje zakken, de pijp van zijn pyjama optrekkend alsof hij de vouw erin moest houden. Hij wierp een blik in de kamer van zijn zoon en zag de schaduwen die over de vloer verspreid waren, gympjes en kleren, boeken en speelgoed. 'Op sommige dagen wel', zei hij. Hij kruiste zijn uitgestoken blote enkels, schoof zijn vrije hand onder zijn elleboog en maakte het zich gemakkelijk.

'Geen gebroken botten deze week?' Billy grinnikte.

'Deze week niet', zei Dennis.

'God zegene hen', zei Billy weer.

En nog een lange pauze. Nog een slok. Dennis dacht erover hem iets grappigs vertellen wat een van hen had gezegd toen Billy weer begon te spreken, met lomer wordende stem. 'Het is een verbond met de duivel', zei hij. 'Als je erin berust. Onze Lieve Heer die al zijn bloed op het kruis vergiet om ons te laten zien dat de dood vreselijk is, een vreselijk onrecht, en wij maken onszelf de hele tijd wijs dat het eigenlijk niet zo erg is. Je komt er wel overheen. Je raakt er wel aan gewend. Het leven is heerlijk ondanks het feit dat een jonge vrouw doodgaat, haar kinderen allemaal ongeboren. Het leven is toch goed. Wat mooi is blijft mooi. Het leven gaat heel vrolijk door, wie er ook doodgaat.'

'Dat klopt', zei Dennis vermoeid, hoewel het hem voorkwam dat dit vandaag, op dit uur, weer een leugen van hem was.

'Wat zeg je?' vroeg Billy. Hij was nu ver heen.

'Ik zei: dat klopt', zei Dennis tegen hem, zijn stem verheffend. Claire verroerde zich, trok met een schimmige hand de deken omhoog over haar schouder. 'Het leven gaat door, Billy', zei hij.

Billy fluisterde: 'Dat sta ik niet toe.'

'Daar hebben we niet veel over te vertellen', zei Dennis, maar Billy had al opgehangen.

Hij bleef enkele minuten in de donkere gang zitten, terwijl een koude luchtstroom langs zijn blote voeten blies. Hij vroeg zich af of Maeve over een paar uur zou bellen. Of hij weer in slaap zou vallen als hij weer naar bed ging. Hij dacht aan zijn vader, de eerste en (in die tijd) de belangrijkste van de mensen van wie hij hield die gestorven waren. De gedachte zelf een gebed aan de man in de hemel die hij beslist had verdiend, al was het alleen maar om alle lof waarmee hij God en elk detail van Zijn schepping gedurende de ruim zestig jaar van zijn leven had gevleid. Of, als God zulke dingen verlangde, om de vreselijke pijn die hij op het laatst had geleden. Zelfs als compensatie voor het feit dat hij, ondanks alle liefde waarmee hij vrienden en familie alle jaren van zijn leven had overstelpt, zelf, laten we eerlijk wezen, nooit genoeg liefde had teruggekregen. Niet van juist die persoon tenminste, van wie hij de liefde het meest begeerde.

Hij dacht aan zijn vader, zoals hij zo dikwijls in die tijd deed toen zijn vader de allerbelangrijkste was van degenen die hij miste, de gedachte aan hem een soort gebed (een dat zei: ik ben moe, pa, en ontmoedigd; ik heb ieder besef van vreugde verloren), hoewel het hem, om de waarheid te zeggen, die nacht, op dat eenzame uur, opviel dat zijn vader in de dood niet méér aanwezig, niet werkelijker, niet levendiger voor hem was dan Eva voor Billy in haar hiernamaals net-aan-de-overkant-van-de-oceaan, benzine pompend aan de kloosterweg in Clonmel.

Wie kan de herkomst van zulke dingen nagaan, zei hij, maar het was misschien de eerste lichte trilling van de wanhoop die hem zou treffen, onderuit zou halen, in de weken en maanden na de dood van mijn moeder. Billy's dertig jaar lang verkeerd gerichte gebeden, Billy's hardnekkige, levensveranderende geloof. Zijn eigen leugen.

Voor een van mijn moeders verjaardagen wikkelde mijn vader een doos met vijftig lucifersboekjes in kleurig vloeipapier en schreef toen op de kaart: *Een vuurtje voor mijn vlam.* Er werd hartelijk om gelachen aan tafel die avond, te midden van de restjes van de zoete, rijk geglaceerde taart, de al uitgepakte verjaardagsbloes van Jake, en het werkte als een katalysator – naar ik me herinner tenminste – voor een discussie over wie van hen zou hertrouwen als er iets met de ander zou 'gebeuren', zodat ik aanneem dat deze verjaardag plaatsvond in een tijd dat het zo ondenkbaar was dat er iets zou 'gebeuren' dat het speculeren erover goedaardig en zelfs plezierig was, een soort spel. Toen een verjaardagscadeau bestaande uit vijftig lucifersboekjes met een slof sigaretten erbij geen teken aan de wand was.

Koket stelde mijn moeder een lijstje op. Er was een jonge weduwnaar verderop in de straat, en de zoon van de man die eigenaar was van de delicatessenwinkel waar ze boodschappen deed – een knap Italiaans joch, zei ze, van een jaar of vijfentwintig. Er was de vent van wie ze rijles had gehad toen ze pas naar Rosedale waren verhuisd, wel getrouwd, dacht ze, maar ze zou hem kunnen opzoeken. Ze zou Bob O'Brien kunnen opzoeken, haar oude vlam, haar vroegere verloofde, van wie mijn vader haar had afgepikt terwijl hij nog bij de marine was en de Pacific schoonveegde. En zijn broer Ken, die aldoor smoorverliefd op haar was geweest en zelf nooit was getrouwd, voorzover zij wist. Zo kon ze doorgaan, zei ze, breed glimlachend, de sigaret naast haar oor gehouden, het dikke zoete suikerglazuur nog op haar bord. De mogelijkheden waren eindeloos. Ze had nog altijd wat van haar oude charme.

'Zal ik doorgaan?' zei ze en mijn vader boog lachend zijn hoofd. 'Nee', zei hij. 'Doe maar niet.'

'En wat zou jij doen?' vroeg ze hem. 'Ierse Mary opzoeken?'

Mijn vader schudde zijn hoofd, hoewel we hem vaak genoeg hadden horen zeggen, als mijn moeder de rekening bij Gertz of A&S flink had laten oplopen, of had vergeten een nagerecht te kopen of zich met een handgebaar van hem had afgemaakt: ik had met Ierse Mary moeten trouwen.

'Voor mij zou er geen ander zijn', zei hij ernstig. 'Ik zou niet opnieuw kunnen trouwen. Jij wel en dat zou je ook moeten doen. Maar voor mij zou er geen ander zijn.'

In de loop van een onopvallend leven, een leven waarvan de triomfen klein en persoonlijk zijn, waarvan de beproevingen niet buitengewoon zijn, de pijn even gematigd als de leniging van pijn, heb je zowel een zeker soort moed als een behoorlijke dosis misleiding nodig om exclusiviteit in de liefde te claimen. Ierse Mary, het zusje van Eva, zou met plezier mijn vaders ring hebben geaccepteerd, veronderstel ik, als Eva niet had besloten in Ierland te blijven en met Tom te trouwen. De eerste verloofde van mijn moeder zou graag met haar zijn getrouwd als hij door de marine niet zo lang overzee was gehouden, als mijn vader het niet een vol jaar eerder op punten van hem had gewonnen. Het had Cody of John kunnen zijn in de auto met je vader, die dag op Long Island. Ik had weg kunnen zijn. Diegenen van ons die exclusiviteit in de liefde claimen doen dat met de moed van een leugenaar: er zijn tientallen gelegenheden, duizenden door de jaren heen, waarbij een besef van onwaarheid kan binnensluipen, waarbij alles wat we ons als onvermijdelijk voorstellen willekeurig wordt, waarbij onze geschiedenis samen alleen maar een kwestie van het lot en het toeval blijkt te zijn, niets wat uniek of onvervangbaar is, een samenloop van omstandigheden die leidt tot het bijeenkomen van één uit zo vele miljoenen met nog één.

In de weken en maanden na de dood van mijn moeder sprak mijn vader niet meer over haar, noemde nooit haar naam en trok zijn hoofd een beetje terug wanneer iemand anders dat wel deed. Mijn broers en ik merkten dit aan hem en lieten hem maar met rust, zonder het ooit met elkaar te bespreken. We hadden allemaal zijn reactie bij het graf gezien toen de zus van mijn moeder, die hele boeken over dat soort dingen las en in de kerk hardop bad, met haar ogen dicht en haar handen opgeheven naar het altaar, zich naar hem toe boog en zei: 'Je mag huilen hoor, Dennis. Grote jongens huilen ook.' Hij had een beetje geglimlacht, terwijl hij over haar hoofd keek, met die gepijnigde, beleefde uitdrukking op zijn gezicht die de eerste christenen misschien hadden gehad toen de Romeinen het vuur aan hun voeten ontstaken. Zonder het ooit te bespreken besloten mijn broers en ik dat we onze vader niet zouden kwellen met onze raad of onze bezorgdheid of met enige goedbedoelde dwang om ons te vertellen wat hij voelde. We zouden hem met rust laten. Hij kon niet over haar praten, prima. Hij kon niet zonder haar een mis uitzitten, prima.

Ik zat in die tijd in mijn vierde jaar op de Mary Louis Academy. Tijdens de laatste ziekenhuisopname van mijn moeder was mijn vader begonnen mij op de meeste ochtenden met de auto te brengen. Hij stopte dan eerst bij het ziekenhuis zodat we even gedag konden zeggen en reed me daarna naar school voor hij naar Con Ed ging, waar hij een paar uur doorbracht – om zijn gezicht te laten zien – voor hij weer naar het ziekenhuis ging. Hij bleef me naar school brengen toen ze er niet meer was, voor mij een gemak, voor hem een vrij makkelijke omweg. Er was 's ochtends een radioprogramma waar hij graag naar luisterde, een team van vader en zoon, waarvan de vader al sinds voor de oorlog bij de omroep werkte en de zoon duidelijk werd voorbereid om het alleen over te nemen als het zover was. Ze maakten flauwe grapjes en lazen oude nieuwsberichten voor, afgewisseld door verkeersbulletins en de laatste weersverwachtingen en lekker in het gehoor liggende liedjes, en hun zachte en vriendelijke scherts was voor ons reden genoeg om tijdens de rit weinig tegen elkaar te zeggen.

Als ik uitstapte, sloeg ik de deur dicht en bukte me om hem gedag te zwaaien door het autoraam. Hij groette me kort en reed dan verder, zijn profiel, in die laatste seconde dat ik het zag, gespannen en vastberaden, alsof hij zich schrap zette voor de nieuwe dag, alsof hij afstevende op wat hij moest doen en wie zijn zorg verdiende, nu de vurige aandacht die hij het afgelopen jaar dat mijn moeder op sterven lag zo uitsluitend op haar had gericht voorbij was en zij was gestorven. Niet in staat, vertelde hij me op de avond van Billy's begrafenis, toen we nog een paar minuten in de woonkamer van het huis in Rosedale bleven zitten voor hij naar zijn bed in de kamer ging die van hen was geweest en ik naar de kamer ging die van mij was geweest, volstrekt niet in staat, zei hij, om zichzelf ervan te overtuigen dat de aandacht die hij haar dat laatste jaar had geschonken, de verbondenheid die ze hadden gevoeld, de zekerheid dat ze iets unieks, iets verlossends met de duurzaamheid van hun liefde hadden bereikt, méér was geweest dan weer een goed bedoelde misleiding, weer een verzinsel, net zo ongeloofwaardig, als je het goed beschouwde, als de spontaniteit van een liefdesliedje in een of andere Broadway-musical, de zogenaamde oprechte smeekbede van een ingestudeerd kerkgezang, de invloed van Billy's gedichten over leven en dood en verdriet op de werkelijke manier waarop ieder van ons van dag tot dag zijn leven leidde.

Hij kon zichzelf er daarom niet van overtuigen, zei hij, in die dagen en maanden na haar dood, dat de hemel meer was dan een goedbedoelde misleiding bestemd om ons eigen besef van dwaasheid te verminderen, onze pijn te verlichten. Ondanks alle jaren waarin hij een oppassend katholiek was geweest, ondanks de bekering van zijn moeder op haar doodsbed, ondanks de beloften die mijn moeder en hij elkaar hadden gedaan, kon hij de dood niet langer als iets anders zien dan de leegte die een opgebruikt lichaam, een uitgedoofde geest wachtte. Niet enkel een ogenblik waar je, drijvend op liefde, op geloof, overheen kon zweven, maar de afgrond waar je onvermijdelijk naartoe strompelde, als een van de velen. Steek je hand uit, als je dat wilt, om iemand vooruit te helpen, omring jezelf, als je dat wilt, met mensen die van je houden, die iets aan je te danken hebben, wier leven je hebt veranderd, maar verwacht niet dat het iets zal uitmaken. Het maakt niets uit; uiteindelijk zal ieder van jullie, een voor een, vallen.

'En nu?' vroeg ik aan hem, allebei staand, niet zittend, mij ervan bewust dat er vandaag genoeg was gepraat. 'Denk je er nu nog zo over?' Mij ervan bewust ook, dat we het gevaarlijk dicht naderden, die gênante diepzinnigheid waar Dan en hij zo bang voor waren geweest, dat ogenblik waarop er te veel zou zijn gezegd, maar verbaasd, ik neem aan net zo verbaasd als mijn vader ooit was toen zijn moeder hem zei dat hij Billy daar weer naartoe moest zien te krijgen, omdat hij het al te lang had gemeden – verbaasd dat we een dergelijk gesprek voerden in dit stadium van ons leven. Een gesprek, viel me in, waartoe het leven van Billy ons had aangezet zoals het ooit mijn vader en zijn stervende moeder tot een gesprek had aangezet.

Mijn vaders ogen waren donkerbruin. Hij glimlachte een beetje, hoofdschuddend. 'O nee,' zei hij, 'nu niet.'

Hoe eenzaam schenen ze mij die avond allemaal toe, de familie en vrienden van mijn vader, stuk voor stuk eenzame zielen, ondanks echtgenoten en kinderen, neven, nichten en vrienden, al hun verwachtingen, uiteindelijk, hun verbintenissen en voortplanting, hun contact houden, in het oog houden, uiteindelijk vergeefs, uiteindelijk niet in staat de waarheid voor hen te versluieren dat niets wat ze gevoeld hebben uiteindelijk iets heeft uitgemaakt.

'Ik heb mijn geloof maar even verloren', zei hij. 'Dat gebeurt wel eens. Ze zeggen dat het niet ongewoon is.' En toen draaide hij zich om en liep de trap op, aan het eind van die dag waarop Billy Lynch was begraven. 'Ik geloof alles nu', zei hij, met zijn rug naar me toe. 'Weer.'

Natuurlijk kon ik onmogelijk zeggen of hij me een leugen vertelde.

Dus Billy huurde een auto en ging op weg om haar te zien. De gelofte afgelegd, zijn laatste borrel het glas dat hij met kapelaan Ryan op de vlucht naar Shannon had gedronken. (Kapelaan Jim die het kleine flesje hief, met zijn lippen smakte en tegen Billy zei: 'Lieve God, als dit niet de blinde is die de blinde leidt', daarmee, bij wijze van spreken, de toon voor hun reis aangevend, waarvan de ernst van het doel – zei kapelaan Jim op zijn manier – hun goede stemming niet hoefde te bederven.) De auto werd gehuurd op naam van de priester en het rijbewijs dat Billy bij zich had was ook van de priester, aangezien zijn eigen rijbewijs weer tijdelijk was ingetrokken. Dus het was kapelaan dit en kapelaan dat bij de autoverhuur, ondanks de trouwring die hij niet eens had afgedaan, onmogelijk kon afdoen, zoals zijn handen eraan toe waren. Een getrouwde priester dus.

Niet, zoals Danny Lynch zou zeggen, dat we daar te veel belang aan moeten hechten.

Hij had zich voorgenomen, precies zoals Kate vermoedde, om haar graf te bezoeken. Hij zag een met gras begroeid plekje voor zich en een granieten steen waarin haar naam, geboorte- en sterfdatum waren gegraveerd, de laatste niet alleen het eind van haar leven markerend maar ook het eind van zijn jeugd en dat heerlijke, verbazingwekkende vooruitzicht waarin hij ooit had geleefd. Hij zag zijn eigen bleke vingers voor zich, die toch al beefden, terwijl ze langs de uitgehouwen nummers en letters streken. Hij dacht aan 'Danny Boy' (hij was tenslotte in Ierland en de wolken hingen laag boven de velden die hij passeerde, ze wierpen hun schaduwen op de groene, sombere heuvels die hem omringden), neuriede het zelfs onder het rijden – *'Ye'll come and find the place where I am lying/ And kneel and say an Ave there for me'* – wat zijn gedachten weer op oom Daniel bracht en de vader van Billy Sheehy die volkomen spontaan aan de rand van zijn graf begon te zingen. Een ogenblik dat hen vreselijk had aangegrepen. De droefheid ervan niet minder dan de schoonheid. In zijn gebed zou hij zeggen dat ook hij nooit naar het huis op Long Island was teruggekeerd en er nooit terug zou keren: zo diep waren zijn medelijden en zijn verontwaardiging, beide nog altijd heel fel ondanks de tijd die voorbij was gegaan.

Maar eerst, dacht hij, zou hij naar haar familie gaan. Haar moeder of vader als ze nog leefden, Mary zeker, of een van de drie jongere zusjes die zich hem ongetwijfeld zouden herinneren als de jongen, de verloofde van hun zusje, die hun de Amerikaanse schoenen had gestuurd. Hij kende haar adres uit zijn hoofd, natuurlijk, hij had het alle jaren nadat Eva was overleden twee à drie keer per jaar opgeschreven wanneer hij hun met Kerstmis een kaart stuurde en altijd een paar regeltjes laat in september, korte briefjes waarin stond dat hij aan hen dacht, zich Eva herinnerde, Mary de hartelijke groeten deed. Nooit meer dan een paar regels, zodat hij nooit gedwongen zou zijn te zeggen dat hij getrouwd was, een huis had gekocht, door was gegaan. Nooit echt een antwoord van de ouwelui verwachtend en maar heel even gekwetst dat Mary geen contact met hem had opgenomen. Maar dat had met Dennis te maken, wist hij, haar gevoelens voor hem, want hoewel ze meteen naar huis ging toen Eva was gestorven, had ze niet kunnen verwachten dat een ander meisje – Claire Donavan – zo snel Dennis' genegenheid zou verwerven. Ze had zich wel afgewezen moeten voelen.

Toen hij aan de 'verkeerde' kant over de smalle wegen tussen Dublin en Clonmel reed – uitgedroogd, rillerig, tot op het bot verkleumd door de vochtigheid en de kou hoewel de autoverwarming op volle toeren draaide – wist hij dat hij eerst naar haar familie zou moeten gaan en hun op zeker ogenblik zou moeten vertellen dat hij thuis een vrouw en een huis had, ondanks alle keren dat hij hun in de loop der jaren had geschreven dat Eva nog altijd in zijn hart en zijn gedachten en zijn herinnering leefde. Hij had een vrouw genomen en een huis gekocht en was een heleboel jaren vrij gestaag blijven werken in dezelfde twee betrekkingen die hij toen had gehad – waarvan er een de betrekking was die hij aanvankelijk alleen maar had genomen om haar te laten overkomen.

Geen kinderen, zou hij zeggen als ze hem ernaar vroegen. Hij zou zeggen: een beetje een probleem met de drank.

Clonmel was groter dan hij het zich had voorgesteld en, als zo vele van die Ierse steden, lang niet zo schilderachtig. Hij zou misschien ontroerd of getroost zijn geweest door de gedachte dat dit een plaats was die zij heel goed had gekend, dat zij ooit als kind, als jonge vrouw, door deze straten had gewandeld, op de dag voor ze vertrok naar haar eerste aanstelling in Chicago – het begin van haar reis naar hem toe – en de dag waarop ze uit New York terugkeerde, met zijn diamant aan haar vinger, maar hij was verstandig genoeg om te beseffen dat deze plaats niet dezelfde stad was die ze toen voor haar was geweest, vlak voor en vlak na de oorlog. Hij reed, bijvoorbeeld, langs iets wat op een Kentucky Fried Chicken-restaurant leek. De hele plaats ademde een armoedige sfeer van verandering, van de moderne tijd, die weinig te maken had met het achtergebleven, stille stadje dat zij ooit voor hem had beschreven. Hij voelde dat haar geest hier net zo'n vreemdeling zou zijn geweest als hij.

En toch moest het een vage gewaarwording van haar geest zijn die zijn hart hevig in zijn borst deed kloppen toen hij, volgens zijn kaart niet ver van waar hij moest zijn, net buiten het stadje bij een benzinestation stopte, aan de zijkant zodat hij de pompen niet blokkeerde, en onhandig uit de kleine Fiesta stapte om de weg te vragen. De pompbediende was een man van ongeveer zijn leeftijd, met de alomtegenwoordige Ierse pet op en een smerige monteursoverall aan. Billy en kapelaan Jim hadden er al een grapje over gemaakt dat iedere routebeschrijving in Ierland begint met: 'Ga naar de kerk...' en dat was ongetwijfeld de zin die hij verwachtte (uitgesproken met het gebruikelijke zware, haast onverstaanbare, mompelende accent) toen hij aan de man vroeg hoe hij bij het huis van de familie Kavanaugh aan Boylston Road kon komen. Maar in plaats daarvan kneep de man een oog dicht en zei: 'Een neef uit Amerika?' Voor Billy klonk het als het begin van een mededelende zin die op de een of andere manier werd onderbroken door een vraagteken.

'Pardon, wat zei u?' zei hij beleefd.

De man schoof zijn pet naar achteren, een gezicht met diepe rimpels, de rimpels dieper gegroefd door vuil. Een slecht gebit. Een gezicht dat ooit misschien knap was geweest. 'Bent u een neef uit Amerika?' zei hij.

Billy zei nee, hij was alleen maar een oude vriend.

De man nam hem even van top tot teen op, niet op een onvriendelijke manier, en keek toen langs hem heen naar een auto die net aankwam. De auto toeterde en de chauffeur riep: 'Tommy!' en de man vroeg aan Billy of hij het niet erg vond de tearoom in te gaan, zijn vrouw was binnen, achter de toonbank, en zij zou met plezier een kaartje voor hem tekenen. Het was niet ver.

Maar er was niemand achter de toonbank, er zat alleen een vrouw aan een tafeltje in de hoek, met een blauw-wit kopje vóór haar, haar gezicht achter een krant, een witte plastic boodschappentas aan haar voeten. Het was een kleine ruimte die voor een ander doel bestemd leek te zijn – misschien als een plaats om ruitenwissers en reserveblikken olie te verkopen, of als wachtkamer voor de garage ernaast. De ramen waren hoog en smal en voor elk ervan hingen met de hand gemaakte gordijnen van blauw-witte katoenen ruitjesstof. De muren waren van nagemaakt stucwerk, misschien om ze het aanzien van een plattelandshuisje te geven, maar de vloer was van licht linoleum, de tafels en de bovenkant van het buffet beige formica. Op ieder tafeltje stond een vaasje van wit matglas met een plastic roos en een plastic varenblad erin en naast de kassa een Waterford-vaas gevuld met echte bloemen, lange, onkruidachtige dingen die desondanks een aardig effect gaven. Alles bij elkaar had de ruimte iets haastigs en onechts – en dat was niet iets wat hij pas achteraf had gezien, hij voelde het onmiddellijk – alsof hij snel anders was ingericht om het ware doel ervan te verhullen. Alsof de vrouw die achteloos haar kopje optilde, verdiept in de *Irish Times*, enkele seconden eerder nog bij het raam had gestaan, uitkijkend naar hem.

Hij zei: 'Neemt u me niet kwalijk', en de vrouw liet vlug haar krant zakken, alsof ze bang was dat ze onbeleefd was geweest. Iers gezicht nummer vier: puntige kin, blozend gezicht, flink lange neus en te veel tanden. Een beetje als Helen O'Mara thuis. Hij moest aan een van de versjes van oom Daniel denken dat eindigde met: 'Dus ik zei, mevrouw Kapoen, u hebt meer van een citroen dan een grote rooie roos.'

'Die meneer buiten zei dat ik hier de weg naar Boylston Road moest vragen', zei hij tegen haar. 'Het huis van de familie Kavanaugh. Hij zei dat ik het aan zijn vrouw moest vragen.'

'Ik zal haar even voor u halen', zei de vrouw en ze stond op en glimlachte een beetje zodat hij zag dat haar boventanden enorm uitstaken. 'Bent u een neef uit Amerika?' vroeg ze over haar schouder terwijl ze naar de achterkant van het buffet liep.

'Nee', zei hij. 'Hoewel ik begin te denken dat ik dat wel zou moeten zijn.'

Ze lachte alsof ze begreep wat hij bedoelde. 'Nou, de familie Kavanaugh heeft er drie, drie van de meisjes die naar de VS zijn gegaan. Daarom vroeg ik het. Ik zal Eva wel even voor u halen.'

Ze ging de deur achter de toonbank door; hij zag een klein wit emaillen fornuis, met een grote roestvrijstalen ketel erop, een vaatdoekje aan de ovendeur geknoopt. Een plank met een paar blikken volkorenbiscuits, een paar blikken Earl Grey. Een witte emaillen gootsteen. Hij hoorde haar weer Eva zeggen, en toen ging er een deur open, misschien was het de achterdeur, en ze riep, luider nu: 'Eva!' naar buiten, in de wind.

Heel even, voor de vrouw terugkeerde, dacht hij dat het zuiver toeval was. Hij dacht dat het, door een of andere vreemde samenloop van noodlot en werkelijkheid, een teken van haar was – nee, niets zo gedetailleerd als haar gezicht in een ruit, haar echte stem in zijn oor terwijl hij sliep, het soort tekens dat hij zich had verbeeld en waar hij zo wanhopig naar had verlangd in die eerste paar maanden en jaren na haar dood, maar toch een teken, een lichte troost: dat hij hier was gestopt, naar binnen was gestuurd, die ene vrouw had aangesproken die de echtgenote ging halen die heel toevallig ook Eva heette. Dat hij juist op deze dag, op deze plaats, haar naam hoorde roepen. Het was een teken dat zei: het is goed dat je bent gekomen, ik ben nog bij je.

En toen keerde de vrouw terug met Eva zelf die achter haar binnenkwam, haar gezicht maar kort aan het oog onttrokken door het ruige boeket wilde bloemen.

Je had op één hand de seconden kunnen tellen voor ze elkaar herkenden. Later, toen ze met een kopje thee zat, zei Eva dat het voor haar zijn gebogen schouders waren en natuurlijk die blauwe ogen. Voor hem (en laten we wel wezen, hij moest een grotere sprong maken, een vertekende herinnering van dertig jaar overbruggen) was er niet één afzonderlijk ding, zeker niet iets lichamelijks, niet in het begin, omdat ze nu zo veel dikker was en de bleke tint van haar geverfde haar niet meer bij haar kastanjebruine ogen paste. Hij wist gewoon, nadat hij die eerste schok van ongeloof te boven was, hij wist gewoon dat het Eva was die voor hem stond.

Nou, wat moesten er veel knopen ontward worden. Hij stak aanvankelijk zijn hand uit, terwijl de lelijke dame nog glimlachend tussen hen stond. Stak zijn hand uit en zei: 'Billy Lynch', en Eva, die haar handen aan haar schort afdroogde als een of ander Brigadoon-meisje, zei: 'Billy Lynch, ik weet dat jij het bent.' Hoewel de blos op haar wangen toen ze binnenkwam uit de wind in de tearoom niet verdween. Ze stelde haar vriendin voor, Bessie Gordon, en noemde Billy de jongen uit New York – als een personage vermeld in een programmaboekje.

'O, natuurlijk', zei Bessie, alsof ze de hele bezetting vanbuiten kende. 'De schoenen', zei ze knikkend. De plot ook. 'En al die briefjes. Ik heb altijd gezegd dat ik het bewonderde dat je contact hield.' Ze gaf haar vriendin een por met haar elleboog. 'En zij te bang om je ooit terug te schrijven. Ik ben degene die altijd tegen haar zei dat het vreselijk was dat ze niet terugschreef.'

Eva's blos werd heviger en donkerder; ze kleurde tot in haar haarwortels. 'O, Bessie zit vol raad voor iedereen', zei ze op haar oude, vrolijke manier. 'Ik denk dat ik haar maar in een kraampje zet.'

Ze bood hem een kopje thee aan en liep vlug om de toonbank heen om het te halen. Ze zei dat ze lekkere scones voor bij de thee had, of een broodje ham, of crackers met kaas, en toen Billy het allemaal weigerde, pakte ze een reep chocola van een stapel bij de kassa en liet die op zijn schoteltje glijden. Bessie droeg het kopje voor hem naar haar eigen tafeltje terwijl Eva thee inschonk voor een groep werklieden die net door de deur waren gekomen en de geur van aarde en teer en de vochtige buitenlucht mee naar binnen namen. Eva kende ieder van hen bij naam. En vlak achter hen twee moeders, een met een peuter op haar heup – die kende ze ook allebei. En toen drie oudere vrouwen, een met een canvas tas versierd met een cactus en de woorden *Flagstaff, Arizona.*

'Altijd druk als het theetijd is', zei Bessie – het klonk als 'ish'. 'Maar het geeft Eva ongetwijfeld de kans om haar gedachten te ordenen voor ze u te woord moet staan. Ze heeft een slecht geweten, weet u. Dat heeft ze al jaren.' Ze keek Billy aan om zich ervan te verzekeren dat hij het begreep. Haar ogen waren grijs als afwaswater, de huid rond haar neus vol littekens van oude pukkels en open poriën. 'Over het geld, we kennen het verhaal allemaal, het geld dat u haar hebt gestuurd om naar Amerika te komen. Ze heeft ik weet niet hoeveel keer gezworen dat ze het allemaal terug zou sturen, maar dan was er weer een oliecrisis of Tom of een van de kinderen werd ziek. En toen besloot ze dat ze deze tearoom wilde.' Ze zweeg even en bekeek hem aandachtig. Het was duidelijk dat haar dag een verrukkelijke wending had genomen. 'Maar ze voelt zich wel schuldig', ging ze verder, zich naar hem toe buigend. 'Dat wisten we allemaal. En dat u haar ouwelui schreef maakte het alleen nog maar erger. Haar vader zei altijd dat u het geld terugvroeg dat ze had geleend.' Ze wreef met haar benige vingers hard langs de rand van haar koude kopje. 'Heus, u hoeft maar dít te zeggen of ze betaalt het u vandaag meteen terug, zó uit de geldla.'

'Ik heb zelfs nooit aan het geld gedacht', zei Billy. Hij sloeg Eva gade, die tegen de zestig liep, middel en boezem aan de dikke kant, terwijl ze zich over de toonbank boog om de dikke peuter onder zijn kin te strijken. 'Het geld mag ze houden.'

Bessie Gordon trok haar hoofd terug en keek hem aan. Hij zag dat ze een trouwring aan haar vinger had; wie zou dat kunnen geloven, zo'n lelijke vrouw – op ieder potje past een dekseltje, zoals zijn moeder altijd zei. Ze deed haar lippen op elkaar over die massa tanden en trok ze tot een soort glimlach, een sympathieke, zelfs vriendelijke glimlach. Dit was het gezicht, verkozen boven een heel leven vol andere gezichten, waarin een of andere man zijn troost zocht. 'Dat heb ik eigenlijk altijd gedacht', zei ze tegen hem. 'Dat is precies zoals ik me u voorstelde.'

Er rinkelde ergens een belletje, een ver, tingelend geluid van een elfenvleugeltje, en het drong langzaam tot hem door dat het de plastic roos was die tegen het matglazen vaasje tikte, beide in beweging gebracht door het trillen van zijn hand op de tafel. Bessie zag het ook en beet op haar lip, een en al sympathie. Ze kende ongetwijfeld de ware oorzaak ervan en zou dit – een drankprobleem – aan het verhaal over die jongen van Eva Kavanaugh uit New York toevoegen.

Hij kneep de hand op de tafel dicht. Hij was bleek en zo gezwollen dat hij tegen de ring van Maeve drukte. 'Een tikje Parkinson', zei hij tegen haar, aangezien hij het beven niet kon stoppen.

Ze knikte. 'Ach, wat jammer.' En voegde eraan toe: 'Mijn moeder had het ook.' Zodat Billy zich wel moest afvragen wie wie nou voor de gek hield.

Toen Eva ten slotte naar het tafeltje kwam, met een kopje voor zichzelf en de theepot om hem bij te schenken, bood Bessie aan het werk aan de toonbank een poosje over te nemen zodat ze ongestoord konden praten. Ze stak een ijskoude hand naar hem uit. 'Het was me een waar genoegen u te ontmoeten, meneer Lynch', zei ze en toen keek ze Eva aan met een blik die, naar Billy's idee tenminste, zei dat hier een betere man stond dan ze besefte.

'Is dit een vakantie voor je?' vroeg Eva opgewekt. Het scheen de vraag te zijn waartoe ze had besloten terwijl ze haar klanten hun thee inschonk.

Hij zei ja.

'Met je gezin?'

Hij zei dat hij met een paar priesters was. Dat het een soort retraite was.

'Leuk', zei ze. Haar haar was gebleekt tot een honingblonde kleur en paste niet meer bij haar donkere ogen, hoewel de ogen zelf hun echtheid hadden behouden. Haar huid was ruw en gerimpeld, een nieuwe neerwaartse trek om haar mond, een onderkin. Ze was weliswaar voor hem uit de dood teruggekeerd, maar er was ook een half leven waarin hij iets verkeerds had geloofd. Hij vertelde haar dat hij getrouwd was, een eigen huis had, nog bij Con Ed werkte en dat hij in de schoenenwinkel was gebleven tot meneer Holtzman deze kort voor zijn dood in '64 had verkocht.

Zij had vier kinderen, allemaal groot nu, twee met zelf al kleintjes. Een van hen was naar de VS verhuisd, naar Boston, en had een Amerikaanse man, een was in Londen bij de BBC. Twee hielpen haar hier.

Hij moest niet alleen even wennen aan het feit dat ze leefde, maar ook dat ze een leven had geleid, hoe ze haar leven had geleid.

Ze ging plotseling vooroverzitten. Het was vreselijk wat ze had gedaan, zei ze, het aan haar zuster overlaten om hem te vertellen dat ze met Tom zou trouwen, zei ze, nooit zijn geld terugsturen. Ze kon zich niet voorstellen wat hij wel van haar moest denken. Ze kon zich niet voorstellen wat haar toen had bezield. 'Wat moet je wel van me denken?' zei ze weer en ze sloeg haar ogen neer en betrapte hem er net op dat hij het kopje stil probeerde te houden, thee op het schoteltje morste zodat de rode wikkel om de reep donker werd. Hij zette het neer en legde zijn handen op zijn schoot. Hij wist dat hij bij de eerste gelegenheid die hij tegenkwam, als hij hier eenmaal weg was, zou stoppen en iets zou bestellen om zijn dorst te lessen. 'Het is lang geleden', zei hij.

Ze zei dat ze nu meteen een cheque voor hem uit zou schrijven, vond hij dat goed? Dat wilde ze echt, het had al zo lang aan haar geweten geknaagd.

Maar hij zei nee, nee. Als het een café was dat hij het eerst tegenkwam, nou, dan zij het zo. Hij zou tenminste een cola kunnen kopen.

Ze hield haar hoofd gebogen. Ze had geen rechte scheiding meer. 'Het spijt me, Billy', zei ze. 'Ik heb het je willen vertellen. Het was wreed. Maar ik was gewoon bang dat het nooit zou gebeuren, dat Tom zijn bedrijf van de grond zou krijgen, dat we een eigen huis zouden krijgen. Je weet hoe het is als je jong bent, je bent bang dat je leven nooit zal beginnen. Ik had jouw geld in mijn handen en ik werd een beetje gek.'

'Dennis vertelde me dat je was gestorven', zei Billy rustig. Het was nu allemaal een deel van een verhaal en als verhaal was het niet iets wat een van hen werkelijk had beleefd. Hij vermoedde dat er ergens ook een goeie grap in zat, als hij het verhaal een beetje verdraaide, de juiste manier vond om het te bekijken. Hij kon zichzelf al bij Quinlan zien zitten, met zijn glas tegen zijn hart gedrukt, en Danny Lynch rood aangelopen en met schuddende schouders zoals gebeurde als je hem echt aan het lachen maakte.

Eva knikte. 'Dat hadden we al uit je brieven begrepen. Mary vertelde me dat hij had gezegd dat hij dat misschien zou doen.'

Billy knikte ook. 'O ja?' Hij glimlachte een beetje. Hij kon het niet nog eens wagen om het kopje op te tillen hoewel zijn keel was uitgedroogd. 'Net als iets uit *Romeo en Julia*, hè?' Hij zou misschien zelfs een borreltje bestellen, eentje maar, om te kalmeren voor de rit naar Shannon. Want de gelofte die hij had afgelegd, was ook een deel van een verhaal, als je het goed beschouwde. Als je het goed beschouwde, was niets onverbrekelijk, onveranderbaar, onderhevig aan het gevaar voor eeuwig verdoemd te worden. Wie hield wie nou voor de gek?

'Nou, we zijn er allebei nog', zei Eva.

'Dat is juist zo jammer', zei hij tegen haar, met een gemaakt Iers accent opdat ze zou glimlachen. Eén afzakkertje en misschien een glas bier op het vliegveld voor hij kapelaan Jim ontmoette. Een enkel glas stout. Zelfs kapelaan Jim zou het hem misschien vergeven, gelofte of niet, als hij wist wat hij vanmiddag had meegemaakt. Als hij enig begrip kon opbrengen voor dit alles doordringende gevoel van dwaasheid.

Ze zei dat ze hem onmiddellijk had herkend, zodra hij de deur binnenkwam: zijn gebogen schouders, die blauwe ogen. Ze herkende hem alsof er geen ogenblik voorbij was gegaan sinds de dagen die ze op Long Island hadden doorgebracht.

Achterover leunend van het tafeltje, zijn handen nog op zijn schoot, zei hij dat hij er zelf weer naartoe zou gaan om Dennis te bezoeken in het huisje van Holtzman, zodra hij in New York terug was. Hij zei dat hij het daar zo heerlijk vond, het mooiste plekje op aarde.

'Hoe gaat het met Dennis?' vroeg ze en hij vertelde het haar. Hij zei: 'En met Mary?'

Op dat moment kwam er iets in haar uitdrukking, iets wat er

niet eerder was geweest, gedurende die dagen die ze op Long Island hadden doorgebracht, woede en vastberadenheid en weerzin, een oude verbittering – iets wat de jaren haar hadden geleerd. Mary, zei ze, terwijl ze zich oprichtte alsof ze het beneden haar waardigheid achtte. Van Mary hoorde ze nooit meer. Al vanaf die tijd niet meer, als hij de waarheid wilde weten. Vanaf de tijd dat Mary niets meer van Dennis hoorde. Sinds hij het met haar had uitgemaakt. Mary had haar in die periode nog een brief geschreven om haar te vertellen dat Dennis misschien tegen Billy zou zeggen dat ze was gestorven in plaats van hem te laten weten dat ze alleen maar wreed was geweest. Voor mij ben je ook zo goed als dood, had Mary geschreven. Je hebt alles voor me bedorven. 'Stel je voor,' zei Eva, met in haar uitdrukking, in haar stem, die nieuwe verbittering, die krachtig en vertrouwd en oprecht klonk, 'een zuster die zoiets tegen haar eigen vlees en bloed zegt! Alsof het allemaal mijn schuld was dat Dennis niets meer met haar te maken wilde hebben. Ik heb haar teruggeschreven en gezegd dat Dennis alleen maar deed wat iedere fatsoenlijke man zou doen. Ik heb haar toch niet gezegd dat ze zo losbandig en vrij met hem moest omgaan.' Haar huid was droog en gerimpeld nu en liet al iets doorschemeren van het stof waartoe ze over twintig, dertig jaar zou vergaan. Deze keer echt. Het was pijnlijk, dacht Billy, ook dit weer pijnlijk, om deze boze woorden, deze jongemeisjeszorgen op de lippen van een mollige oude grootmoeder te horen die lang geleden wijs genoeg had moeten worden om deze wrevel van zich af te zetten. Een oude vrouw die wijs genoeg zou moeten zijn om te weten dat bekoelde hartstocht, hartstocht die allang over zijn hoogtepunt heen was, iets treurigs was. 'Daarna heeft ze me nooit meer geschreven. Mijn jongere zusje ziet haar nu en dan in New York. Ze heeft gestudeerd, aan het City College – meneer en mevrouw hebben haar geholpen – en ze heeft uiteindelijk een baan als lerares aangenomen, ergens in de buurt van een stad die Binghamton heet. Nooit getrouwd...' met enige voldoening.

'En jullie hebben geen contact?' vroeg Billy.

Ze schudde haar hoofd. Hij zou tot op dat ogenblik misschien hebben gezegd dat de tijd haar niet veel had veranderd. 'Ik ben zo goed als dood voor haar', zei ze hooghartig. 'En zij voor mij, kan ik eraan toevoegen.'

Bij het huisje van Holtzman, in de twee gevlochten tuinstoelen die ze op het dunne gras van de voortuin hadden gezet omdat de lage treden waarop ze zo vele avonden hadden gezeten toen ze jong waren nu te ongemakkelijk waren voor hun ouder wordende rug en pijnlijke prikkels in hun benen veroorzaakten, boog Billy, die een stuk in zijn kraag had, zich voorover en zei tegen Dennis dat er dus alleen maar verbittering over was. Twee oude zusters verwikkeld in een stille transatlantische vete als gevolg van een woordenwisseling over een paar jongens die ze dertig jaar geleden hadden gekend – omdat de een (zou je kunnen zeggen) te veel en de ander te weinig had gegeven. Dat was alles – alles wat er van hun mooie idylle op dit mooie plekje was overgebleven. Trouw ingegeven door woede die trouw ingegeven door genegenheid overtrof. Zo was het. Zo was het afgelopen. Alleen maar verbittering, eerlijk gezegd. Of bekrompenheid op z'n best.

Wat zei de dichter ook weer? Onze haat heeft meer diepte dan onze liefde.

Mijn vader schudde zijn hoofd. Hij ging zelf ook voorover-zitten, zijn onderarmen op zijn knieën. 'Je poëzie heeft je meer kwaad dan goed gedaan', zei hij.

Hij wist dat hij hem zou moeten wegsturen. Maar Billy had het flesje in zijn zak bijgevuld met de fles die hij in zijn koffer had en hij was te ver heen om hem weer op de trein te zetten. Niet dat Dennis nu de kracht had om dat te doen. Morgenochtend zou hij hem wegsturen, met een preek die hij zich nu al kon horen afsteken, de preek dat hij zichzelf kapotmaakte en misschien ook iemand anders kapotmaakte. Denk aan Maeve. Denk aan Rosemary en Kate. Denk aan die arme kapelaan Jim en alle moeite die hij voor je heeft gedaan. Denk aan je vrienden, Billy.

Denk aan mij. Dat had hij nog nooit gezegd en hij zou het zeker ook nooit meer zeggen, maar deze ene keer zou hij misschien tegen hem zeggen: denk aan mij, Billy. Zonder Claire, zonder zelfs maar geloof of verbeelding genoeg om haar mijn gedachten te zenden, laat staan mijn gebeden. Vergeet je dwaasheid, Billy, vergeet het verleden en denk aan degenen die echt van je houden, die altijd van je hebben gehouden. Ieder van ons is er het levende bewijs van, Billy, dat het maar een zwak iets is, dit van elkaar houden, volstrekt niet wat je je ervan had voorgesteld, behalve in de mate waarin het voortduurt.

'Het spijt me, Billy', zei hij in plaats daarvan, zijn hoofd schuddend. 'Als je een verontschuldiging wilt: het spijt me. Ik had je lang geleden de waarheid moeten vertellen. Maar er ging zo veel tijd voorbij. Ik begon geloof ik te denken dat het er niet meer toe deed.'

Billy zat rechtop, met tranende ogen, onverbeterlijk. En toch was er nog iets – verbeeldde mijn vader het zich alleen maar? – van dat oude verlangen om te bewonderen in Billy's blauwe ogen, Billy's eigen duurzame liefde. 'Het was een hele prestatie om het al die jaren vol te houden', zei hij zacht.

Daar was Dennis het mee eens.

'Een mooi verhaal om te vertellen.'

Mijn vader knikte, voorovergebogen, het dunne gras aan zijn voeten nog warm van de zon hoewel de dag begon te veranderen en de avond naderde. Het vleugje teer van de verhitte asfaltweg nu vaag genoeg om de zoetheid van de geurige lucht weer te laten doordringen. Lucht die de herinnering aan die tijd zelf was, al die jaren geleden. Die nu de geur van verlangen was.

'Was het moeilijk?' vroeg Billy met zijn smalle glimlach.

'Alleen in het begin', zei mijn vader tegen hem. 'Na een poosje geloofde ik het denk ik zelf.'

Billy knikte. 'Mary is nooit getrouwd', zei hij weer, hem iets aanreikend om over na te denken.

'En ze was nog wel een knap meisje', zei mijn vader, die er niet op inging. 'Zo zie je maar weer. Je kunt er niets van zeggen.'

Ik kwam van de weg aanlopen en trok hun aandacht pas toen ik het grindpad was overgestoken.

Mijn vader keek op, Billy draaide zich een beetje opzij in zijn stoel. Ik begon meteen te praten om niet in Billy's vochtige ogen en mijn vaders donkere, bezorgde ogen te hoeven kijken.

Ik ben Matt West tegengekomen, zei ik, de oudste zoon van meneer West, die jongen in de auto vanmorgen. Op het strand, zei ik, omdat ik de brede auto, de hardnekkige lucht van marihuana niet wilde oproepen. Ik zou om zeven uur met hem uitgaan, als ze het geen van beiden erg vonden. Misschien naar een film of zo. Ik hoopte dat ze het niet erg vonden.

Mijn vader leunde achterover. 'Billy is hier maar voor één nachtje', zei hij streng. 'Het is geen goede avond om andere plannen te maken.'

Maar Billy wuifde met zijn hand, zoals mijn moeder misschien zou hebben gedaan. 'Ga', zei hij en tegen mijn vader: 'Laat haar toch gaan. Waarom zou ze in vredesnaam de avond met een stel ouwe sokken willen doorbrengen?' Hij gebaarde naar het grasveld en de weg, de langer wordende schaduwen en de nog blauwe hemel. 'Op een avond zoals deze,' zei hij, 'een zomeravond op deze schitterende plek.' Hij keek me aan, nauwelijks in staat om verder te gaan. 'Ga', zei hij, zijn tranen opwellend, bijna uit zijn ogen stromend. 'Geniet van je avond, lieverd, met je vriendje. Ga.'

Dat was de avond waarop we ontdekten op welk punt onze kinderjaren samenvloeiden: op een zomeravond, een van de laatste, vermoed ik, die we bij mijn grootmoeder in het huis op Long Island hadden doorgebracht. Mijn broers en ik waren badminton zonder net aan het spelen in een hoek van de tuin, terwijl mijn moeder en vader en grootmoeder in een halve kring van gevlochten tuinstoelen in een andere hoek zaten. Een zoet geurende, late zomeravond, de hemel doorschoten met heldere kleuren, roze en paars en goud, een vleugje van de baai in de koeler wordende lucht waarin al het allereerste vleugje van de herfst te voelen was. Er stond een kan martini's op een aluminium dienblad voor hen, met ernaast een schaal gehalveerde jakobsschelpen, elk met een kloddertje rode cocktailsaus erop en gegarneerd met een schijfje citroen. Hun idee van gelukzaligheid.

We konden de oprijlaan zien vanaf de plek waar wij speelden en dus moest mijn grootmoeder voor het eerst hebben gemerkt dat we een bezoeker hadden doordat we ons tempo vertraagden en ons omdraaiden om te kijken, of misschien door het geluid van de wielen op het grind. Hij stapte uit de auto met het kaartje in zijn hand en scheen op het punt te staan het aan ons te laten zien, alsof hij de weg wilde vragen, toen hij zag dat er ook volwassenen aanwezig waren. Mijn vader kwam uit zijn stoel overeind om hem tegemoet te gaan; mijn grootmoeder, die er meer vanaf wist, vlak achter hem. Ze haalde mijn vader in net toen meneer West zijn pet afnam en leidde hem onmiddellijk terug naar de voorkant van het huis. We hoorden hun stemmen binnen door de horren voor de keukenramen en toen opnieuw in de achterslaapkamer. Zij scheen het meest aan het woord te zijn. Haar stem was op haar oude dag heser geworden, nog altijd de stem van een roodharige, hoewel ze haar haar wit had laten worden omdat ze haarverf verachtte zoals ze alle zelfbedrog verachtte. Mijn moeder keek mijn vader aan en mijn vader haalde zijn schouders op. Ze wisselden een paar woorden. Hij stond op om hun glazen bij te vullen. Toen mijn grootmoeder weer om de hoek van het huis verscheen, had ze een aantal briefjes van tien in haar hand en had meneer West zijn motor alweer gestart.

Hij reed terug naar jullie huis in Amagansett, waar de lange, luidruchtige ruzie die het huwelijk van je ouders voor jou was opnieuw begon. Hij kwam binnen toen jij en je broers met je moeder aan tafel zaten – iets met ketchup, zei je, in je herinnering; in je herinnering rook iedere maaltijd uit je jeugd naar ketchup (en toen trok je je hoofd in om te lachen, of omdat je mij aan het lachen had gemaakt). Je moeder keerde hem haar rug toe, zo ging het altijd, en noch jij noch je broers lieten zich bedriegen door de ijzige stilte – zo dadelijk, wisten jullie, zou het tot een uitbarsting komen. Je vader liep stampend de trap naar de zolder op, kwam stampend weer naar beneden met twee koffers, liep stampend hun slaapkamer in. Toen hij met de eerste koffer weer door de keuken kwam, vroeg je moeder koeltjes: 'Wat heeft dat te betekenen?' en hij zei: 'Ik ga weg.' Dat zal wel, mompelde ze tegen jou en je broers, die onmiddellijk noch partij voor haar wilden kiezen noch hem wilden geloven. Ze keerde hem opnieuw haar rug toe toen hij terugkwam, maar toen hij met de tweede koffer de keuken doorliep, schoot ze overeind en ging hem achterna, de keukendeur uit, het trapje af, over het zijgazon naar de auto.

Er zijn misschien gezinnen, zei je, die in de openlucht zachter praten (ons gezin, bijvoorbeeld, zei ik tegen je, dat op ongeveer datzelfde ogenblik op diezelfde avond, onder het genot van onze gegrilde biefstuk, rustig naar de uitleg van mijn grootmoeder luisterde over hoe verstandig het was om het huis het hele jaar door te verhuren, ondanks de dierbare herinneringen), maar jullie gezin hoorde daar niet bij. Ze gingen ruim tien minuten op het zijgazon tegen elkaar tekeer en toen stevende je vader de keuken weer in, met op zijn hielen je moeder, die hem probeerde vast te grijpen bij de achterkant van zijn overhemd. Beiden, met hun fonkelende ogen en verbeten mond, met alles aan hen, zei je, geconcentreerd op hun woede, zich schijnbaar niet bewust van en geen oog hebbend voor de drie jongens die nog aan tafel zaten bij de restanten van weer een maaltijd met ketchup. De slaapkamer weer in. 'Jij' was het sleutelwoord bij deze ruzies, zei je. 'Jij' als een nat propje door de lucht geschoten. 'Jij' losgetrokken en weer teruggeschoten. Ik? Jíj! Als ze maar hadden kunnen besluiten wie van hen 'jij' was, dan hadden ze misschien zeker geweten, eindelijk geweten, wie van hen de schuldige was. Dan hadden ze misschien iets opgelost. (Je hoofd weer intrekkend om te glimlachen. Ik hield van je mond, je donkere ogen, het leren bandje om je dunne pols.)

Je vader sliep die nacht, misschien de volgende tien nachten wel, op zijn boot, want het was minstens september – de school was tenminste weer begonnen – voor hij jou en je broers naar het kleine huisje bracht dat hij had gehuurd. Jij verafschuwde het natuurlijk, de muffe kamers en de bloedrode buitenmuren en het besef dat welke verborgen aanleg je vader ook had om een vreemde te worden nu werkelijkheid werd, terwijl hij in het keukentje rondliep, kastjes en laden opende en mompelde: 'Waar bewaart ze nou...', eieren met spek bakte en ze op verbleekte porseleinen borden opdiende die niet van hem en niet van je moeder waren, die mijn moeder, in feite, voor een paar dollar in de tweedehands winkel in East Hampton op de kop had getikt (het overblijfsel van nog een oproer in nog een huishouden) tijdens een andere zomer, jaren geleden. Jij verafschuwde het huisje omdat het onomstotelijk bewees, zo kwam het je toen tenminste voor, dat het huwelijk van je ouders voorbij was, dat de dagen dat jullie met zijn vijven bij elkaar woonden voorbij waren. Dat de woede en het schreeuwen nooit, zoals je altijd had geloofd, op de een of andere manier weer in liefde, in rust zouden veranderen. Zet het maar uit je hoofd, zei je tegen Cody en John. Hoop er maar niet eens op.

Jij sliep in de kamer met de Buster Brown en Tighe van spaanplaat aan de muur. Mijn kamer, zei ik, daar logeer ik altijd – 'Dan hebben we dus al in hetzelfde bed geslapen', zei je glimlachend, zonder omhaal te werk gaand. We verbaasden ons over wat we tot nu toe nooit hadden geweten – de overeenkomsten in ons verleden niet kostelijker dan wat onze toekomst, naar we begonnen te vermoeden, zou bevatten, aldoor voor ons had bevat, hoewel we dat niet hadden geweten.

Dit heb jij ervan geleerd, zei je – we waren al begonnen, kleren vielen van ons af, zoals ze in die tijd deden, het geluid van de oceaan ergens boven ons, de vochtige nacht, dezelfde sterren, onze eigen zomeridylle – dit was jouw persoonlijke kijk op jouw eigen ontwrichte gezin: dat er bij gebrek aan liefde, het verdwijnen, uiteenvallen, afwijzen van wat gelijkstaat met liefde, rust kwam. Dit was jouw persoonlijke kijk erop: je had het één of het ander, betaalde voor het één met het ander.

Ik was het met hem eens. In die tijd spraken we allemaal zo over de liefde: wereldwijs, met open ogen, zonder illusies. Maar we logen natuurlijk. Want wat we op dat ogenblik werkelijk geloofden – en met tussenpozen de rest van ons leven zouden geloven – was dat de hele geschiedenis van Holtzmans kleine huisje, van de failliete bouwer ervan tot mijn grootmoeders hebzucht en tot het verbitterde huwelijk van jouw ouders, op deze avond door onze eigen ontmoeting werd goedgemaakt.

De volgende morgen aan het ontbijt had Billy bloeddoorlopen ogen, maar hij was zo'n geroutineerd drinker dat hij geen kater scheen te hebben. Hij had gedoucht en zich geschoren met een elektrisch scheerapparaat en zijn haar was nat, achterover gekamd. De open boord van zijn lichtblauwe hemd liet zijn ouder wordende keel, de vlekkerige huid van zijn hals zien. Niets aan zijn gezicht of zijn manier van doen duidde erop dat hij een woord had gehoord van de uitbrander die mijn vader hem in zijn kamer had gegeven, voordat Billy of ik (luisterend naar de stem van mijn vader die door de muur kwam waaraan nog altijd Buster Brown en Tighe hingen) zelfs maar was opgestaan. Hij maakte zichzelf kapot, loog tegen iedereen en wat dacht hij van de moeite die kapelaan Jim zich had getroost, wat dacht hij ervan de AA nog eens te proberen; Ted had er baat bij en Mary Casey en oom Jim, waarom niet? Waarom niet?

De zwarte tas van Billy stond al bij de voordeur toen hij de keuken inkwam. Toen hij hem daar zag, zei hij: 'Hier is je hoed, waarom zo'n haast?'

Mijn vader stond aan het fornuis eieren te bakken. Hij draaide zich om en ik dacht even dat hij zich zou laten vermurwen. Maar hij was er net zo bedreven in als zijn neef om zich te onthouden van de dingen waar hij het meest van genoot. 'Er gaat een trein om zeventien over elf', zei hij.

Aan tafel nam Billy een lepel koffie maar hij verloor de helft ervan toen deze beverig naar zijn mond ging, zodat de koffie op zijn bord, zijn schoot en de voorkant van zijn overhemd spatte. Hij veegde zich af met zijn servet en haalde toen een pakje ansichtkaarten en een vulpen uit zijn borstzakje. Hij legde beide op tafel naast zijn bord.

'Nog iets wat opviel in Ierland', zei hij. 'We zijn er allemaal. Al onze gezichten.' tegen mij: 'Ik zag je vader een vrachtwagen met Guinness besturen in Dublin. En zijn vader dreef een kudde schapen de weg over in het noordwesten.'

Hij schroefde het dopje van de vulpen en hield hem in zijn ene hand, maar legde de pen weer neer toen bleek dat zijn trillende vingers hem nog niet konden hanteren.

'Ik zag mijn moeder', ging hij verder. 'Goeie God, ik zag mijn moeder in bijna iedere winkel die ik binnenging, meestal achter de toonbank. En een van de priesters die de mis las in het retraitehuis had mijn vaders gezicht.'

Hij tilde de kaarten op en bekeek ze een voor een. De eendenvijver. Home Sweet Home. De Maidstone Club. Een zonsondergang boven het strand in Amagansett.

'Iedereen', zei hij. 'Jij en Danny en Claire. Allebei mijn zusjes. Mac verhuurde ons een auto bij het vliegveld. Ted Lynch zat vlak achter ons bij een hurleywedstrijd en ik moet tot mijn spijt zeggen, Dennis, dat hij absoluut toeter was.' Hij knipoogde naar me. 'Het kalmpjes aan doen? Kom nou!' zei hij.

Mijn vader glimlachte, een oude gewoonte. Hij vond Billy grappig, of hij wilde of niet, zelfs Billy met een kater, die tegen iedereen loog, onverbeterlijke Billy.

Billy legde de kaarten weer op de tafel, met de blanke kant naar boven. Hij nam weer een lepel koffie, met vastere hand dan bij de vorige.

'Maar ik zag niemand die op Peter van Kate leek', zei hij. 'Wat alleen maar bewijst wat ik altijd heb gezegd, dat het verhaal over zwarte Ieren een leugen is. Sulinowsky is Sullivan geworden, als je het mij vraagt.'

Hij tilde de pen op, draaide de kaart weer om en keek naar de foto. Home Sweet Home. 'Maeve, natuurlijk', zei hij. 'En haar vader. Het gezicht van haar vader was dertien in een dozijn daar. Oom Jim. Bridie Shea als meisje weer.' Hij begon te schrijven, langzaam en angstvallig beheerst. 'Zou dat niet een mooi cadeau voor die arme Bridie zijn, weer een jong meisje te worden? Daarboven voor het raam van haar moeder te zitten zoals ze altijd deed? Geen zorgen aan haar hoofd. Ik zei tegen kapelaan Jim dat het een voorproefje van het hiernamaals was om daarnaartoe te gaan. Ik moet van iedere Ier die ik ken een of andere versie hebben gezien.'

'En jij zelf?' vroeg mijn vader. 'Leek er iemand op jou?'

Billy keek op van zijn ansichtkaart. Hij had er één regeltje op geschreven, twee stakige woorden, voorzover ik kon zien.

'O natuurlijk', zei hij. 'Ik was die jonge vent in Clonmel. Een legendarische figuur rond het benzinestation.' Mijn vader lachte een beetje en Billy keek mij aan. 'Vraag maar aan je vader of hij je het verhaal vertelt', zei hij, hoewel ik dat natuurlijk nooit deed, toen niet, met mijn eigen toekomst vóór me. En ik had het te druk met proberen te ontcijferen wat er op de kaart onder zijn hand geschreven stond. 'Lieftallige vriendin', leek het, alleen die twee woorden maar.

En toen zag ik hem de kaart aan Maeve adresseren.

Het huis op Long Island was plomp, rechthoekig, met rode planken en een groen dak, de planken ruw bij het aanraken maar glinsterend in het zonlicht, bespikkeld met mica. Aan de voorzijde waren twee ramen met donkergroene kozijnen en daartussen een deur, ook groen. Drie houten treden in dezelfde kleur als de deur geschilderd, de verf nu bijna helemaal afgebladderd zodat er overwegend kaal hout te zien was.

Het gazon, in april, was lichtgroen, de grasprieten nat en dun, pas opgekomen. Zelfs het lage onkruid dat langs de rand van het terrein groeide scheen net ontsproten, evenals de wirwar van kamperfoelie die de draadafrastering langs de zijkant bedekte, die in de zomer zelf een wirwar van gonzende bijen zou zijn. Op de met grind bestrooide oprijlaan lagen overal plassen. De weg voor het huis was nog donker van alle regen die Billy's snelle hemelvaart had gewaarborgd, maar hij droogde nu op, een niet langer ononderbroken penseelstreek die tegen het middaguur weer uitgewaaierd zou zijn tot stof langs de randen. Een weg die op de warmste dagen dezelfde scherpe geur verspreidde als toen hij was aangelegd. En zwevende warmtestralen natuurlijk, de aarde die lucht in beweging bracht.

In de meeste buitenhuizen en zanderige bungalowtjes was het stil, licht brandde maar in een of twee ervan: weer een zaterdagmorgen die gewonnen was. De halvemaan van het baaistrand was verlaten, de stenen en schelpen verzameld aan de rand ervan, de donkere golfslag van het kabbelende water dat eroverheen spoelde en terugstroomde.

Het perceel aan de overkant van de straat was nog steeds leeg en in het midden ervan lagen nog steeds de resten van een afbrokkelende fundering voor een huis dat nooit gebouwd was, zo overwoekerd nu dat zelfs in april het terrein een en al jong onkruid en dorre stengels en bladeren van het afgelopen jaar was.

Dit was altijd het uitzicht van het trapje aan de voorzijde van het huis op Long Island geweest: het lichtgroene perceel, de boomtoppen, de blauwe hemel die in bepaalde soorten licht de schittering van zonnestralen op de baai leek te weerspiegelen.

Er was een hordeur boven aan het trapje, gerepareerd, zoals alle hordeuren van zomerhuisjes gerepareerd leken te zijn, met een vijf centimeter groot vierkantje van draadgaas – in de rechter bovenhoek van de bovenste hor (altijd) – om draad zagende muggen buiten te houden. Erachter was een zware groene deur.

De deur gaf toegang tot een smalle kamer, een vleugje schimmel, vochtige oceaanlucht. Een klein lappenkleed bij de deur, een groter onder de zware salontafel. Daarbovenop drie vochtige nummers van *Reader's Digest* en een blauw-witte dienstregeling voor de Long Island Spoorwegen, station East Hampton. Een bank met een houten geraamte en tweed kussens die langs de randen wit gesleten waren. Een donkere schommelstoel, een geruite oorfauteuil. Een tafel met een lamp ernaast, de voet van de lamp een geverniste rol touw. Een oude Cinzano-asbak, een stokoud, onbruikbaar doosje lucifers van Jungle Pete. Een smeedijzeren staande lamp. Er was een spoor van zand van de vorige zomer op de houten vloer, onder de bank. Een spoor van stof in iedere hoek. Houtskool langs de plinten was bedoeld om schimmel tegen te houden.

Aan de andere kant van de kamer, en open ernaartoe, de keuken met zijn zware formica tafel en rode aanrechtbladen en ijskast met ronde bovenkant. De gootsteen bevond zich tegen de achtermuur, onder een lange rij smalle ramen, zo hoog ingezet dat ze voor alle afwassers van een meter vijfenvijftig en kleiner het uitzicht belemmerden. Een tuindeur naast de gootsteen, met het enige raam in huis waarvoor een gordijn hing, alle andere waren bedekt met gele jaloezieën. Een tweede deur naast de ijskast die naar een smalle gang leidde die naar de drie slaapkamers leidde. De enige badkamer aan het eind van deze kamers, afgebrokkeld wit porseleinen sanitair, de wasbak wiebelig op stalen muggenpoten, het gebarsten grijze linoleum.

Aan de overkant van de gang lag, met een paar centimeter extra, de grootste en door een tweede raam de lichtste slaapkamer, die geel geschilderd was en versierd met acht houten madeliefjes uit de schoenenwinkel, door mijn grootmoeder als een raadselachtig sterrenbeeld aan de muur aan het andere eind van de kamer gespijkerd. Een hoge ladenkast met een lange loper erop. Een nachtkastje met een lamp van matglas, een open tijdschrift omgevouwen bij een witte pagina vol zwarte drukletters, niet afgewisseld met foto's, een leesbril boven op de pagina, daar de vorige avond neergelegd omdat het te laat was om het uit te lezen en er te veel woorden waren en het allemaal ging over hoe veel de bevolking van de president hield, die alleen maar een acteur was als je het goed beschouwde, een acteur die zijn tekst voor hen opzei.

In het tweepersoonsbed, met aan het hoofdeind een schot van donker mahoniehout, geen aan het voeteneind, de witte chenille sprei teruggeslagen, de dunne gebloemde lakens verbleekt in de was, opende mijn vader zijn ogen in dezelfde kamer als waarin hij was gaan slapen. Dezelfde kamer als waarin hij was gaan slapen: toen de schemerige kring van de matglazen lamp; nu de met zonlicht doorschoten vroege ochtend, de eb en vloed ervan terwijl de wind de onderkant van de gele jaloezie inzoog en weer losliet (een kind op een schommel) zodat die terugklapte tegen het kozijn. Hetzelfde geluid dat hem wakker had gemaakt. Het verre rinkelen van de boeien in de baai (O, maar ze is een meisje). De geur van nieuw gras en de oceaan, van schimmel, van het huis op Long Island, van oostelijk Long Island. Ik ben er nog.

Hij zwaaide zijn voeten uit het bed en bleef een ogenblik zitten. Niets veranderde behalve het licht – het tijdschrift op het kastje, de bril daar, kleren op de stoel, madeliefjes, ladenkast, scheergerei op het bureau omdat zijn dochter bij hem was en ze haar toilettasje graag op de achterkant van de wc liet staan.

Daar stond het ook toen hij de gang was doorgelopen, lichtroze met blauw, dik. Hij stootte er zachtjes tegen toen hij de klep omhoog deed.

Weer in de kamer trok hij de jaloezie op tot boven het open raam zodat het geklepper haar niet wakker zou maken – en toen hoorde hij hetzelfde geluid, vaag maar aanhoudend, van de jaloezie en het raam in haar kamer ernaast komen. Ze hadden dus allebei de hele nacht de ramen opengelaten, ondanks de koude lucht. Er hing nog een nevel over het grijze gras, een nevel langs de hele met kamperfoelie begroeide afrastering. Er was geen plek ter wereld die hij bij het ontwaken liever zag.

Hij bleef even tussen de ladenkast en het bed staan en prentte zich in, als een wezenlijk onderdeel van zijn begrip: dezelfde kamer als waarin hij was gaan slapen, het bewustzijn verlaagd en weer verhoogd, alleen het licht veranderde. De terugkeer van de dag.

In de keuken zette hij de ketel op. Sneed sinaasappels door en perste ze met de hand uit op een ouderwetse glazen fruitpers. Dezelfde, in feite, die zijn moeder had gebruikt toen hij jong was, in het appartement in Woodside. Dezelfde die op de een of andere manier op deze kust was aangespoeld na wat hij zich voorstelde als een lange omzwerving, verpakt in kranten, opgeborgen in een doos, van dat keukentje in Queens naar de kelder van Holtzmans huis in Jamaica (waar de jaren verstreken, licht in het smalle kelderraam, daarna duisternis en dan weer licht, talloze keren opnieuw terwijl hij van overzee terugkeerde, Mary ontmoette, Claire ontmoette, trouwde, kinderen kreeg) totdat iemand – hij? Holtzman? zijn moeder? – de doos met het opschrift 'keukenspullen' naar boven haalde en de pers hiernaartoe bracht, naar het huis op Long Island, waar hij jarenlang niet door hem gezien werd en daarna weer opdoemde als iets wat hij met meneer West deelde toen deze nog 'de huurder van mijn moeder' en nog niet 'de schoonvader van mijn dochter' was, tot hij op deze morgen in april, de tweede morgen dat Billy in zijn graf lag, verrast, zelfs verrukt werd door het ding, door de dingen die de tijd doorstaan.

Hij schonk het sap in twee korte, dikke glazen, waste en droogde zijn handen. Hij trok de achterdeur open – het kozijn klemde, het gordijn zwaaide – op een toneel zou de hele muur hebben bewogen. Hij stapte naar buiten op de smalle achterveranda, waar de kwasthalen in de donkergroene verf van hem en van Billy waren. De heerlijke zoete voorjaarslucht van oostelijk Long Island. Nieuw gras en zoete bloesem en de scherpe geur van zeezout. Hoog in het heldergroen van de lichte bomen smalle banen geel zonlicht, ook dat een dramatisch effect. De achtergrondmuziek vogelzang: meeuwen en mussen en verre kraaien.

Hij deed een paar oefeningen. Zijn armen winterbleek, de dunne haartjes erop overwegend grijs, stellig grijzer dan Claire ze ooit had gezien. Tegen zonsondergang zouden zijn armen roodbruin zijn, met het werk dat hij had gepland, snoeischaar en zeis en wat verf afkrabben. Hij raakte zijn middel, zijn schouder aan, hief zijn armen boven zijn hoofd en leek sprekend op een man die dankzei. De terugkeer van de dag.

Binnen kreunden en ratelden de buizen, het geluid van water dat door de muren stroomde alsof het geraamte uit pijpen bestond en niet uit hout. Zijn dochter onder de douche.

Hij pakte het dienblad van onder het aanrecht, zette er koppen en schotels op, kommetjes, cornflakes, suiker, lepels, een pak melk, een pot jam. Hij roosterde vier sneetjes brood en schonk water in de theepot op hetzelfde moment dat zij de keuken binnenkwam, op blote voeten, met een trainingsbroek en een oud T-shirt en nat haar dat naar shampoo rook.

'Goedemorgen, Glory', zei hij en zij zei: 'Goedemorgen', de

handddoek om haar schouders gedrapeerd. Ze had al een eindje hardgelopen, zei ze, naar het strand en weer terug, en hij besefte dat de jaloezie die hij had gehoord in een lege kamer had geklepperd. Morgen zouden ze terugrijden naar Rosedale. Morgenavond zou zij naar huis vliegen.

Hij tilde het blad op en zij liep voor hem uit door de woonkamer. Ze deed nogmaals de groene deur van het slot en trok hem open, waarna zonlicht en vogelzang een lange strook van de vochtige, donkere kamer transformeerde. Ze liep naar buiten en hield de hordeur voor hem open.

Hij zei: 'Dank u, m'vrouw', en hield de deur toen met zijn elleboog tegen om haar voor te laten gaan. Ze liep naar de onderste tree en draaide zich naar hem toe om het blad van hem aan te pakken, maar hij zei: 'Nee, laat maar', en liet de hordeur achter zich dichtvallen terwijl hij naar beneden liep en zich omkeerde en het blad voorzichtig, met rammelend serviesgoed, op de bovenste tree zette. Hij ging ernaast zitten. Zij ging onder hem zitten, aan zijn voeten, schudde haar haar uit, haalde haar vingers erdoor en wasemde een shampoo uit die een nagemaakte maar sterke versie was van de geur van de voorjaarslucht. Hij tilde het theekopje op en schonk voor haar in. Zij reikte achter zich.

'Dank je', zei ze.

'Graag gedaan.'

Ze nipte van het kopje. De wind die hem wakker had gemaakt was in de zon zwakker geworden, maar er hing nog iets van het koele ochtendgloren. Je durfde niet tegen een volwassen dochter, een getrouwde vrouw met kinderen van zichzelf, te zeggen: 'Heb je het niet koud? Wil je een trui hebben? Zou je niet liever schoenen aandoen?'

Hij zei: 'Je moet je schoonfamilie bellen zolang je nog hier bent.'

Ik zei ja, ik had ze al verteld dat ik langs zou komen.

'Da's nog eens een gelukkig paar', zei mijn vader, meneer West en zijn vrouw bedoelend, die weer bij elkaar waren nu hun drie jongens groot waren en hun vleugels hadden uitgeslagen. Weer genesteld in het huis in Amagansett, zoals jij zelf had gezegd, genesteld tussen de ruïnes. Niets was hardnekkiger, had jij gezegd, dan het verlangen om ergens bij te horen, vooral als je oud werd, hardnekkiger dan de werkelijkheid, dan herinneringen. Je ouders keerden zich met verbaasde ogen af wanneer jij of je broers zeiden: maar jullie hadden een hekel aan elkaar... Ze hadden alleen maar ruimte nodig gehad, zeiden ze dan tegen jullie, onze eigen woorden tegen ons gebruikend. Ze hadden alleen maar een moeilijke periode in hun huwelijk doorgemaakt die, helaas voor jullie jongens, min of meer samenviel met jullie jeugd...

Terwijl we op het trapje van het huis op Long Island zaten, Billy twee dagen in zijn graf, bespraken mijn vader en ik wat er aan het huisje gedaan moest worden om het in orde te maken voor de zomer, voor zijn pensionering volgend jaar, wanneer hij het huis in Rosedale te koop zou zetten en hier voorgoed zou gaan wonen. Een tweede opknapbeurt waarmee al te lang was gewacht. Isolatie, loodgieterswerk, verwarming, verf. Het werk dat Billy en hij jaren geleden hadden gedaan overdoen en dan aanvullen. Nieuw meubilair. Een echte tuin, zodra hij hier voorgoed was, een heleboel gasten ook, met ruim een halfjaar waarin hij bezoeken kon plannen, van april tot eind september op zijn minst, misschien oktober ook. Mijn drie broers en hun gezinnen zouden om de beurt komen en hij hoopte dat ik van de Westkust zou komen met de kinderen. Minstens een week of twee zou blijven.

Mijn vader zat op de tree boven me, de tree die hij diezelfde middag zou gaan afkrabben en schuren, en terwijl hij naar de blauwe hemel boven de baai en het halvemaanvormige strand achter de rij bomen keek, beschreef hij alle manieren voor me waarop hij zijn tijd in dit heerlijke huisje zou doorbrengen, nog altijd Holtzmans huisje als je het goed beschouwde, zijn onverwachte erfenis van een moeder die niet veel belang had gehecht aan uitgebreide sentimenten maar desondanks tweemaal was getrouwd en van hem had gehouden en aan het eind van haar leven had gezegd, nadat ze het geld van Holtzman over goede doelen had verstrooid, zie dat je Billy daar weer naartoe krijgt, met zijn vrouw, want als je het goed beschouwde leefden er allerlei dingen in haar hart en haar hoofd waarvan we nooit hebben geweten. Ze was in staat te geloven, bijvoorbeeld. Dus kon ze ook bedrogen worden, want je kunt niet het een zonder het ander hebben, elk de keerzijde van het ander.

Hij zou de Quinns uitnodigen, zei mijn vader, Mickey gaat binnenkort ook met pensioen, en natuurlijk de diverse leden van de familie Lynch, Danny ook, en Bridie als ze eens even op een mooi plekje tot rust wilde komen, na al dat zorgen voor die arme Jim. Hij zou de familie Casey uitnodigen en de beide echtparen die naast ons woonden in Rosedale, mijn moeders zuster Louise met haar gezin, alhoewel ze hem gek maakte. En, zei hij, hij zou Maeve vragen te komen.

Ik keek over mijn schouder naar hem. Ik had gedacht, terwijl hij de namen opsomde, dat het heel duidelijk was dat die van Billy op het lijstje ontbrak, hoewel Billy door de jaren heen nooit had willen komen, en ik dacht toen dat mijn vader haar naam alleen daarom noemde, omwille van Billy. Hij zei dat Maeve, voorzover hij wist, nooit die kant uit was geweest. Ze moest het zien. Ze zou ervan genieten.

Ik knikte. Natuurlijk, zei ik. Ik kon me wel indenken dat ze op het station in East Hampton uit de trein stapte, aarzelend en langzaam, haar hand veel langer dan nodig was op de leuning naast het trapje (de eenvoudige parelring), daar wachtend tot de conducteur zijn hand uitstak om haar naar beneden te helpen. (Dorothy of misschien Bridie achter haar, omdat het geen pas zou geven om hier helemaal alleen naartoe te komen.) Een simpele japon, of een broekpak voor de reis, haar ronde gezicht en haar korte haar. Mijn vader zou haar tas nemen, haar een lunch aanbieden aan de overkant van de straat, haar de gebruikelijke rondleiding geven langs de prachtige huizen (zomerhuisjes, zou hij zeggen) die ze geen van beiden ooit verwachtten te bezitten, of zelfs maar binnen te gaan, er genoegen mee nemend, zoals we allemaal hadden gedaan, om er alleen maar langs te rijden en ze te bewonderen. Billy's idee van de hemel, zou hij tegen haar zeggen – het idee zelf al voldoende.

In de vooravond in de tuinstoelen op het dunne gazon, een cocktail, dan een dinertje in de stad of misschien iets op de barbecue. De achterste slaapkamer, voor privacy, met het bed opengeslagen. Schone, versleten handdoeken van het huis in Rosedale op de toilettafel voor haar. Even grinniken om het glimlachende zeepaardje van vezelplaat aan de muur – nog een decoratie uit de winkel van Holtzman.

Holtzman, met zijn letterlijke rijkdom, uiteindelijk degene die het leven van hen allen had veranderd. ('Zelfs van mijn dochter', zou hij zeggen. 'Zij heeft Matt hier ontmoet, weet je.') Figuurlijke rijkdom veranderde uiteindelijk niets, behalve misschien de verhalen die werden verteld.

'Als het op een keuze tussen liefde en geld aankomt,' zou mijn vader tegen Maeve zeggen, een oud grapje herhalend, 'kies dan geld.'

En dan zou hij haar op zondagmiddag weer naar het station brengen, na de mis en een licht ontbijt. De adembenemende mensen op het perron bij haar, de meesten ervan jong, allemaal getransformeerd door een weekend in de zon, met fruit en wilde bloemen in hun armen.

Maeve zou een betrekking hebben tegen die tijd, twee à drie jaar na Billy's dood. Een baantje dat Ted Lynch voor haar had gevonden bij het aartsbisdom, nadat ze hem ervan had overtuigd dat als ze ooit de neiging had gehad om in het klooster te gaan deze lang geleden verdwenen was. Het lieve Indiase echtpaar haalde haar van het station in Bayside af en reed haar terug naar het smalle huis waar ze nu alleen met de hond woonde; in alle rust, moest ze zeggen. En waar ze zich ongetwijfeld zou beginnen af te vragen wanneer Dennis haar weer zou uitnodigen, omdat het daar zo heerlijk was en omdat Billy zo van dat plekje had gehouden, hoe vurig en hoelang hij het zich ook had ontzegd. Hij had zich tenslotte veel ontzegd van de dingen waarvan hij het meest hield, die arme man.

Ze hoopte dat hij haar weer zou uitnodigen, want toen Dennis en zij gisteravond aan tafel zaten met een geroosterde boterham en een kopje thee, waren de doden bij hen, net buiten de lichtkring. Billy en Claire, niet vergeten, niet minder betreurd, maar stil nu, in dromen hun hoofd altijd afgewend, zodat de loop van andere levens, de levens van degenen die ze hadden bemind, voltooid kon worden, voort kon gaan.

Toch zeker precies zoals het Ierse meisje, van wie Billy had gehouden toen hij jong was en net uit de oorlog terug, ten slotte haar hoofd had afgewend.

Niet minder herdacht, niet minder betreurd. Mijn vader zou het zelf zes à zeven jaar later zeggen, terwijl we weer samen op dit trapje zaten en ik onze kinderen gadesloeg die croquet op het grasveld speelden (me afvragend, tellend, hoeveel jaren deze zomers nog zouden voortduren, met mijn vader in leven, onze kinderen nog kinderen, hoeveel meer van deze jaren genoeg waren). Nu niet minder bemind dan toen, zou mijn vader zeggen, mij het nieuws vertellend, maar het leven gaat toch door. Je hebt een beetje troost nodig. Een beetje compensatie.

Ik zou over mijn schouder naar hem kijken. Was het boetedoening, zou ik hem willen vragen, was het compensatie voor een oude en goedbedoelde leugen, voor het leven dat haar daardoor was ontzegd? Of was het alleen maar zorgen, altijd weer zorgen voor anderen? Een hand opnieuw uitgestrekt naar wie toevallig in de buurt was.

Ik kon het hem natuurlijk niet vragen. En het viel onmogelijk te zeggen. Zijn neiging tot medeleven was niet minder dan Billy's neiging tot zelfverloochening. Hun geloof, van hen beiden – van hen allen, denk ik – was niet minder fel dan hun vermoeden dat uiteindelijk misschien zou blijken dat ze ongelijk hadden. Niet minder fel dan hun zekerheid dat ze desondanks zouden blijven geloven.

Ze trouwden in maart 1991, mijn vader en Maeve. In het kleine kerkje in East Hampton, de Allerheiligste Drie-eenheid nu, niet Sint-Filomena meer, want die arme vrouw was halverwege de jaren zestig van de lijst van heiligen geschrapt omdat er enige twijfel was gerezen of ze wel echt had bestaan. Alsof wat echt was in die omvangrijke bloemlezing van verhalen die door de heiligenlevens werd gevormd – en die tevens het geloof van mijn vader en dat van Billy en ook een deel van mijn geloof vormde – in tegenstelling tot wat gefantaseerd en wat geloofd werd, ook maar iets uitmaakte, als je het goed beschouwde.